techniques de l'intelligence artificielle

techniques de l'intelligence artificielle

un guide structuré

Charles-Henri Dominé

Préface de René Malgoire
Président du CEPIA

ISBN : 2-89315-019-5

ISBN : 2-04-018680-8

Préface

Le Centre d'Etudes Pratiques d'Informatique et d'Automatique (CEPIA), créé en 1968, est une association pour la promotion, au travers d'actions de formations, du bon usage de l'informatique et de l'automatique.

Promouvoir un bon usage c'est, simultanément, détecter, autant que faire se peut, les causes d'un mauvais usage (l'expérience et les leçons qu'apportent les échecs), diffuser (notamment sous forme d'enseignements) la connaissance de l'état de l'art considéré et, enfin, procéder à des choix judicieux quant aux avancées de l'art qu'il convient de retenir (faire les bons paris).

Faire le bon choix n'est pas simple : le respect de la mode, l'engouement pour la nouveauté, la crainte de rester à la traîne sont autant de causes de... mauvais choix.

Il est du rôle d'un organisme comme le CEPIA de participer, à sa manière, à ces bons choix.

Le CEPIA a choisi d'enseigner l'informatique symbolique et de bien choisir les enseignants qui auraient à intervenir dans ses programmes.

Pourquoi enseigner l'informatique symbolique ? Sûrement parce que l'informatique algorithmicienne ne peut prendre en charge les problèmes où la part du qualitatif est grande par rapport à celle du quantitatif.

Or, notamment dans le domaine de la gestion des entreprises et des administrations, peu à peu se développe une nette volonté de ne plus en rester aux seules procédures dont les critères d'analyse ne seraient que d'ordre quantitatif.

Certes, l'informatique symbolique ne peut résoudre tous les problèmes qui jusque là n'avaient pas trouvé de réponses satisfaisantes, sauf celles qu'apportaient l'expérience, le précédent ou la finesse.

Mais elle peut largement aider à mieux affronter ces problèmes. En effet, l'informatique symbolique conduit ceux qui sont en mesure d'apporter des réponses à mieux expliciter leurs connaissances. Finalement, mais mon attitude est volontairement provocatrice, l'informatique symbolique peut, déjà, permettre de disposer d'experts encore plus confiants dans leurs savoirs.

Or, un expert qui peut mieux expliciter ses connaissances est, du même coup, un expert qui peut mieux transmettre son savoir.

Rien que cet enjeu vaut qu'on s'intéresse à l'intelligence artificielle et à sa partie actuellement la plus visible : les systèmes-experts !

Reste à les enseigner.

Le curriculum de Charles-Henry Dominé n'est pas de ceux qui se résument en quelques lignes. Si force nous est de nous en tenir à un tel résumé encore nous faut-il en prévenir le lecteur.

M. Dominé est polytechnicien (X72), ingénieur de l'Armement, ancien élève de l'Ecole Nationale Supérieure des Techniques Avancées (77) et de l'Institut d'Etudes Politiques de Paris (78).

Il a été ingénieur de projet à l'Etablissement Technique Central de l'Armement, puis responsable de la division "Informatique" à la Direction des Recherches, Etudes et Techniques (DRET) à la Délégation générale pour l'Armement et, actuellement, il est Chef de Cabinet du Directeur de la DRET... et il est loin d'avoir atteint la quarantaine !

Il est de cette génération montante qui accumule les titres, les fonctions et les mérites pour mieux comprendre le monde actuel qui exige de ceux qui se veulent être des acteurs du changement un champ de compréhension large.

Surtout il a l'art d'enseigner car, outre sa compétence, il apporte son enthousiasme.

L'ouvrage de M. Dominé bénéficie des qualités pédagogiques de son auteur. On en sera convaincu de façon simple : les mots utilisés sont définis avec soin et précision. La barrière du vocabulaire est donc aisée à franchir.

La barrière des principes est aussi facile à sauter : l'auteur a balisé le parcours avec une grande rigueur intellectuelle et un sens de la simplification qui appartient surtout aux pédagogues.

La barrière des usages de la matière enseignée se présente en fin de parcours. L'auteur est sûrement parti d'un principe : tout se mérite et il faut disposer de bonnes bases avant d'aborder les applications : c'est le prix qu'il faut accepter de payer pour ne pas se mettre en fausse position par rapport aux questions évoquées. Car, en l'occurence, il est très facile, sans bonnes bases, de tout demander aux systèmes-experts ou de ne s'en servir que pour traiter de broutilles.

Puissent les lecteurs de cet ouvrage et les auditeurs du CEPIA tirer grand profit de sa lecture.

Ils en tireront certainement grand profit pour une bonne raison : le livre de M.Dominé rassemble ce qui est épars dans la littérature actuelle sur le sujet. En bref, son livre est, tout à la fois, un moyen d'initiation pour les nouveaux venus et une actualisation précise des connaissances pour ceux déjà familiarisés avec l'intelligence artificielle.

Cet ouvrage enrichit la collection CEPIA qu'édite Dunod dans sa collection "Informatique".

Je tiens à remercier l'Editeur de faire une place au CEPIA depuis bientôt 20 ans dans ses parutions.

Je tiens à remercier l'Auteur de ce remarquable ouvrage et à lui dire en quelle estime les Animateurs, les Auditeurs du CEPIA et moi-même le tenons.

R. MALGOIRE
Inspecteur Général
des Postes et Télécommunications
Président du CEPIA
Président de l'Institut de Recherche, d'Etudes
et de Prospective Postales (IREPP)

Table des matières

Présentation

L'engouement suscité par l'"Intelligence Artificielle" ne va pas sans poser quelques problèmes à ceux qui désirent investir dans ce nouvel outil de compétitivité.

En effet, rares sont les spécialistes de ces techniques, et la flambée récente de la demande n'a pas multiplié subitement les compétences disponibles.

Le formation qui fonctionnait pour un très faible volume de chercheurs, déjà spécialisés, s'appuyait essentiellement sur les publications de travaux de recherche.

Avec le développement de la discipline sont apparus un certain nombre de manuels techniques approfondis, puis plus recemment d'ouvrages orientés vers l'utilisation industrielle des systèmes experts.

Entre ces types de documents, il nous est apparu qu'il manquait un guide rassemblant de façon structurée les multiples techniques présentées au fil de la littérature, faisant ressortir leurs liens et résumant leurs caractéristiques essentielles. Nous n'entrons pas, dans cet exposé, dans tout le détail des démonstrations de propriétés ou des analyses d'algorithmes : celles-ci existent par ailleurs dans la littérature, et leur répétition ne pourrait que noyer l'utilisateur de notre ouvrage, et lui brouiller la vue de synthèse que nous souhaitons lui présenter.

Par ailleurs, et dans le même esprit de constituer un guide opérationnel, nous avons rassemblé, réordonné et structuré les résultats de l'expérience concrète dont nous disposions sur la pratique des systèmes experts. Cette partie est conçue comme une "check-list" détaillée dont la structure logique est expliquée, et dont chaque étape regroupe l'ensemble des mesures, critères et questions concrètes utiles.

Dans les deux cas, un lien étroit avec la pratique a été maintenu, en utilisant largement la présentation de systèmes réels, pour illustrer l'emploi des techniques en première partie et pour présenter le panorama des domaines d'application dans la seconde.

Je tiens à remercier ici tous ceux qui ont contribué à l'élaboration de ce document, et tout particulièrement le professeur J.P.Haton, dont la grande connaissance du domaine m'a permis de rectifier plusieurs inexactitudes ; mon ami H.Groscot, pour sa contribution sur les langages LISP et PROLOG; M.H.Morlaës qui est la véritable réalisatrice de l'ouvrage ; et Madame Laus dont la patience souriante a persisté jusqu'à la mise au point définitive.

1

Définition champ d'application et limites du domaine

Les systèmes experts sont issus des travaux de recherche dans le domaine dénommé "Intelligence Artificielle".

Pour diverses raisons, ce terme suscite disputes et débats, en général peu scientifiques.

C'est pourquoi, avant d'aborder l'étude des techniques et des réalisations de systèmes experts, il est nécessaire de consacrer un premier chapitre à faire le point sur cet environnement, à préciser l'origine, la nature et la portée des discussions qu'il suscite, et à délimiter avec précision l'objet du présent manuel.

Nous examinerons tout d'abord l'historique de la discipline.
Après quoi, nous ferons le point des arguments en faveur et à l'encontre du terme "Intelligence Artificielle", pour clarifier la source et le contenu des controverses qui se déroulent à son propos.
Enfin, nous délimiterons notre cadre d'intérêt : pour en exclure les discussions précédemment évoquées, nous adopterons pour le désigner la dénomination d'"*informatique symbolique*". Cette dernière partie sera consacrée à situer l'informatique symbolique dans le champ plus général de l'informatique, à en dégager les grands principes techniques, et à illustrer concrètement son contenu par un panorama des travaux pionniers de la discipline.

1.1. Historique

Les systèmes experts émergent dans les années 70 dans les laboratoires américains de recherche en informatique, au sein des équipes d'une discipline intitulée "Intelligence Artificielle".
Un rapide survol de la genèse de ces réalisations facilitera la bonne compréhension de la technique et le repérage de ses particularités et de ses ambitions.

1.1.1. Filiation

Le désir humain de réaliser par les soins de son industrie des machines qui reproduisent ses facultés est vieux, sinon comme le monde, du moins pratiquement comme la pensée dès qu'on en a la trace. La mythologie illustre ce thème du créateur cherchant à donner vie à l'oeuvre de ses mains : c'est notamment l'argument de la légende de Pygmalion, sculpteur tombé amoureux de sa création, et qui obtient d'Artémis qu'elle lui donne vie. Des réalisations concrètes sont entreprises avec les machines à calculer (de Pascal), les automates, puis la cybernétique. Vaucanson (1709-1782) est l'un des grands pionniers, réalisateur habile de mécanismes, dont le fameux canard qui reproduisait l'apparence et le comportement de l'animal vivant. La science-fiction prend le relais, avec le thème du "robot", initialement esclave mécanique reproduisant les capacités de l'homme.
Mais la véritable apparition de l'automatisation des processus cérébraux, non plus rêvée mais définie concrètement, peut être attribuée à l'école anglaise de mathématiques, avec deux grands noms : Babbage et Turing. Deux dates marquent cette apparition.

Babbage et la machine à calculer les fonctions

1834 : Charles Babbage (1792-1871) définit le concept de machine calculatrice universelle, ancêtre de l'ordinateur moderne, et en propose les plans.
Mathématicien et bricoleur de génie, Babbage a déjà réalisé une machine (mécanique!) qui tabule avec 8 décimales les fonctions dont la différentielle d'ordre 2 est constante, et travaille, sans parvenir à en achever la réalisation, à une machine identique mais calculant avec 20 décimales les fonctions dont la différentielle d'ordre 7 est constante.
Par ses travaux et ses réalisations, Babbage a ouvert la voie à la notion

de réalisation automatique des calculs. Il s'est heurté dans la pratique à une difficulté : pour l'exécution de ses fonctions, la complexité des mécanismes mis en jeu imposait, sur les tolérances d'usinage et les valeurs de frottement, des contraintes que la technologie de son temps ne lui permit pas d'atteindre.
Le développement de l'électronique va permettre, plus d'un siècle plus tard, de concrétiser ces géniales prémonitions.

Turing et le "cerveau électronique"

1950 : Alan M. Turing (1912-1954) propose dans un article demeuré classique : "Can a machine think ?", la définition d'une expérience qui permettrait de qualifier une machine d'"intelligente". Cette expérience, connue sous le nom de "imitation game", consisterait à faire dialoguer un expérimentateur avec un interlocuteur qui pourrait être soit une machine, soit un autre homme. L'expérimentateur ignorant l'identité de son vis-à-vis (le dialogue se passerait dans un cas comme dans l'autre par l'intermédiaire d'un clavier), le test est réussi par la machine si l'expérimentateur ne parvient pas à déterminer avec exactitude la nature de son interlocuteur.

Auparavant, Turing a effectué l'essentiel de ses travaux sur la formalisation de la théorie des automates et de la notion de calculabilité. Dès 1936, il a défini une machine abstraite, la "machine de Turing", qui sert de base à la notion d'algorithme et à la définition de la classe des problèmes décidables.

Par ailleurs, en 1950, à l'université de Manchester où il enseigne les mathématiques, Turing participe à la mise au point d'un des premiers ordinateurs (le premier, l'ENIAC, a été réalisé aux Etats-Unis au début des années 40, et a servi à effectuer des calculs pour la réalisation de la première bombe atomique).

On parlera bientôt, à propos de ces machines, de "cerveau électronique". Pourtant, à cette époque, et pour longtemps encore, la machine effectue pour l'essentiel du calcul sur les nombres. Dans ce domaine, dans lequel le cerveau humain est relativement peu habile, la machine n'a guère de peine à le surpasser. Elle le fait d'ailleurs en mettant en oeuvre des processus algorithmiques qui n'ont rien à voir avec ceux de nos neurones.

Néanmoins, cette appellation confirme que, dès l'origine, existe l'idée de reproduire les processus cérébraux.

1.1.2. Naissance

Des équipes, aux Etats-Unis, en Grande Bretagne, en France, vont s'attaquer à ce travail. L'objectif est de rendre la machine capable de résoudre des problèmes, de percevoir un environnement et d'y réagir, de comprendre un texte en langue naturelle et de se conformer à ses prescriptions ou de le traduire dans une autre langue,...

Les premiers travaux seront difficiles : on part de loin. D'une part la programmation des machines s'effectue au départ en binaire, le langage machine, d'autre part la puissance et les capacités mémoires disponibles (quelques dizaines de milliers de "mots") feraient sourire aujourd'hui le possesseur de la moindre de nos calculettes programmables.

J. Mc Carthy, l'"Intelligence Artificielle" et LISP

1956 : un séminaire d'été est organisé à Dartmouth pour présenter les premiers résultats. C'est la dénomination de ce premier séminaire sur l'Intelligence Artificielle qui fait apparaître le nom de la discipline.
Pour la petite histoire, l'anecdote veut que le nom ait été proposé par J.McCarthy, de préférence à d'autres appellations plus techniques : "Nous avons besoin de quelque chose de plus tape-à-l'oeil" (*) aurait-il lancé.

A Dartmouth, Newell et Simon présentent le premier programme de démonstration de théorèmes : "Logic Theorist".

En 1956 également, J. Mc Carthy a entrepris de construire un langage de programmation adapté aux besoins de la manipulation de connaissances et de la reproduction du raisonnement. Celui-ci est basé sur la notion de listes (tous les objets manipulés sont représentés par des listes) et la programmation fonctionnelle (tous les objets sont des fonctions). LISP (LISt Processing) [McCarthy,1978] sera opérationnel dès 1958, soit deux ans après le premier grand langage de programmation : FORTRAN (pour FORmula TRANslator). Il servira de base à pratiquement tous les travaux de la communauté Intelligence Artificielle : de ce fait, il sera enrichi par ses utilisateurs, qui constitueront autour de lui un environnement de programmation d'une extraordinaire richesse.

(*) "We need something more flashy".

1.1.3. Enfance et adolescence

A. Newell et H. Simon à la recherche des mécanismes de raisonnement

Après le Logic Theorist, basé sur un modèle de recherche aveugle, Newell et Simon procèdent à l'analyse des *protocoles de résolution de problème* (en enregistrant les commentaires que font à voix haute sur leur démarche mentale des sujets engagés dans ce travail).

Ils en dégagent le principe de "l'analyse fins-moyens"(*) qu'ils vont programmer comme mécanisme de raisonnement de General Problem Solver.

1959 : General Problem Solver est opérationnel. Comme son nom l'indique, l'ambition de ses auteurs a été de réaliser un programme général de résolution de problème.
En pratique, General Problem Solver résout des problèmes de logique (démontrer l'identité de deux expressions logiques). Il sera ensuite... généralisé, pour résoudre d'autres catégories de problèmes [Ernst et Newell, 1969].
Beaucoup de travaux de cette époque sur la résolution de problèmes sont consacrés à la recherche d'un modèle de fonctionnement du cerveau dans ce processus. L'idée de Simon est de "reproduire sur ordinateur des comportements intelligents", comportements dont il cherche à déterminer le mécanisme.

Essais et erreurs

L'ambition de Newell et Simon pour la résolution de problèmes est partagée par beaucoup dans cette période de développement : l'idée initiale est de s'attaquer aux problèmes les plus généraux, et d'en implanter sur machine les mécanismes de résolution. Cette démarche va faire apparaître la complexité de ces derniers : le projet initial de reproduction de la "pensée" sur ordinateur ne peut être atteint du premier coup.

1965 : la communauté des chercheurs en Reconnaissance des Formes et en Traitement des Images organise un congrès distinct de celui consacré à l'Intelligence Artificielle.

(*) "means-ends analysis".

Cette séparation est logique : les travaux des deux communautés divergent de plus en plus, car les équipes qui travaillent sur le traitement d'images ont dû consacrer pour l'essentiel leur activité à la mise au point d'algorithmes de type traitement du signal.
On constate l'existence de deux types de travaux :
- d'une part les travaux de base, plutôt mathématiques, sur la théorie de l'information et le traitement du signal,
- d'autre part, les recherches à caractère plus expérimental et d'une certaine manière psychologique sur les mécanismes du raisonnement, la résolution de problèmes et la génération de plans.

Entre ces deux orientations, complémentaires mais très différentes, la communauté de pensée et d'intérêt est difficile à maintenir.

1966 : suite au rapport de l'Alpac(*), la plupart des subventions aux projets de recherche sur la Traduction Automatique sont supprimées. Cette décision affaiblit durablement la crédibilité et les moyens des équipes de recherche en Intelligence Artificielle.
Fortement soutenues par les crédits publics (notamment du Département de la Défense), les équipes s'étaient engagées dans la réalisation de programmes de transcription de textes d'une langue vers une autre. Ces travaux, basés sur le principe d'une traduction de type mot-à-mot se sont enlisés : les résultats sont manifestement complètement insatisfaisants. En fait, un travail de fond doit être entrepris sur l'analyse et la définition des structures de la langue qui sera effectué sur la base des travaux du néerlandais Noam Chomsky [1957]. Le défrichage et l'analyse automatique du langage naturel pourront alors reprendre à partir d'une amélioration des techniques de représentation interne de la connaissance.

1968 : le maître international d'échecs britannique D. Levy lance un défi à la communauté des chercheurs en Intelligence Artificielle : il propose de parier 500£ que, dans les dix ans à venir, aucun programme joueur d'échecs ne parviendra à le battre. Ce défi, relevé par D. Michie, J. Mc Carthy et S. Papert, sera perdu en 1977, date à laquelle CHESS 4.5 perdra sa partie contre D. Levy.
Les programmes joueurs, notamment d'échecs, sont un des sujets favoris de la communauté Intelligence Artificielle. Des progrès considérables ont été accomplis dans ce domaine : un programme a remporté en 1986 le Championnat du monde de Backgammon, et personne n'a pris le risque de renouveler en 1978 le défi de D. Levy pour les dix années suivantes.

(*) Automatic Language Processing Advisory Committee : Comité Consultatif sur le traitement automatique du langage, du National Research Council américain.

Les travaux réalisés ont permis d'améliorer les algorithmes d'exploration d'arbres, de mettre au point des méthodes de simplification (alpha-bêta) (cf. §4.7.4.), de réfléchir sur la génération de plans. Pour l'essentiel, la technique est plutôt algorithmique : elle est basée sur une exploration systématique des coups possibles et n'a pratiquement rien à voir avec le processus mental des joueurs humains. Ces derniers, comme cela a été démontré, notamment par les expériences de de Groot, analysent beaucoup moins de coups possibles, mais beaucoup plus en profondeur, et ils choisissent les coups qu'ils analysent en fonction d'une vision structurée (et non pas analytique) de l'échiquier, et en fonction d'une stratégie. En France, J. Pitrat [1977] sera le premier à réaliser l'un des rares programmes de jeu d'échecs mettant en oeuvre ces principes d'analyse experte, par opposition à l'exploration brutale.

Néanmoins, ce thème d'application, s'il fournit un intéressant terrain de réflexion, ne contribue peut-être pas à donner à l'Intelligence Artificielle une image de sérieux et de crédibilité industrielle.

1.1.4. L'entrée dans la vie active

La décennie 70 : les sytèmes experts

La décennie 70 est celle de l'émergence des "systèmes experts".

1969 : DENDRAL, premier des "systèmes experts" est mis au point à l'université de Stanford [Lindsay, Buchanan, Feigenbaum & Lederberg,1980]. Il effectue le travail d'un chimiste, qui reconstitue la formule développée d'un composant organique à partir de sa formule brute et des résultats de sa spectographie de masse.

A l'origine de cette première réalisation, le constat que la mise au point d'un programme intégrant la connaissance d'un spécialiste est une tâche quasi impossible si cette connaissance doit être entièrement transcrite dans un algorithme.

L'idée fondamentale des systèmes "à base de connaissances" apparaît alors : *traiter la connaissance qui sert à la résolution comme une donnée extérieure au programme.*

1976 : MYCIN, expert en diagnostic des infections bactériennes du sang, pour l'aide à l'antibiothérapie, est présenté par Shortliffe [1976].

MYCIN donnera lieu à deux actions très importantes :

- La réalisation d'une interface de dialogue en langage quasi naturel et d'assistance à la mise au point de la base : TEIRESIAS. En fait, cet outil est basé, notamment pour le dialogue, sur des méthodes simples auquel l'anglais se prête particulièrement bien ; mais il est puissant et efficace et contribuera à donner un aspect quasi magique aux démonstrations et exemples d'utilisation de MYCIN. Cette qualité de présentation fera beaucoup pour la popularisation des résultats obtenus.
- L'isolation, par van Melle en 1979, de la partie moteur d'inférence et mécanismes de dialogue, démontrera de façon concrète la possibilité de mettre en oeuvre le principe de séparation des connaissances du mécanisme de raisonnement.

A la suite de ces deux pionniers, de très nombreuses réalisations voient le jour, sur différents thèmes d'application.

La décennie 80 : vers l'industrialisation

1981 : aux Etats-Unis, E. Feigenbaum fonde Teknowledge, la première société industrielle créée pour commercialiser la technologie des sytèmes experts.
Au Japon a lieu à la fin de l'année la conférence de lancement du grand projet d'ordinateur "de cinquième génération", "Fifth Generation Computer System" (FGCS). A cette conférence sont conviés les représentants des grandes nations industrialisées : les Japonais invitant leurs partenaires internationaux à collaborer avec eux à ce développement technologique du futur. L'objectif annoncé pour le projet FGCS est de développer les technologies de l'Intelligence Artificielle dans la réalisation d'un nouveau type d'ordinateur, qui résoudra des problèmes au lieu d'exécuter des algorithmes, effectuera des raisonnements et plus seulement des calculs, et surtout offrira à ses utilisateurs des interfaces "naturelles" : langage, graphique, parole,...

Plus immédiatement, cet objectif est peut-être, pour les Japonais, de développer leurs compétences dans un domaine dans lequel ils n'ont pas atteint l'excellence, mais qu'ils ont analysé et perçu comme l'un des secteurs importants voire vitaux de la technologie de pointe à échéance des dix ou vingt prochaines années. Aux Etats-Unis, c'est le même type d'analyse, plus immédiatement basée sur les résultats disponibles et les profits prévisibles : les équipes qui, pendant quelque vingt-cinq ans, ont défriché le terrain aride du traitement automatique des connaissances, voient leurs résultats déboucher au niveau des problèmes industriels. Dans la logique américaine, ces chercheurs continuent dans cette voie : après avoir cherché, ils entreprennent.

1.2. Faut-il parler d' "Intelligence Artificielle" ?

En 1956, pour donner à la discipline naissante un nom suffisamment attrayant (ou accrocheur, ou "tape-à-l'oeil"), J. Mc Carthy plaide avec succès pour l'adoption du terme Intelligence Artificielle.

Onze ans plus tard, alors que la discipline se développe avec, on l'a vu, des hauts et des bas, Hubert Dreyfus publie son premier pamphlet : "Alchimie et Intelligence Artificielle". Enseignant en philosophie au MIT (Massachussetts Institute of Technology, qui est par ailleurs l'un des trois grands centres de recherche en Intelligence Artificielle, avec Carnegie Mellon University et Stanford), H. Dreyfus s'élève avec vigueur contre l'idée de l'"intelligence " d'une machine[Dreyfus,1984].

Ce débat se retrouve quasi inévitablement dès qu'est abordé le thème de l'"Intelligence Artificielle". Nous en examinons ci-dessous les éléments.

En réalité, il paraît difficile de nier l'existence de travaux, ni leurs résultats. Il apparaît donc que la controverse tourne autour de la dénomination du domaine et de ses objectifs. C'est donc autour du terme que nous axerons notre analyse : faut-il ou ne faut-il pas parler d'"Intelligence Artificielle" ?

1.2.1. Pourquoi parler d' "Intelligence Artificielle" ?

L'Intelligence Artificielle terme consacré

La première objection opposée à ceux qui se posent la question est que la dénomination a reçu la consécration de l'usage et que tout changement risquerait d'introduire davantage de confusion que de clarté dans les esprits.
Il est vrai que la discipline s'est développée pendant vingt-cinq ans autour de cette appellation, que le démarrage industriel du début des années quatre-vingts a contribué à populariser.

L'impact commercial

Plutôt que d'un argument pour défendre le terme, il s'agit ici plutôt d'une constatation : les mots "Intelligence Artificielle", choisis en 1956 pour leur impact, n'ont pas perdu cet attrait.
De ce fait, les sociétés qui se développent pour faire commerce des techniques correspondantes ne se privent pas d'y recourir. Il paraît donc difficile, voire illusoire de prôner sa disparition.
Toutefois, l'attrait même du terme et le fait que le domaine qu'il recouvre soit relativement flou dans son étendue et ses limites, conduit à un usage assez laxiste : cet abus pourrait a contrario jouer en faveur de son élimination.

Les deux raisons évoquées ci-dessus en faveur de la dénomination "Intelligence Artificielle" sont davantage des constats que des réflexions de fond pour alimenter un débat.
Plus intéressants sont les deux arguments suivants.

L'expression d'une rupture

Ce que les Japonais ont voulu traduire en parlant de l'ordinateur de "cinquième génération", c'était le passage à une nouvelle catégorie de machine, et plus largement à un nouveau type de traitement de l'information. J'avais songé à un moment à sous-titrer ce manuel : "Quand les ordinateurs passent du calcul au raisonnement". C'est en fait une des différences les plus caractéristiques introduites par les nouvelles techniques, comme nous le préciserons au paragraphe 1.3 ci-dessous.

Le choix d'un terme volontairement "différent" traduit efficacement cette rupture.

L'indication d'un objectif à long terme

D'éminents spécialistes français de la discipline - et notamment le pionnier d'entre eux, J. Pitrat (un des rares étrangers à être cité dans les bibliographies américaines) avec qui j'ai eu la chance de pouvoir m'entretenir de ces problèmes - m'ont exprimé leur réticence à voir abandonner le terme "Intelligence Artificielle".

J'ai finalement compris que, pour eux, celui-ci traduisait l'orientation de leurs travaux. La référence à "l'Intelligence Artificielle" était une sorte de défi permanent, obligeant les équipes de recherche à sans cesse affiner leurs résultats, à développer de nouveaux outils, à concevoir des méthodes plus puissantes. L'objectif, encore lointain, mais clair est affiché : reproduire sur machine *tout* ce que le cerveau humain sait faire.

Pour eux, il existait un danger concret dans l'abandon de la désignation "Intelligence Artificielle" pour leur discipline de recherche : sa disparition. C'est-à-dire qu'ils soulignaient la nécessité de ne pas limiter les efforts (et donc, les crédits...) à la mise au point industrielle des techniques déjà issues de la recherche, et de poursuivre la réflexion en vue d'en inventer de nouvelles.

1.2.2. Pourquoi NE PAS parler d' "Intelligence Artificielle" ?

Un concept mal défini

La notion d'intelligence, à laquelle il est fait référence, est une notion ambiguë, source de nombreuses disputes philosophiques, voire idéologiques.

En fait, le fond de l'affrontement et des réactions sur ce domaine de recherche fait ressortir ces vieilles querelles :
- Qu'est-ce que l'intelligence ?
- Est-ce une caractéristique propre à l'homme ? Si elle est partagée, par qui ? Comment distinguer intelligence et instinct ?
- Quelle est la part de l'inné et de l'acquis ? Autrement dit, y a-t-il des individus qui sont "par construction" supérieurs aux autres en ce domaine dès l'origine ?

Il suffit de jeter l'un de ces os idéologiques dans tout débat pour susciter aussitôt une belle bagarre. En effet, on pourrait parodier le mot de Descartes sur le bon sens, et affirmer que l'intelligence est la chose du monde la mieux partagée : car jamais personne ne se plaint d'en manquer. Tout le monde possède à coup sûr son idée sur ce qu'elle est, ce qu'elle devrait être, et comment l'analyser ; tout le monde, en tout cas, se croit autorité pour en discuter.
Tout le monde ? Voire. Car le fameux professeur Binet, éminent psychologue expérimental, inventeur des tests de Q.I. qui portent son nom ne répondait-il pas à la question : "Qu'est-ce que l'intelligence ?" par cette boutade : "L'intelligence ? Mais... c'est ce que mesure mon test !".

Enfin, pour sacrifier nous aussi au vice commun en proposant notre opinion sur l'intelligence, nous ferons simplement remarquer que le concept est difficile à débarrasser de toute adhérence métaphysique. Deux indices nous le confirment.

D'une part, le lien existant depuis des temps immémoriaux entre la parole (le Verbe) et l'esprit divin. Déjà attesté dans des civilisations primitives, où nommer quelqu'un confère sur son destin un certain pouvoir, ce lien est établi avec force dans la révélation judéo-chrétienne (cf, notamment le début de l'Evangile selon Saint-Jean). Cette relation entre capacité de parole et possession d'une âme trouve une illustration dans l'anecdote suivante : on raconte que le Cardinal de Rohan vit un singe dont les mimiques étaient si expressives et imitaient si bien les personnes de son entourage qu'on aurait cru qu'il en faisait partie ; ce que voyant, le prélat s'exclama : "Parle ! et je te baptise...".
D'autre part, la science aujourd'hui, et plus précisément la physique, conduit à se poser quelques questions du même ordre. Comment doit-on interpréter les bases de la théorie mécanique quantique, qui introduit comme un *acteur* de l'expérience l'*esprit* qui observe son déroulement ? Ainsi, le modèle le plus opératoire de la matière aujourd'hui réintroduit-il comme une composante nécessaire de son évolution l'intelligence qui la mesure. Ce qui conduit certains physiciens à se poser la question des implications métaphysiques de leurs travaux, et d'autres à se voiler la face...

En ce qui nous concerne, nous abandonnerons ce terrain par trop éloigné de notre préoccupation : ce qui nous impose de laisser de côté les débats ouverts sur l'intelligence, sa définition et ses implications.

Un moyen d'étude pour la psychologie

Ayant laissé de côté les débats fondamentaux, on pourrait tenter de s'arrêter à l'objet des travaux de l'Intelligence Artificielle.
L'histoire fait apparaître des liens étroits entre cette discipline à ses débuts et la psychologie.
Plus précisément, on distingue deux grandes écoles de psychologie qui opposent au milieu du siècle :
- le behaviorisme, qui considère que les mécanismes mentaux ne sont pas descriptibles autrement que par les résultats observables en présence des stimuli qu'ils reçoivent ;
- la psychologie cognitive, qui, elle, prétend établir des modèles susceptibles de décrire les processus mentaux internes et de prédire les comportements qu'ils produisent en fonction des entrées (stimuli).

L'apparition de l'ordinateur redonne vigueur à cette école de la psychologie cognitive, et de nombreux travaux vont chercher à utiliser cet outil comme instrument de simulation.
C'est en partie dans cet esprit que se situent les travaux de Newell et Simon sur les processus de résolution de problèmes.

Ainsi, apparemment, la discipline "Intelligence Artificielle" porterait bien sur l'étude de l'"intelligence", et considérerait l'utilisation de l'ordinateur comme un moyen et non comme un objectif.

Un vocable auto-destructeur

Un dernier argument, plus pragmatique, vient conforter la critique du terme "Intelligence Artificielle" : c'est la tendance suicidaire qu'il introduit chez les chercheurs de la discipline.

Combien de fois n'a-t-on pas vu ceux-ci, fournissant au terme de travaux difficiles un nouvel outil, déclarer : "oui, mais, finalement, ça n'est pas "intelligent" !" (sous-entendu : c'est toujours un programme, et maintenant qu'on sait comment ça marche, ça paraît bête...).

1.2.3. Conclusion

Reprenons synthétiquement nos arguments : il apparait que, si "Intelligence Artificielle" il y a, elle s'intéresse à ce qui n'existe pas encore (cf. §1.2.1. : "l'indication d'un objectif..."), c'est-à-dire au développement de nouvelles techniques de reproduction sur ordinateur des capacités humaines (cf. §1.2.2. : "un moyen d'étude...").

En outre, le vocable suscite des polémiques sans fin.

Or, ce qui nous intéresse ici, c'est le développement de nouveaux outils pour l'ordinateur, et non l'utilisation de celui-ci comme support de modèles du cerveau : en conséquence, c'est délibérément que nous préférons parler, pour désigner ces techniques, d'*informatique symbolique*. Ce terme est la traduction de l'anglais "symbolic processing", de plus en plus utilisé dans la littérature. Un article japonais va même jusqu'à affirmer que la dénomination "ordinateur de cinquième génération" est du vocabulaire pour faire plaisir aux bureaucrates qui font les plans d'action, mais que le véritable sujet de travail est le "symbolic processing".

1.3. Informatique symbolique

1.3.1. Situation dans le champ de l'informatique

Dans la mesure où l'informatique symbolique se situe dans le domaine de l'utilisation des ordinateurs, une approche possible consiste à situer cette recherche par rapport aux autres activités informatiques, en vue d'en dégager les caractères spécifiques.

A cette fin, nous partagerons les activités informatiques "classiques" en trois grands secteurs :
- l'informatique scientifique,
- l'informatique de gestion,
- l'informatique temps réel.

Cette décomposition en secteurs se trouve justifiée par différents indices convergents :

- l'existence d'un *langage de programmation* largement répandu et plus ou moins spécifique du secteur (FORTRAN pour le scientifique, COBOL pour la gestion, peut-être ADA pour le temps réel) ;

- un *mode d'évaluation des performances*, différent suivant les secteur;

- le *type des "objets"* manipulés dans chacun des cas.

La décomposition ainsi proposée constitue une structuration commode de l'ensemble du champ d'applications de l'informatique classique.

Or, que constatons-nous concernant l'informatique symbolique :

- elle possède son langage favori : LISP, largement utilisé par la communauté des chercheurs en "Intelligence Artificielle" ;
- elle conduit à introduire un nouveau mode d'évaluation des performances, le "LIPS" (Logical Inferences Per Second) retenu par les Japonais pour leur projet "ordinateur de cinquième génération" ;
- elle manipule enfin des objets dont la complexité est très supérieure à ceux des trois domaines classiques ci-dessus et avec lesquels elle a l'ambition de représenter et de traiter des *concepts*.

La situation se trouve ainsi résumée dans le tableau ci-après.

	Langage	Mesure de performance	Objets manipulés
Informatique scientifique	FORTRAN	flops (floating-point operations per second)	Nombres réels
Informatique de gestion	COBOL	ips (instructions per second)	Chaînes de caractères (et nombres entiers)
Informatique temps réel	ADA	Débit en bps (bits per second) et temps de commutation de contexte	Evénements
Informatique symbolique ("Intelligence Artificielle")	LISP	lips (logical inferences per second)	'Concepts'

Fig. 1.1 - Les quatre informatiques

1.3.2. Structuration interne

Si on fait l'inventaire des thèmes de recherches rattachés à l' "Intelligence Artificielle", on obtient une impressionnante énumération :

- modèles de représentation des connaissances,
- modèles de raisonnement,
- preuve de théorèmes,
- systèmes experts,
- langages pour l'Intelligence Artificielle,
- machines pour l'Intelligence Artificielle,
- compréhension du langage naturel,
- traduction automatique,
- bases de données déductives, bases de connaissances,
- vision par ordinateur,
- traitement automatique de la parole,
- méthodologie - aide à la programmation.

Les titres retenus peuvent être légèrement différents suivant les auteurs, mais cette liste(*) est très représentative de ce que les spécialistes du domaine considèrent comme son contenu.

Celui-ci apparaît à la fois immense et disparate. Pour y voir plus clair, nous pouvons le structurer en nous appuyant sur la définition initiale : reproduction sur ordinateur de comportements intelligents. Nous distinguerons alors deux grandes catégories :

- la reproduction des ***activités sensitives*** (vision, audition, parole,...).
- la reproduction du ***raisonnement*** et des activités cérébrales supérieures (calcul formel, démonstration (de théorèmes, de programmes), expertise,..., jeux !).

Une troisième catégorie, issue du domaine lui-même, vient s'y adjoindre, car elle est nécessaire :

- les ***outils*** et méthodes de l'informatique conceptuelle (machines, langages, bases de données "intelligentes",...).

Bien sûr, certains secteurs de recouvrement existent entre ces trois domaines. L'ensemble peut être schématisé comme indiqué ci-contre (fig. 1.2).

Examinons maintenant succinctement chacun de ces trois secteurs.

1.3.2.1. La reproduction des sens et interfaces humains, plus précisément la *vision, l'audition* et la *parole* ainsi que la génération, la compréhension et la traduction du *langage.*

Dans ces différents domaines, un mouvement similaire s'est produit, conduisant à se heurter tout d'abord à la barrière du *signal* (ou du signe), à chercher à dégager les *structures* (ou la syntaxe), enfin à organiser ces structures en *concepts* ou *symboles* porteurs de sens.

(*) La liste citée reprend pratiquement les têtes de chapitre d'un rapport sur l'Intelligence Artificielle préparé par un groupe d'experts du CNRS et de l'industrie [Gallaire, Cousineau et al., 1983]. Seuls quelques intitulés ont été légèrement modifiés pour se rapprocher des désignations les plus courantes ; c'est également dans cet esprit qu'a été isolée une rubrique "traduction automatique".

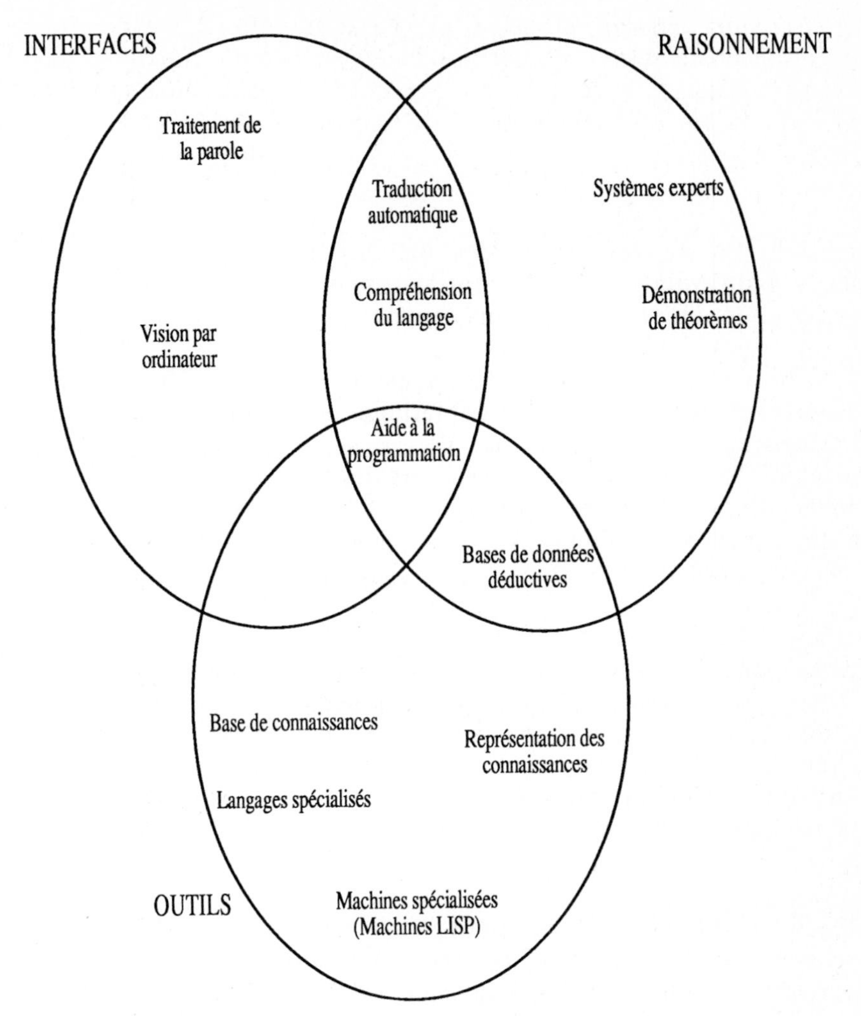

Fig. 1.2 - Les domaines de l' "Intelligence Artificielle"

Prenons par exemple la vision par ordinateur. D'après J.C. Latombe, éminent spécialiste français du domaine, celui-ci comporte trois types de problèmes :

a) le *traitement d'image*, qui transforme une image numérisée, représentée par une matrice de valeurs numériques, en une autre image-matrice : c'est le traitement du **signal** ;

b) *l'analyse d'image*, qui fait passer de la matrice de points à une liste d'objets géométriques (lignes de contrastes, zones de brillance, points caractéristiques,...) : extraction des **structures** ;

c) la *compréhension d'image*, par laquelle celle-ci est décrite sous forme d'une scène composée d'objets physiques : analyse du **sens** (sémantique), avec tout ce que cela suppose de connaissances disponibles sur ces objets, de capacités de raisonnement, de déductions,...

1.3.2.2. La reproduction des mécanismes du raisonnement et de la manipulation de la connaissance, dont les fameux *systèmes experts* sont l'illustration la plus connue.

D'autres travaux relèvent de ce secteur, surtout la *démonstration de théorèmes* (et la preuve automatique de validité de programmes informatiques) et les systèmes de *calcul formel*, qui permettent à la machine de manipuler, comme un mathématicien, non plus des calculs numériques, mais des calculs et transformations d'expressions algébriques (notamment en mécanique, astrophysique, relativité, mécanique quantique,...).

Aujourd'hui ce secteur apparaît comme central de la recherche en Intelligence Artificielle. On le retrouve d'ailleurs dans le thème "reproduction des sens" mentionné ci-dessus : en effet la troisième catégorie de problèmes que nous y avons distinguée - l'organisation des structures en concepts - s'y rattache directement. C'est pourquoi, plutôt que de systèmes experts, les spécialistes préfèrent parler plus généralement de "*systèmes à base de connaissances*".

1.3.2.3. Les outils développés pour construire ces structures de "connaissances" sont de deux sortes : des *langages* particuliers, et des *machines* conçues pour être plus performantes dans ce type de fonctionnement .

a) En ce qui concerne les langages, disons tout d'abord que l'utilisation d'un langage spécifique n'est pas une nécessité absolue : on peut pratiquement toujours tout faire avec n'importe quoi. Seulement, c'est plus ou moins aisé.

A la base, un langage particulier a donc été conçu pour permettre la création et la manipulation commode de structures de données complexes et évolutives : le langage LISP. Ce langage, nous dirons que c'est "l'assembleur" de l'Intelligence Artificielle, c'est-à-dire le langage de base à partir duquel on peut tout faire : un outil rudimentaire, et puissant parce que rudimentaire.

Ensuite viennent des dizaines de langages plus évolués et plus spécialisés : ils permettent d'exprimer, dans un certain formalisme, des connaissances sur le problème à résoudre ; ils possèdent les mécanismes qui vont gérer ce formalisme pour enchaîner les connaissances et fabriquer ainsi des raisonnements. Parmi eux, citons :

- PROLOG[Warren et al.,1977], basé sur le formalisme de la logique,
- SMALLTALK[Kay et Goldberg,1976], basé sur le formalisme des "objets",
- FRL, basé sur le formalisme des "frames",
- KAS[Reboh,1981], basé sur le formalisme des "réseaux sémantiques",
- EMYCIN[van Melle,1981], basé sur le formalisme des "règles de production",
- et bien d'autres...

b) Quant aux *machines*, dans la mesure où l'on fait appel dans ces langages à certains mécanismes bien particuliers, il paraît intéressant d'optimiser leur exécution, en étudiant des architectures plus appropriées que celles des machines adaptées à la programmation classique. C'est la raison pour laquelle on vit apparaître sur le marché des machines nouvelles dites "machines pour l'Intelligence Artificielle". Celles-ci n'ont rien de particulièrement "intelligent" (bien qu'elles aient demandé beaucoup d'intelligence de la part de leurs concepteurs) : elles disposent seulement de certains opérateurs spécialement conçus pour être performants dans l'exécution des langages présentés ci-dessus.

1.3.3. Caractérisation des systèmes d'informatique symbolique

La nouveauté radicale réside dans la différence des démarches :

- dans l'informatique classique, on effectue la description de la méthode complète de résolution du problème, avec l'enchaînement de toutes ses étapes. C'est *l'algorithme*, que la machine exécute pas à pas, aveuglément.

- Dans cette nouvelle informatique, on fournit au système les composants élémentaires de résolution du problème, à charge pour lui d'en assurer l'enchaînement approprié pour parvenir à la solution. Ainsi, au lieu que la connaissance soit imbriquée de façon plus ou moins implicite dans le processus de résolution, elle est déclarée de façon autonome, dans une formulation proche de celle qui est familière au spécialiste humain : c'est pourquoi on parle de "programmation déclarative".

Il reste bien entendu

- d'une part à représenter les connaissances nécessaires,
- d'autre part à savoir les utiliser dans un cheminement de résolution.

Ces deux problèmes constituent ***les deux grands thèmes techniques de l'informatique symbolique :*** **représentation des connaissances** *et* **contrôle**

1.3.3.1. Structure d'un système symbolique

Pour définir plus précisément le contour de ces deux domaines, il est commode de s'appuyer sur un schéma sommaire des composants d'un système symbolique. On en distingue usuellement trois :

1) une ***base de "faits"*** (terme utilisé en français de préférence à la traduction littérale du mot "database" de la littérature américaine ; il permet de mieux faire ressortir la différence de nature entre les objets manipulés dans un système symbolique et dans une "base de données" numérique classique). Cette base décrit la situation particulière que l'on traite.
Elle contient également le *but à atteindre*. En effet, dans un système classique, celui-ci est implicitement fourni par l'algorithme : ce dernier est (en principe...) borné en nombre d'étapes et l'exécution s'arrête à son terme ; le (ou les) résultat(s) fourni(s) à ce moment correspond(ent) (toujours en principe...) à ce qui est attendu du programme. Dans le contrôle symbolique, la machine est livrée à elle-même dans sa recherche; en conséquence, l'ordinateur a besoin de "savoir" où il va : cette information constitue une des données du problème.
Nous pouvons regrouper ceci dans une ***définition :***
Base de Faits: ensemble des données connues relatives à un problème particulier en cours de résolution par un système à base de connaissances.

2) Une ***base de connaissances***, constituée d'un jeu d'*opérateurs* permettant de manipuler les données de la base des faits. Ces opérateurs sont caractérisés par :

- des conditions d'applicabilité,
- des résultats (adjonction ou modification de faits de la Base de Faits) éventuellement paramétrés par les faits d'entrée.

Proposons, là encore, une ***définition*** :
Base de connaissances : regroupement des connaissances (description des objets, lois et principes, règles de l'art, méthodes et éléments de raisonnement,...) relatives à la résolution des problèmes d'un domaine technique particulier.
Si le formalisme d'expression des connaissances de la base est conditionné par le moteur d'inférence qui l'utilise, en principe l'ordre de son contenu ne conditionne pas l'obtention du résultat.

3) Un *mécanisme de contrôle* chargé de
- détecter l'obtention du but;
- déterminer le(s) opérateur(s) applicable(s) (s'il y en a);
- décider de celui qu'il convient d'appliquer;
- développer l'arbre de recherche, en générant le nouveau contexte résultant de l'application de l'opérateur choisi.

Ce mécanisme est le plus souvent appelé *moteur d'inférences*. Nous le définirons ainsi :
Moteur d'inférences: programme effectuant la recherche d'une solution d'un problème donné (défini par le contenu d'une base de faits) en sélectionnant et appliquant des opérateurs (contenus dans une base de connaissances).

Un parallèle avec un système classique fera mieux ressortir les différences essentielles (Fig. 1.3).

Système "classique" Traitement de "données"	Système "symbolique" Traitement de "connaissances"
Données : (en général : valeurs numériques) Programme : algorithme de résolution *(transformation du problème)* Remarque : l'ordre et la nature des opérations effectuées sont prédéterminés (---> impose l'ordre d'acquisition des données)	Faits (structures de données complexes chargées de sens) Connaissances : opérateurs "élémentaires" de *transformation des faits* } Représentation des Connaissances Contrôle : - détection du but - détermination des opérateurs applicables - décision sur sélection de celui qui va être appliqué

Fig 1.3 - Comparaison des structures de systèmes classique et symbolique

1.3.3.2. Les deux domaines techniques

Sur la décomposition structurelle présentée ci-dessus, on voit apparaître les deux caractéristiques de l'informatique symbolique :

1) D'une part, *la recherche du chemin vers la solution est laissée à la diligence de la machine*. Un mécanisme, le *moteur d'inférence*; balaye les connaissances et les applique jusqu'à atteindre le but fixé.
Ceci est une spécificité essentielle de l'informatique symbolique : elle décharge (plus ou moins) le programmeur de la tâche d'ordonnancement des actions et des informations.
C'est le problème du **contrôle**.

2) D'autre part, *la description de faits, de connaissances* chargées de sens.

La frontière ici, est difficile à tracer nettement : bien sûr, les données numériques fournies à un programme sont porteuses d'une information ; bien sûr, les tableaux d'un gestionnaire, ou les fiches d'une base de données sont des structures éventuellement complexes et "parlantes" à leur utilisateur ; et l'algorithme de résolution d'un problème, lui aussi, inclut un savoir-faire opératoire.
Néanmoins, les recherches ont poussé très loin l'élaboration de structures permettant de décrire, de stocker et de traiter en machine des représentation d'éléments d'univers. Le résultat essentiel est que la machine, de plus en plus, "parle le même langage" que son utilisateur : celui-ci peut décrire son problème et obtenir ses résultats sous une forme et dans des termes qui lui sont familiers.

A ces connaissances factuelles sont associés des *opérateurs de transformation élémentaires* : ceux-ci décrivent également une connaissance, non plus celle des faits caractérisant un problème particulier, mais celle des règles générales permettant de transformer ces faits. Cette connaissance constitue la description des définitions, des règles générales, des techniques relatives au domaine considéré, et dont l'application permettra de résoudre un ensemble de problèmes spécifiques.

Ces deux problèmes (description des *faits* et description des *opérateurs* permettant leur transformation) sont étroitement liés et constituent le domaine fondamental de **la représentation des connaissances**.

1.3.4. Survol du territoire et de ses frontières

1.3.4.1. Les systèmes de raisonnement

Les jeux sur ordinateurs (échecs essentiellement) sont issus eux aussi des laboratoires d'Intelligence Artificielle. Ils sont conçus sur une technique simple de balayage exhaustif des situations possibles - limité en profondeur, bien sûr ! - améliorée par diverses recettes. Tels quels, ils parviennent néanmoins sur micro-processeur au niveau d'excellents amateurs, et sur gros ordinateurs au niveau des maîtres. Ils restent limités par leur principe d'exploration brutale excluant l'approche synthétique de la situation qui est celle des champions. Celle-ci relèverait davantage d'une approche de type système expert.

Les systèmes de calcul formel permettent la manipulation et la résolution d'équations formelles (c'est-à-dire sous forme algébrique et non numérique). Une soixantaine de systèmes, développés par des équipes d'informaticiens mathématiciens sont utilisés par leurs collègues d'autres laboratoires.
Les plus performants sont spécialisés dans un domaine théorique particulier (électrodynamique quantique, relativité générale, physique des hautes énergies, manipulation de tenseurs, mécanique céleste,...).
Les plus connus sont des systèmes généraux de manipulation algébrique et de résolution d'équations : Macsyma et Reduce (Université de Stanford, Université de l'Utah et Rand Corp), Scratchpad (IBM), SMP (Caltech).

Les résolveurs de problèmes, prouveurs de théorèmes et démonstrateurs de programmes continuent de passionner des équipes de chercheurs, sans qu'on puisse aujourd'hui faire état d'applications concrètes à des problèmes réels. Ce qui ne signifie pas qu'on ne doive pas en attendre de débouchés à plus long terme.

1.3.4.2. Les interfaces et systèmes de communication

Le problème de communication avec la machine, et en particulier l'ambition de doter celle-ci de sens identiques à ceux de l'homme, a été dès l'origine, on l'a vu, un des grands thèmes de travail de l'Intelligence Artificielle. Hélas, force a été de s'apercevoir que le travail "intelligent" de décodage, compréhension et utilisation des informations contenues dans un message oral ou une scène, supposait au préalable un effort considérable de traitement de "bas niveau" sur le signal reçu.

Traitement qui, pour ne pas pas être "intelligent", n'en requiert pas moins un sérieux travail d'études. Aussi beaucoup des applications actuellement disponibles sont-elles le résultat de ce travail de base sur le traitement du signal.
Parallèlement, il est apparu également que le seul travail sur le signal ne pouvait suffire à arriver au concept. Il y a là une transformation différente dans son essence, celle à quoi s'appliquent les techniques de l'informatique symbolique.

• ***La vision par ordinateur*** : dans ce domaine, beaucoup de travail a été fait sur les problèmes *d'amélioration* d'images et de *détection* d'objets. La difficulté essentielle réside dans le fait que chaque nouvelle image - ou au moins chaque type d'images - pose un problème spécifique. De nombreux algorithmes sont aujourd'hui au point et implantés sur des systèmes.

Des travaux plus évolués permettent *d'identifier* un objet, par comparaison avec des formes stockées en mémoire. Des produits opérationnels sont commercialisés à ce jour pour des environnements industriels favorables (éclairement et contraste élevés, nombre limité d'aspects possibles de l'objet) : ils requièrent cependant de grandes puissances de calcul. Un système d'identification d'objet, fonctionnant sur les photos aériennes, le système ACRONYM (Brooks, 1981) a été développé au MIT en 1981, pour valider la notion de modèles basés sur des formes géométriques élémentaires simples.

Enfin, la recherche se poursuit sur la *compréhension* de scène, qui se place effectivement au niveau conceptuel. L'idée explorée par différents laboratoires consiste à intégrer des modules de traitement de bas niveau, dont la recherche est guidée par un plan construit à partir des résultats déjà obtenus. Construit sur ce principe, le système PVV (Prédiction, Vérification en Vision), développé par A. Lux chez J.C. Latombe à Grenoble, donne d'intéressants résultats.

•***Le traitement de la parole*** comprend deux problèmes : synthèse de parole et reconnaissance de parole.
La *synthèse* est en fait pour l'essentiel un problème de traitement de signal, résolu par des méthodes algorithmiques. Au plus haut niveau de complexité on trouve le stade de la synthèse d'un texte quelconque, avec l'accentuation appropriée, à partir du texte écrit (système MITALK au MIT).

La *reconnaissance* de la parole est un problème plus ardu. Il se décompose suivant deux critères : systèmes "monolocuteurs" ou "multilocuteurs", d'une part ; reconnaissance de mots isolés ou de mots enchaînés, d'autre part.

Le premier critère correspond à la nécessité ou non d'un "dressage" préalable du système à la voix de l'utilisateur. Les systèmes dits "multilocuteurs" devraient être appelés plutôt "omnilocuteurs", car ils sont en principe capables de comprendre n'importe quel interlocuteur sans effectuer avec lui d'apprentissage préalable.

La reconnaissance du langage parlé courant suppose, elle, outre le traitement du signal, l'utilisation de connaissances (sur le signal, sur les mots, sur leurs arrangements possibles,...). Une des premières réalisations de type "système à base de connaissances" est le système HEARSAY (Carnegie Mellon University), qui a introduit l'architecture dite "blackboard" (cf. §3.2.).

• ***La compréhension du langage naturel***, activité de com- -munication, est pourtant très voisine des problèmes de raisonnement.

Les travaux effectués dans ce domaine condensent les caractéristiques et les problèmes de l'informatique symbolique : importance de la connaissance, problèmes de représentation, nécessité d'une programmation plus souple que la programmation classique, travail sur différents niveaux d'interprétation syntaxiques et sémantiques.

Aujourd'hui, des techniques simples permettent de traiter les cas où l'ensemble des phrases à reconnaître peut être déterminé de manière exhaustive. Elles ont servi à la réalisation d'interfaces pour l'interrogation en langage naturel des banques de données (sur les échantillons lunaires rapportés par Apollo). Des systèmes plus sophistiqués (notamment le système Saphir, de la société ERLI, Etudes et Recherches en Linguistique Informatique) permettent l'interrogation en langage quasi naturel (c'est-à-dire avec des faibles restrictions sur la syntaxe) de toute base de données pour laquelle a été constitué le dictionnaire approprié.

La recherche porte sur la compréhension de langages non limités à un domaine technique restreint. Mais les volumes de connaissances mis en jeu sont tout de suite considérables.

1.4. Conclusion

A l'issue de ce rapide balayage, que retenir ?

Les techniques auxquelles nous nous intéressons sont, c'est clair, une branche de l'informatique, entendue comme la technique mettant en oeuvre les ordinateurs.

Dans cet ensemble, leur caractérisation est double :
- d'une part, elles remplacent l'exécution (calcul) d'un algorithme prédéterminé par la recherche d'un chemin (raisonnement) vers un objectif ;
- d'autre part, elles permettent de manipuler non plus des nombres, mais des symboles de connaissances.

C'est pourquoi nous préférons parler d'*informatique symbolique* par opposition à l'informatique alphanumérique classique.

Si le terme d'Intelligence Artificielle se justifie, c'est de façon dynamique, comme la caractérisation d'une méthode de travail et de progrès consistant à essayer en permanence de reproduire sur machine les comportements dits intelligents, et d'approcher pour ce faire des modes de représentation de connaissances et de résolution de problèmes voisins de ceux qui sont les nôtres. Au stade actuel, cette démarche permet déjà de fournir aux spécialistes humains des outils d'expression des problèmes sur machine beaucoup plus proches de ceux qui leurs sont familiers, et donc beaucoup plus faciles à mettre en oeuvre par eux que les langages de programmation classique.

Soulignons néanmoins la vérité suivante (évidente mais parfois oubliée): ***la machine ne sait résoudre aucun problème dont le mode de résolution ne lui ait été au préalable fourni ; un problème non résolu par l'homme, au moins dans son principe, n'est pas soluble par la machine.***

Première Partie

LES TECHNIQUES DE CONTROLE

2

Le problème du contrôle

Le contrôle est au système d'informatique symbolique ce que le séquenceur de l'unité centrale est à un programme classique : *il détermine la "tâche" à exécuter, et en lance l'exécution.*

Remarques :

- *le contrôle est réalisé par un programme*, c'est-à-dire par un algorithme. On retrouve ici le lien avec le fonctionnement de l'ordinateur. En effet ces techniques nouvelles de "programmation déclarative" s'exécutent sur les mêmes machines que les programmes classiques. Il faut donc bien qu'en définitive on retrouve quelque part un algorithme à exécuter ! C'est le programme de contrôle qui assure ce lien.

- Des systèmes à séquenceur existent en dehors de l'informatique symbolique, notamment dans les systèmes temps réel, multitâches, temps partagé,...; mais deux problèmes se posent dans le contrôle symbolique, pour lesquels une différence sensible existe avec le cas courant du séquenceur classique :

  - effectuer un parcours *orienté vers un objectif* (résolution du problème posé),

  - *limiter le volume de travail* à effectuer pour y parvenir, en termes notamment de temps de calcul et d'espace mémoire.

2.1. Les composantes d'un système de contrôle

2.1.1. L'espace de recherche

Le premier élément caractéristique d'un système d'informatique symbolique est *la façon dont le problème est décrit.* Nous examinerons dans la deuxième partie les techniques de représentation des connaissances: on regroupe sous ce terme les objets et concepts plus ou moins élémentaires qui interviennent dans le traitement du problème.

Mais, avant même de décrire ces connaissances, avant de définir la méthode de recherche de la solution , le premier travail à faire consiste à *poser le problème*, c'est-à-dire à définir la façon dont on le formule et dont on transforme cette formulation pour parvenir à la solution.Cette question est en général posée sous le nom de **description de l'espace de recherche**.

2.1.2. Les tâches du contrôle

Elles sont au nombre de quatre :
- Détecter une condition de terminaison,
- Déterminer les connaissances applicables,
- Définir leur ordre d'application,
- Développer l'état résultant et le parcours de recherche.

1) DETECTER la satisfaction par la base de Faits (BdF) d'**une "condition de terminaison"**, indiquant que le problème est résolu. En général cette condition consiste en l'obtention d'un résultat, soit caractérisé comme final par l'opérateur qui le fournit, soit correspondant à un but fourni au départ avec la BdF.

2) DETERMINER les connaissances applicables en fonction de l'état de la BdF, c'est-à-dire en fonction de la situation du problème en cours de traitement.(D'une manière générale, on désignera ces connaissances par le terme "*opérateur*"; ceux-ci peuvent prendre diverses formes : règles, procédures,... : cf. deuxième partie, Représentation des Connaissances).
Dans un séquenceur usuel, les tâches éligibles se signalent elles-mêmes, en général suite à l'intervention d'un événement qui les fait passer à l'état "activable".

Dans un séquenceur symbolique, la difficulté réside dans la complexité des "événements" que sont l'apparition de nouveaux faits - puisque, par hypothèse, ceux-ci sont des structures symboliques qui contiennent en général beaucoup d'informations (par exemple, dans un système d'intégration formel, un nouveau "fait" est une nouvelle (portion de) fonction à intégrer : cf. la présentation du système SAINT, §6.2).
Face à ces structures, les opérateurs, qui doivent conserver un degré convenable de généralité, s'appliquent à une catégorie de faits définie par des *conditions d'applicabilité.* Le test de ces conditions d'applicabilité sur l'ensemble des faits disponibles (ou sur les faits nouveaux générés) est une des tâches spécifiques du contrôle symbolique. C'est notamment l'objet des techniques dites "*pattern matching*" (ou *appariement*) et *unification.*

3) DEFINIR l'ordre d'application des connaissances (opérateurs): le problème est ici tout particulièrement différent de celui du séquenceur usuel : pour ce dernier, en général, toute tâche éligible doit, à un moment ou à un autre, être sélectionnée - ce qui se produit normalement si la stratégie d'élection est correcte, et si la machine est convenablement dimensionnée pour les demandes qui lui sont faites.

Pour le contrôle symbolique, en revanche, il n'y a pas d'évidence que tout opérateur applicable doive être appliqué. Bien au contraire, on se heurte en général, dans les problèmes de taille significative, à l'impossibilité physique de développer tous les chemins de recherche possible. Ce problème est connu sous le nom *d'explosion combinatoire...*
La réponse spécifique de l'informatique symbolique est l'utilisation d'*heuristiques*, c'est-à-dire la prise en compte d'informations dont la validité n'est pas rigoureusement établie, mais qui permettent de guider les choix de manière efficace.

4) DEVELOPPER le parcours de recherche orienté vers l'obtention du résultat relève des techniques de parcours de graphe.

La différence fondamentale entre le contrôle symbolique et le séquenceur est que le premier doit conduire la sélection de ses opérateurs en vue de progresser vers la construction d'un résultat, alors que le second n'a en général pour fonction que d'assurer à chaque tâche éligible une portion de temps convenable.
Pour prendre une comparaison quelque peu imagée, on pourrait dire que le séquenceur joue le rôle d'un agent de la circulation, alors que le contrôle symbolique s'apparente plutôt à un chef d'orchestre : les deux, certes, ont un bâton, mais là s'arrête la ressemblance !...

En vue d'effectuer sa sélection, le séquenceur établit une liste basée sur des niveaux de priorité affectés aux tâches. Le système de contrôle devra, lui, d'une façon ou d'une autre, garder une trace de son parcours et évaluer sa progression : c'est l'objet des techniques de recherche, qui rejoignent très largement les préoccupations et les travaux classiques de la Recherche Opérationnelle. On est là dans le royaume des algorithmes de recherche, dont les caractéristiques seront étudiées ci-après (Chap.4).

2.2. Contrôle en génération de plans

Les systèmes de génération de plans posent un problème spécifique en matière de contrôle symbolique. En effet, dans ce cas, la recherche de solution consiste à construire progressivement un projet : l'état final sera constitué de la séquence complète des opérations à exécuter pour atteindre le but recherché.

La difficulté de cette élaboration tient à ce que le choix d'une opération modifie (virtuellement) l'"état du monde" : autrement dit, la situation qui résulte de l'application (virtuelle) d'un opérateur peut ne plus permettre l'exécution d'opérations qui auraient été possibles auparavant. Ceci peut conduire à remettre en cause des modifications antérieures, processus qui est de toute façon coûteux en terme d'effort de recherche, et qui risque de provoquer un "pompage" du système entre deux états antagonistes.

Illustrons ceci par un exemple simple de déplacement de cubes : soit à passer de la configuration représentée à gauche sur la figure 2.1, à celle présentée à droite.
Ce problème se décrit ainsi :
Etat initial : (SUR C A)
Etat final : (ET (SUR A B)(SUR B C))

Fig.2.1 - Exemple de problème de génération de plan

La difficulté pour un générateur de plan tient à ce que l'opérateur (REALISER (SUR X Y)) a pour préconditions (LIBRE X) et (LIBRE Y), signifiant que pour placer le cube X sur le cube Y, il convient

- d'une part (bien entendu) que le sommet du cube Y soit libre, et
- d'autre part que celui du cube X le soit également (ce qui traduit l'hypothèse qu'on ne sait déplacer qu'un cube seul et non une pile de cubes).

Sous la même hypothèse, l'opérateur (DEPLACER X) est soumis également à la précondition (LIBRE X).

En conséquence, le générateur qui tentera de réaliser le but fixé, choisira par exemple de réaliser d'abord (SUR A B), conduisant à dégager C de A pour libérer A, puis à placer A sur B ; l'étape suivante (SUR B C) qui suppose de libérer B conduit à défaire ce qui vient d'être fait... Si le générateur choisit alors de réaliser en premier lieu (SUR B C), l'opération peut être effectuée immédiatement à partir de la situation initiale ; mais l'étape suivante (SUR A B) suppose de libérer A, donc de déplacer C, ce qui impose de libérer C, donc de défaire ce qui a été réalisé à la première étape !

Dans un premier temps, les générateurs ont buté sur ce type de problème -par exemple : système HACKER [Sussman,1973]- puis d'autres programmes ont été conçus pour surmonter ce type de difficulté.

Analysons l'écueil rencontré dans l'exemple ci-dessus. Il se décompose en deux sous-problèmes :

- d'une part, le niveau de finesse des opérateurs accessibles,
- d'autre part la capacité à réordonner les opérations dans un plan.

1°) Dans l'exemple, l'application brutale de l'opérateur (REALISER (SUR X Y)) conduit à l'échec quel que soit le sous-but (SUR A B) ou (SUR B C) que l'on choisit de réaliser en premier. En fait, pour pouvoir réaliser l'opération demandée, il faut scinder l'opération (REALISER (SUR A B)) en deux sous-opérations *entre lesquelles* il faut insérer la mise de B sur C. Autrement dit, **il faut savoir accroître le degré de finesse de description de l'opérateur**.
Il est clair cependant que l'affinement doit être effectué à bon escient : plus le découpage en opérations élémentaires est fin, plus il alourdit la description du plan, et par conséquent plus le processus de recherche est complexe. Il faudrait donc que la description des opérations possibles soit "*à géométrie variable*" : des opérateurs très globaux, décomposables *en fonction des besoins* en éléments de plus en plus fins.

2°) La résolution du problème cité dans notre exemple fait apparaître, au cours du processus, une modification de l'ordre des opérations. Cette **capacité de réordonnancement** des éléments choisis doit être prise en compte dans la réalisation d'un générateur de plans.

La *planification hiérarchique* que nous décrivons ci-dessous (§3.3.2.) peut être considérée comme une forme de réponse à ce besoin.Nous verrons plus loin, dans la description des techniques de choix, dites "heuristiques", une autre façon de faire face à cette difficulté, avec la tactique dite d' "implication minimum" (*least commitment*, §5.4.).

2.3. Le contrôle : plan de la présentation

Dans l'analyse que nous venons d'effectuer, nous avons mis en évidence cinq composantes : la description de l'espace de recherche, et les quatre tâches du contrôle - détection du but, détermination des opérateurs applicables, définition de l'ordre de leur application, développement du parcours de recherche.

La détection du but, qui constitue une tâche en soi, s'apparente étroitement sur le plan technique avec l'identification des opérateurs applicables : en fait, détecter le but c'est constater qu'il n'y a plus besoin d'appliquer aucun opérateur.

De ce fait, ce sont quatre points que nous avons à examiner. Nous aborderons successivement :
- **la description de l'espace de recherche** (Chap.3) ;

puis, prenant les tâches du contrôle en quelque sorte à rebrousse-poil :
- **les techniques de recherche en graphe** (développement du parcours de recherche) (Chap.4) ;
- **les heuristiques** qui orientent la recherche et le choix des opérateurs applicables (Chap.5).
- Un chapitre sera consacré à l'illustration des techniques précédentes par la **description de quelques systèmes** (Chap.6) ;
- **Les techniques d'identification**, qui permettent de déterminer les opérateurs applicables occuperont le dernier chapitre de cette partie (Chap.7).

  Dans la mesure où ces outils, qui constituent une des composantes d'un moteur d'inférences, sont étroitement liés à la représentation des connaissances, leur présentation assurera la transition avec le chapitre suivant.

3

Description de l'espace de recherche

3.1. Choix d'une représentation

Rappelons que le système est composé d'une trilogie *Base de Faits - opérateurs* (Base de Connaissances) - *mécanisme de contrôle.*
La Base de Faits constitue la *description du problème.* L'application d'un opérateur (règle, connaissance) transforme la base de faits. On cherche une succession de transformations de la Base de Faits qui aboutisse à une nouvelle description du problème qui soit une solution.
On considérera chaque description, c'est-à-dire chaque nouvel état de la Base de Faits, comme un noeud d'un graphe orienté, dont les arcs sont les opérateurs de transformation. On distingue :

- *l'espace de recherche* qui est l'ensemble de tous les noeuds *possibles*,
- *l'espace d'états* : c'est l'ensemble des noeuds atteignables - à partir d'un état initial donné,
- *le graphe de recherche* est l'ensemble des noeuds identifiés, qui ont effectivement été atteints au cours du processus de recherche.

L'importance d'une bonne représentation du problème pour faciliter sa résolution est illustrée par de nombreux exemples. Citons-en un.

Exemple
Soit le système de règles de transformations portant sur l'alphabet *M,I,U :*
R1/ mI ---> mIU
R2/ Mm ---> Mmm
R3/ III ---> U
R4/ UU --->
(Par convention, *m* désigne une chaîne quelconque de lettres de l'alphabet initial). La donnée de départ est *MI*, et le but à atteindre est *MU*.

- Première représentation : tracé du graphe des états possibles. Malheureusement, ce graphe est infini, puisque les règles R1 et R2 permettent d'allonger les séquences.
  Une première réflexion conduit à constater que le problème se ramène à supprimer un I.

- Deuxième représentation : soit i le nombre de I dans les chaînes formées. On peut reposer le problème suivant :

  r2/ $i \dashrightarrow 2i$
  r3/ $i \dashrightarrow i - 3$
  avec pour donnée de départ $i = 1$ et pour but $i = 0$.(*R1* et *R4*, sans effet sur i, ne sont pas traduites).

Un examen des valeurs de i montre que le but n'est pas atteignable.
Pour le prouver, il faut s'intéresser aux congruences.

- Troisième représentation : soit $j = i(\text{mod } 3)$. La règle *r3* est sans effet sur j. Le problème reformulé comporte une seule règle :
  $j \dashrightarrow 2j$
  avec pour donnée initiale $j = 1$ (mod 3)

  Les seuls états possibles pour j sont: 1(mod 3) et -1(mod 3).
  Le but $j = 0$(mod 3) n'est pas atteignable.

Ainsi, deux changements de représentation successifs transforment une recherche apparemment infinie en une question évidente. Cette illustration est évidemment simpliste. Elle permet de mettre en évidence un problème qui se pose quel que soit le degré de complexité du sujet abordé.

Malheureusement aucun résultat théorique n'est disponible à ce sujet pour guider le réalisateur. Pour l'instant, le choix du bon mode de représentation reste du ressort exclusif de l'intelligence naturelle...

3.1.1. Espace d'états - Espace de problèmes

Une décomposition classique des modes de représentation consiste à distinguer les représentations en *espace d'états* et celles en *espace de problèmes.*

3.1.1.1. La représentation en espace d'états consiste à chercher la solution en décrivant la situation (état) de l' "univers" considéré, et l'ensemble des opérateurs qui permettent de transformer cette situation.

Exemple : Tours de Hanoï

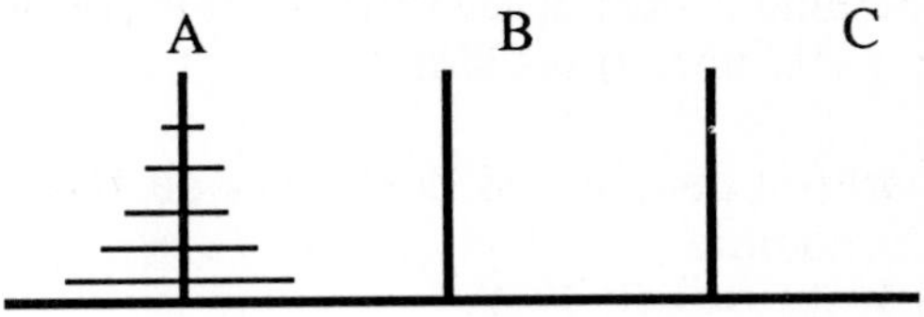

A B C

Soit à déplacer tous les disques, empilés par tailles décroissantes, de la tige A à la tige B.
Les règles sont :
- on ne déplace qu'un disque à la fois, d'une tige sur une autre ;
- on ne peut placer un disque sur un autre de taille inférieure.

Description en espace d'états possible :

disque 1 (le plus petit)	disque 2	...	disque n (le plus grand)	
(A	A	...	A)	état initial
(B	B	...	B)	état final

Pour seulement trois disques, les opérateurs de transformation seront :

R1/ $\forall$ X, Y, Z (X, Y, Z) ---> (T, Y, Z)
(le petit disque peut toujours être déplacé).

R2/ $\forall$ X $\neq$ Y (X, Y, Z) ---> (X, T, Z) $\forall$ T$\neq$X
(le disque moyen peut être déplacé, s'il n'est pas sous le petit disque (X $\neq$ Y), sur une autre tige que celle qui accueille ce dernier (T $\neq$ X)).

R3/ $\forall$ X $\neq$ Y (X, X, Y) ---> (X, X, Z) $\forall$ Z $\neq$ X
(le grand disque ne peut être déplacé que si
- il est seul sur sa tige (X $\neq$ Y),
- les deux autres sont sur la même tige (X),
sur laquelle il ne peut aller (Z $\neq$ X)).

Ainsi, pour trois disques, il est possible de traduire les coups possibles par des opérateurs relativement simples : mais cette représentation deviendrait vite lourde avec l'accroissement du nombre de disques.

3.1.1.2. La représentation en espace de problèmes (la littérature américaine parle de "réduction" de problème) consiste à décrire, non plus la situation mais le problème, et à utiliser des opérateurs de transformation du problème.
En général, ces opérateurs décomposent le problème en plusieurs sous-problèmes (plus simples, on l'espère).

Exemple : dans le cas des Tours de Hanoï ci-dessus, le problème sera décrit comme
(A A A) ---> (B B B).

L'opérateur de décomposition (défini pour une liste de longueur quelconque) est :

(XX...X) ---> (YY...Y)
==> (XX...X) ---> (ZZ..ZX) ---> (ZZ..ZY) ---> (YY...Y)

Cet opérateur réduit le problème initial, sur n disques, à deux problèmes identiques au premier, mais pour n -1 disques, et à un mouvement élémentaire (déplacement du grand disque).

On notera que cet "opérateur" n'est autre que la traduction de l'algorithme récursif classique.

On peut également le représenter avec le formalisme des hyperarcs :

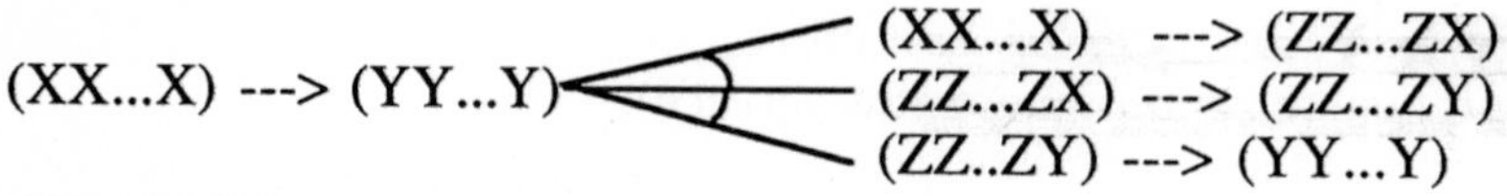

(XX...X) ---> (YY...Y) ⟶ (XX...X) ---> (ZZ...ZX)
(ZZ...ZX) ---> (ZZ...ZY)
(ZZ..ZY) ---> (YY...Y)

On constate que, dans ce cas particulier, la représentation en espace de problèmes apparaît beaucoup plus attrayante.

On ne peut en tirer de conclusion générale : le choix de la représentation relèvera de considération ad hoc sur le cas d'espèce traité, en vue de simplifier la description en machine et les transformations.

Par ailleurs, il est possible de transformer une représentation en espaces d'états en représentation en réduction de problèmes, et inversement - mais cela ne présente pas en général d'intérêt.

3.2. Le "blackboard"

Nous présentons ici un des concepts techniques souvent mentionnés en informatique symbolique. Dans son principe, il s'agit en fait d'un mode particulier d'organisation des données disponibles sur le problème à traiter - c'est-à-dire d'*une certaine façon de structurer la Base de Faits* : c'est pourquoi nous l'évoquons à l'occasion du paragraphe sur la description de l'espace de recherche.

La notion de "blackboard"(*) est introduite au début des années 70, lors de la réalisation du système HEARSAY-I par une équipe de Carnegie Mellon University conduite par R. Reddy, dans le cadre du projet financé par l'Agence de Recherche de Défense Américaine (DARPA) sur la compréhension de la parole continue. Le principe sera repris dans plusieurs projets de systèmes experts en interprétation de signaux (cartes de densité électronique en cristallographie, vision, autres systèmes de reconnaissance de parole), en planification, etc.

Dans HEARSAY(Erman et Lesser, in [Lea, 1980]), le problème de reconnaissance de la parole continue est décomposé en un certain nombre de sous-problèmes. Les trois sous-problèmes distingués dans la première version (il y en aura 12 dans HEARSAY-II) sont :
- *l'acoustique et la phonétique* : description des connaissances qui permettent de passer du *signal sonore* aux *mots* ;
- la *syntaxe*, c'est-à-dire les constructions grammaticales correctes ;
- la *sémantique* du domaine, qui définit les phrases qui ont un sens (dans le contexte considéré).

Ces sous-problèmes sont traités chacun par un module autonome, la KS ("*Knowledge Source*": source de connaissances).

Le *blackboard* est un espace de travail structuré, en l'occurrence suivant deux dimensions :
- le temps, c'est-à-dire la portion du signal de parole que l'on étudie ;
- le niveau d'interprétation auquel on se situe, c'est-à-dire ici la phrase, les groupes de mots, les mots, les syllabes, le signal...

Il est utilisé par chaque KS comme :
- source d'information : les données qui y sont inscrites servent de point de départ au travail d'une KS ;
- lieu de recueil des résultats.

(*) *La traduction serait "tableau noir", mais à notre connaissance personne n'a jamais entrepris cette francisation.*

On voit donc que le blackboard n'est autre qu'une Base de Faits, dont la caractéristique essentielle est d'être *structurée*, suivant les niveaux du processus de raisonnement propre au problème traité. Les KS, quant à elles, sont spécialisées dans un certain type de sous-problème : elles prennent donc leurs données à un certain niveau, où ils pourront être utilisés par une autre KS.

Le schéma ci-dessous (Fig. 3.1), correspondant à la structure de HEARSAY.II montre bien la localisation des points de départ et d'arrivée du travail de chaque KS (chacune des flèches correspond à une des 12 KS de HEARSAY.II).

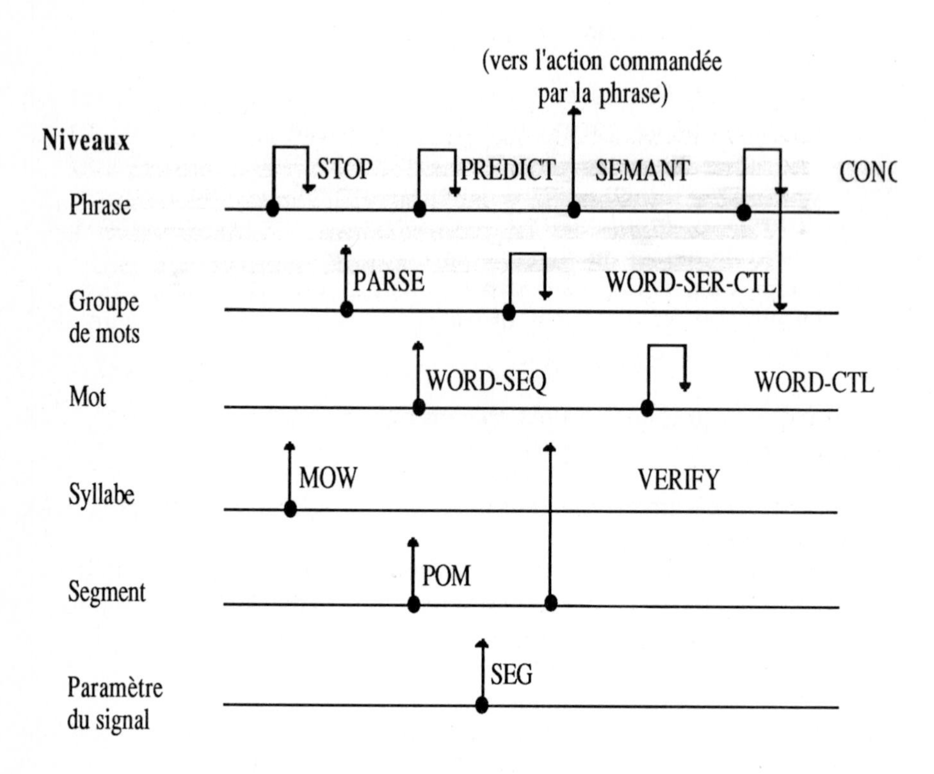

Fig. 3.1 - Le Blackboard de HEARSAY.II et la répartition des rôles des KS
(d'après Erman et Lesser, in [Lea,1980])

3.3. Génération de plans et description de l'espace de recherche

Nous présentons maintenant deux techniques particulières de description de l'espace de recherche développées pour la génération de plans :
- *l'analyse fin-moyens (means-ends analysis)*
- *la planification hiérarchique.*

3.3.1. L'analyse fins-moyens *(means-ends analysis)*

Développée par A. Newell et H. Simon en 1957, la technique de "means-ends analysis" est issue de l'étude des processus de réflexion mis en oeuvre par des personnes confrontées à la résolution d'un problème.

3.3.1.1. General Problem Solver (Newell & Simon, in [Feigenbaum et Feldman,1963]: pp.279-293; [Newell & Simon,1972])

L'ambition des auteurs était de mettre au point un programme universel reproduisant le mécanisme général du raisonnement humain. General Problem Solver (GPS) n'a pas répondu à cette attente, mais il a constitué une étape importante sur le plan technique.

La recherche part d'un problème qui est posé sous la forme de la description de deux états : un état *initial*, et un état *objectif* ou but à atteindre.
Entre ces deux états, le programme met en évidence des différences, et ce sont ces différences qui vont orienter le choix des opérateurs. En effet, les différences sont classées en plusieurs types, et chaque opérateur est caractérisé par le type de différence qu'il réduit. Autrement dit, une différence ayant été trouvée entre l'état initial et l'état objectif, cette différence possède un type, et ce type permet de sélectionner les opérateurs applicables pour le réduire.

Remarques : 1°) Le *classement des différences* en types, ainsi que le classement des opérateurs suivant le type de différence qu'ils permettent de réduire, doivent être effectués au préalable et fournis au système. Il s'agit d'un outil de choix des opérateurs, et donc, suivant notre terminologie, d'une heuristique(cf. §5.1).

2°) Un élément supplémentaire dans le guidage du choix est constitué par le *classement des types* par ordre de difficulté. Ce classement, qui constitue une autre forme d'heuristique (cf. §5.3) est également effectué lors de la construction du système.

Le principe de GPS est de sélectionner d'abord les différences de difficulté la plus forte.

Le fonctionnement de GPS peut être décrit par trois opérations de base :
- *Transformer* l'état A en état B : T(A,B) (qui est en fait l'opération à exécuter au départ),
- *Réduire la différence* entre A et B en modifiant A : R(A,B),
- *Appliquer* l'opérateur O à l'état A : A(O,A).

Chacune de ces trois opérations se décompose elle-même sur la base (au sens de l'algèbre vectorielle) qu'elles constituent :

1) (Transformer A en B) : (Réduire la différence entre A et B), modifiant A en A', ET (Transformer A' en B).

2) (Réduire la différence entre A et B) : Choisir un opérateur O tel que (Appliquer O à A) donne A'.

3) (Appliquer O à A) : (Réduire la différence entre A et les préconditions de O), modifiant A en A' ET (Appliquer O à A').

Dans le formalisme des graphes ET/OU, ces trois décompositions se traduisent par les schémas de la figure 3.2 ci-dessous :

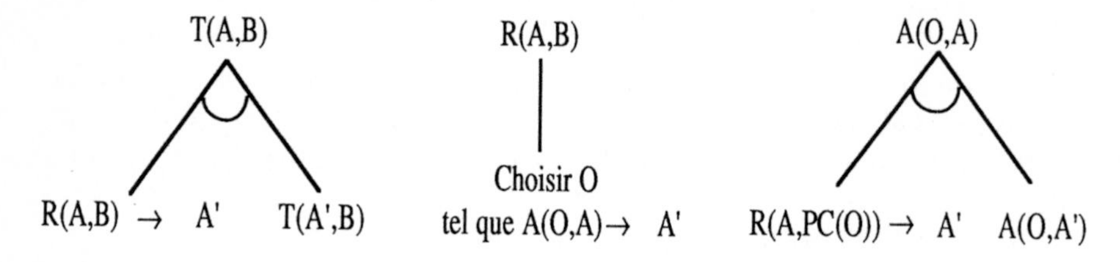

Fig. 3.2 - Décomposition des opérateurs de GPS

Les décompositions 1) et 2) sont celles que nous avons décrites plus haut : transformer A (initial) en B (objectif) s'effectue en sélectionnant une différence, et en cherchant à la réduire par l'application d'un opérateur, dont le choix est, en partie au moins, fourni au système.

Arrêtons-nous un instant sur la décomposition 3. Elle signifie que *si l'opérateur sélectionné O n'est pas applicable immédiatement, on n'abandonne pas ce choix, mais que* ***la différence entre l'état initial et les conditions d'applicabilité de O deviennent le nouveau problème à résoudre.***

3.3.1.2. Means-ends analysis

La technique ainsi désignée dans la littérature est celle qui a été décrite ci-dessus comme la stratégie de GPS. Elle consiste donc à :

- déterminer une différence entre l'état souhaité (but) et la situation présente ;
- chercher un opérateur qui *réduise* cette différence - c'est-à-dire réaliser l'adaptation des moyens (l'opérateur) aux fins (le but visé) - ;
- au cas où l'opérateur n'est pas immédiatement applicable, ses conditions d'applicabilité deviennent le nouveau but.

Il apparaît clairement que l'on est en présence d'une démarche de *description en espace de problèmes* (les différences), la tentative de résolution conduisant à poser éventuellement un nouveau problème (adaptation de l'état initial aux conditions d'applicabilité de l'opérateur choisi).

3.3.2. Planification hiérarchique

L'idée de planification hiérarchique apparaît semble-t-il en 1974 dans l'adaptation réalisée sous le nom de ABSTRIPS par E.Sacerdoti, à partir du planificateur STRIPS de Fikes et Nilsson [1971].

Elle consiste à décomposer la description du problème à résoudre en différents niveaux de détail, c'est-à-dire à créer une hiérarchie de descriptions, chacune d'elle affinant la description du niveau supérieur.

3.3.2.1. STRIPS et ABSTRIPS

• **STRIPS** est un générateur de plans pour un robot agissant dans un monde élémentaire.

Il utilise des opérateurs qui décrivent les actions de base, avec leurs préconditions, et deux listes de modifications apportées par l'opérateur :

delete list, liste des faits qui sont supprimés ; *add list*, liste des faits qui sont introduits dans l'univers par l'application de l'opérateur.

Sont donnés un état du monde, et le ou les but(s) à atteindre.

A partir de là, la stratégie (ou l'algorithme) de recherche consiste à :
- choisir un but G (exprimé sous la forme d'une formule logique de calcul des prédicats),
- tenter (par l'application d'un algorithme de "résolution") de prouver que le but est vérifié dans l'état du monde considéré,
- si ce n'est pas le cas, chercher un nouvel état du monde. Pour cela :
  - extraire une "différence" entre l'état du monde et le but (ces différences sont fournies par l'algorithme de résolution),
  - choisir un opérateur qui permet de réduire cette différence,
  - si cet opérateur n'est pas applicable immédiatement, ses préconditions deviennent de nouveaux sous-buts à satisfaire, et l'algorithme est itéré.

Comme on le constatera aisément , cette stratégie de recherche en espace d'états reprend très exactement le principe de "means-ends analysis" que nous avons examiné ci-dessus.

Illustrons son fonctionnement sur un exemple (inspiré de [Cohen et Feigenbaum,1982]). L'objectif est de boire un café. Les éléments disponibles sont : une cafetière, de l'eau, une banque, une épicerie (marchand de café en grains), un café-bar ; le robot est dans la cuisine.

Les opérateurs sont :

- Pour avoir "quelque chose" : acheter "quelque chose"
  Préconditions : - être chez un marchand de "quelque chose"
  - avoir de l'argent
  Liste d'apports : "quelque chose"
  Liste de suppressions : (remarque : le problème se pose ici de valoriser éventuellement le "quelque chose", et de supprimer la quantité d'argent correspondante. Nous ne considérerons pas cette difficulté).

- Pour avoir du café (boisson) : acheter du café
  Préconditions : - être dans un café-bar
  - avoir de l'argent
  Liste d'apports : du café (boisson)

- Pour avoir du café (boisson) : faire du café
  Préconditions : - être dans la cuisine
  - avoir du café en grains
  - avoir un moulin à café
  - avoir de l'eau
  - avoir une cafetière
  Liste d'apports : du café (boisson)

- Pour avoir de l'argent : prendre de l'argent
  Préconditions : être à la banque
  Liste d'apports : de l'argent

- Pour être "quelque part" : aller "quelque part"
  Préconditions : avoir ce "quelque part" (le lieu existe)
  Liste d'apports : être "quelque part"
  Liste de suppressions :être "où on était"

Etant donné ces opérateurs, pour boire un café, notre robot a le choix entre deux solutions : le faire ou aller l'acheter. Supposons, pour les besoins de la démonstration, qu'il choisisse d'abord de le faire. Il devra :

- constater le manque de café en grains (différence avec l'état du monde fourni) ---> chercher à l'acheter,
- (éventuellement, résoudre le problème d'être chez le marchand de café, pour s'apercevoir qu'il faut résoudre un autre problème, qui imposera un autre déplacement. Ce problème est celui de l'ordonnancement du plan, que nous avons déjà évoqué),
- constater le manque d'argent ---> chercher à en prendre,
- constater qu'il n'est pas à la banque ---> chercher à y être,
- aller à la banque
- prendre de l'argent,
- constater qu'il n'est pas (plus) à l'épicerie ---> chercher à y être,
- aller à l'épicerie,
- acheter du café en grains,
- constater le manque de moulin à café ---> chercher à l'acheter,
- constater qu'il n'est pas chez le marchand de moulin à café,
- constater qu'il n'y a pas de tel marchand ---> ECHEC

Le retour s'effectue au dernier choix effectué (qui est ici le premier), et le robot se décide pour aller au café. Notons au passage que, dans le processus de parcours en "backtrack" (cf. §4.4.), le plan construit pour aller chercher de l'argent à la banque est oublié et devra être reconstruit...

• **ABSTRIPS**, dérivé de STRIPS dont il reprend la structure, introduit une notion de *classement des préconditions* des opérateurs par *degré de criticalité.*

La recherche est effectuée à un niveau *sans tenir compte* des préconditions dont le degré de criticalité est *inférieur* au niveau considéré. Le plan généré au niveau n, est ensuite repris au niveau n-1, où la résolution des préconditions correspondantes est entreprise. Au plus haut niveau, la recherche utilise une fonction d'évaluation qui rend le plan généré optimal (algorithme A*, cf. §4.5.2.2.).

Si un problème apparaît dans la construction du plan généré au niveau n, le système revient au niveau supérieur n+1, au dernier choix effectué (recherche avec "backtrack", §4.4).

Le classement des préconditions est fait lors de la génération du système, en deux temps :

1) un préclassement est effectué par l'utilisateur ;
2) les valeurs définitives affectées aux préconditions sont ajustées par le programme, en respectant l'ordre imposé en 1), mais en augmentant éventuellement les valeurs initiales - ce qui revient à dilater l'échelle de classement. (en particulier, les préconditions sur lesquelles aucun opérateur ne permet d'agir sont automatiquement classées au niveau de criticalité maximum).

Sur le problème du café examiné ci-dessus, le classement conduit à mettre une criticalité élevée à la condition "avoir un moulin à café", ce qui permet d'aboutir rapidement au constat d'échec, et donc de revenir à la deuxième solution globale (aller au café) sans avoir examiné tous les détails d'un plan infructueux.

3.3.2.2. Planification hiérarchique

Illustrée par l'exemple de ABSTRIPS ci-dessus, la planification hiérarchique permet d'élaborer un plan d'ensemble, avec un faible niveau de détail, puis de raffiner ce plan en résolvant les problèmes qui se posent à des niveaux de description de plus en plus détaillés.

Cette technique apporte une réponse au problème du compromis entre l'efficacité de la planification et sa précision, tel qu'il a été mis en lumière dans l'analyse effectuée au §2.2.

Notons que le choix judicieux des niveaux et des valeurs de criticalité est fort important pour l'efficacité réelle de la méthode : c'est lui qui détermine le découpage de l'espace de recherche en degrés de difficulté. Si la répartition des opérateurs suivant les niveaux n'est pas bien faite, la construction de la solution pourra échouer sur un 'détail', ce qui signifie que le but de la hiérarchisation (éliminer rapidement les voies de recherche vouées à l'échec) n'aura pas été atteint.

3.4. Conclusion

- La façon dont on effectue la description de l'espace de recherche conditionne l'efficacité, et même dans certains cas la faisabilité de cette dernière : c'est donc un choix d'une très grande importance. Malheureusement, on ne sait pas grand chose pour le guider...

- On distingue deux grandes méthodes de description : en espace d'états, et en espace de problèmes.

- Plusieurs techniques, imaginées à l'occasion du développement de systèmes particuliers, concernent la description de l'espace de recherche:
  - le "blackboard", consistant à structurer la base de faits;
  - l'analyse fins-moyens ("means-ends analysis"), méthode particulière de description en espace de problèmes;
  - la planification hiérarchique, dans laquelle on distingue plusieurs niveaux de difficulté de résolution : la recherche est faite d'abord dans les grandes lignes, puis chaque étape du plan d'ensemble est précisée de façon de plus en plus détaillée.

4

Techniques de recherche

La description des méthodes de recherche s'appuie sur le formalisme des graphes dont nous rappelons ci-dessous les éléments essentiels, avant de présenter les stratégies de parcours.

4.1. Rappels sur les graphes

- Un **graphe** est un ensemble de *noeuds* dont certaines paires sont connectées par des *arcs*.

- Le graphe est *orienté* si les arcs sont orientés de l'un des noeuds de la paire vers l'autre. Dans ce cas, le point de départ de l'arc est dit le *parent* du point d'arrivée, qui est dit le *successeur* (ou fils).

- On appelle **arbre** un cas particulier de graphe où chaque noeud a un seul parent (au plus).
  Le noeud sans parent est appelé *racine* de l'arbre.
  Les noeuds sans successeurs sont appelés *feuilles*.
  La *profondeur* de la racine est zéro, celle de tout noeud est celle de son parent plus 1.

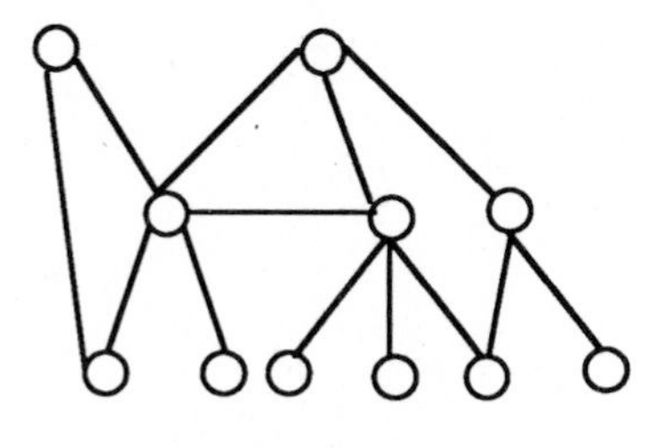

Un graphe

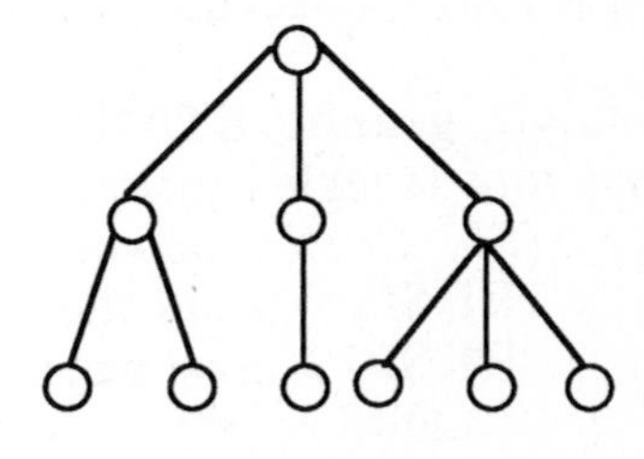

Un arbre

- Une séquence de k noeuds, dont chacun est le successeur du précédent est appelée un *chemin* de longueur k.
  Si un chemin existe d'un noeud n_i à un noeud n_j, n_j est dit *accessible* depuis n_i : alors n_j est un *descendant* de n_i, qui est son *ancêtre*.

Hyperarc : un arc relie un noeud à un seul autre noeud (c'est-à-dire que si un noeud est relié à plusieurs noeuds, il y a autant d'arcs distincts que de liens). Un hyperarc relie un noeud simultanément à k autres noeuds. On parle également de *k-connecteur*.
On symbolyse un hyperarc comme ceci :

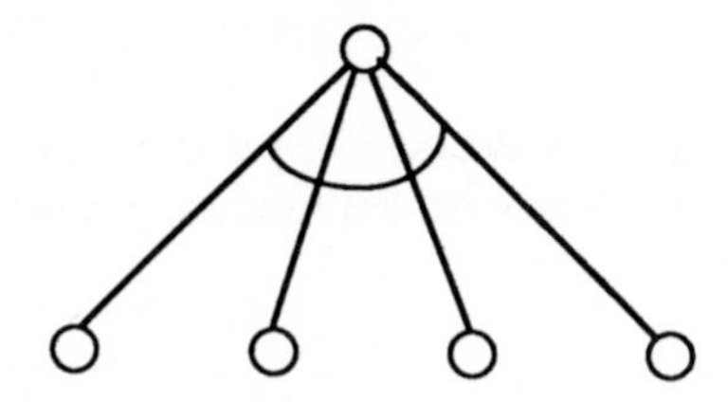

Hypergraphe : un hypergraphe est un graphe dans lequel il y a des hyperarcs

Exemple d'hypergraphe :

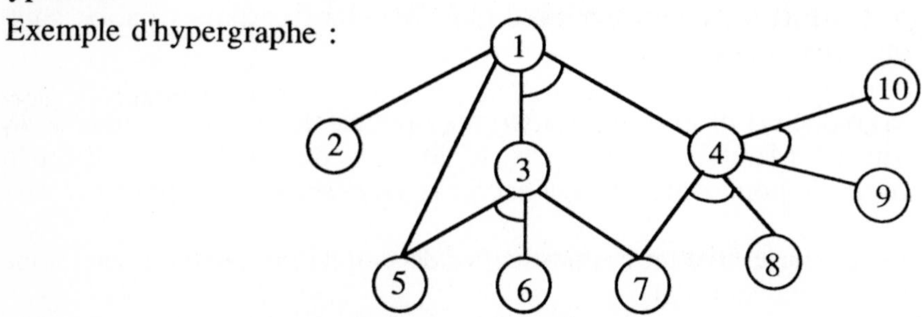

Question : quels sont les successeurs du noeud 1 ?
Réponse : les successeurs du noeud 1 sont 2, 5 et 3-4 (on ne doit pas dissocier 3 et 4 qui sont successeurs de 1 par un seul hyperarc. De même les successeurs de 4 sont 7-8 et 9-10).

Notion de graphe ET/OU
Considérons la règle suivante :

SI X est un oiseau
ET SI X a des ailes
ET SI X n'est pas une autruche
ALORS X vole

Si nous voulons établir que "X vole", il nous faut établir solidairement les trois prémisses : on parlera de connective ET.

Imaginons maintenant la règle suivante :

SI X est un avion ALORS X vole,

nous disposons alors d'une alternative pour établir la conclusion : les trois prémisses de la première règle OU celle de la deuxième.

On désigne par graphe ET/OU dans la littérature les graphes représentant de tels espaces de recherche, où un état peut être transformé alternativement de plusieurs façons (connexion OU), chaque transformation pouvant faire intervenir simultanément plusieurs états, dont la conjonction est équivalente à l'état initial (connexion ET).

Il est clair que la représentation d'un graphe ET/OU est un hypergraphe, chaque hyperarc représentant une connexion ET.

4.2. Classement des modes de parcours

On distingue deux classements, l'un sur le *sens de parcours* dans l'espace de recherche, l'autre sur la stratégie d'exploration.

4.2.1. Chaînage avant - Chaînage arrière

En *chaînage avant*, (ou système "data driven" ou "bottom-up") on part d'un état (description de faits) et on cherche à le transformer pour obtenir un état "terminal" (situation satisfaisante).

Le *chaînage arrière* ("goal-driven" ou "top-down") part du but à atteindre et cherche les opérateurs qui permettent d'atteindre ce but. Les conditions de ces opérateurs deviennent de nouveaux buts à réaliser, et ainsi de suite.

Le choix de l'une ou l'autre des méthodes dépend du processus de résolution du problème par l'"expert" qui fournit la connaisance.

Aujourd'hui, de plus en plus, les systèmes intègrent les deux types de fonctionnement.

4.2.2. Classement par type de stratégie

Trois grands types de stratégie existent :
1) la recherche "incrémentale", par application successive d'opérateurs sans remise en cause des choix effectués. Nous dirons qu'il s'agit d'un processus de ***recherche sans mémorisation et sans retour.***
Nilsson[1982] présente celui-ci sous le nom de "*contrôle irrévocable*".
2) L'exploration d'un seul chemin, avec retour au dernier choix effectué en cas d'échec de la recherche, technique connue sous le nom de "*backtrack*" (ou "***retour arrière***") : c'est une *recherche avec mémorisation et retour limités.*
3) La construction de plusieurs chemins possibles, qui sont explorés alternativement en fonction de critères évaluant à chaque instant leur intérêt potentiel. Nous la caractérisons comme une *recherche avec mémorisation du graphe de recherche*, dite "***recherche en graphe***".

Nilsson regroupe ces deux dernières techniques dans la catégorie du contrôle "*révisable*".

Par ailleurs, les sytèmes de jeux posent un problème particulier, en raison de la maîtrise seulement partielle qu'a le système sur l'évolution de la situation, et du caractère symétrique et adverse des actions extérieures au système. Deux techniques sont fondamentales en ce domaine : l'algorithme de recherche du *Minimax* et celui permettant l'élimination d'explorations inutiles dit "*Alpha-Bêta*".

Nous allons maintenant examiner plus en détail ces différentes stratégies, qui constituent l'ossature des mécanismes d'inférence. Dans les présentations qui suivent, les algorithmes indiqués correspondent à des graphes simples. Des versions adaptées aux graphes ET/OU (hypergraphes) existent dans tous les cas. Le lecteur intéressé trouvera des présentations plus détaillées dans Nilsson[1982].

4.3. Stratégies (1) : Recherche sans mémorisation et sans retour

Le principe est de choisir à chaque instant une règle applicable en fonction d'un certain critère, et de *ne jamais revenir en arrière.* Cela revient donc à avancer d'un pas à chaque fois, en "espérant" que le chemin choisi mène à la solution cherchée.

4.3.1. Conditions

Il peut sembler que la résolution d'un problème (impliquant une recherche - c'est-à-dire un "vrai" problème") ne peut s'accommoder d'une telle méthode : le processus de recherche par "essais et erreurs" paraît inévitable. Si l'on disposait de suffisamment d'informations sur la solution pour choisir à tout coup la bonne règle, ne signifierait-ce pas que la solution est connue au départ ?

En réalité, lorsque certaines conditions sont satisfaites, ce mécanisme est applicable. Principalement, deux types de problèmes peuvent relever d'une telle stratégie de recherche :

- d'une part, tout problème dans lequel le processus de résolution consiste à *accumuler des résultats* sans qu'il soit jamais nécessaire de les remettre en cause : processus purement déductif, dans lequel l'obtention d'un élément ne bloque jamais la possibilité d'en obtenir ultérieurement un autre complémentaire, ou simplement différent. La formalisation d'un tel processus est présentée ci-dessous sous le nom de **système commutatif** ;
- d'autre part, tout problème pour lequel on dispose localement d'une fonction de *choix local "parfaitement informée"*, c'est-à-dire dont on peut assurer qu'elle conduit à tout coup à choisir un état "plus proche" de la solution. C'est le principe désigné sous le nom de "**hill-climbing**"(*).

4.3.2. Les systèmes commutatifs

Un système est commutatif si l'ordre d'application des règles est sans importance sur le résultat, et en particulier sur le fait que celui-ci satisfasse ou non la condition de terminaison.

Ceci s'exprime par la ***définition*** suivante :
Système commutatif : Soient
D un état (ensemble de données) du système ;
Un ensemble de règles R_i applicables à D ;
E_i l'état successeur de D résultant de l'application à D de R_i.
Le système est commutatif si :

(*) *Expression imagée, littéralement "escalade de la colline", traduisant la recherche d'un maximum.*

a) chaque règle R_i applicable à D reste applicable à l'état E_j résultant de l'application à D d'une autre règle (en l'occurrence R_j);
b) lorsqu'une séquence $\{R_i\}$ de règles applicables à D est appliquée, le résultat est le même quel que soit l'ordre de la séquence ;
c) lorsque D satisfait la condition de terminaison, tout état successeur E_j la satisfait.

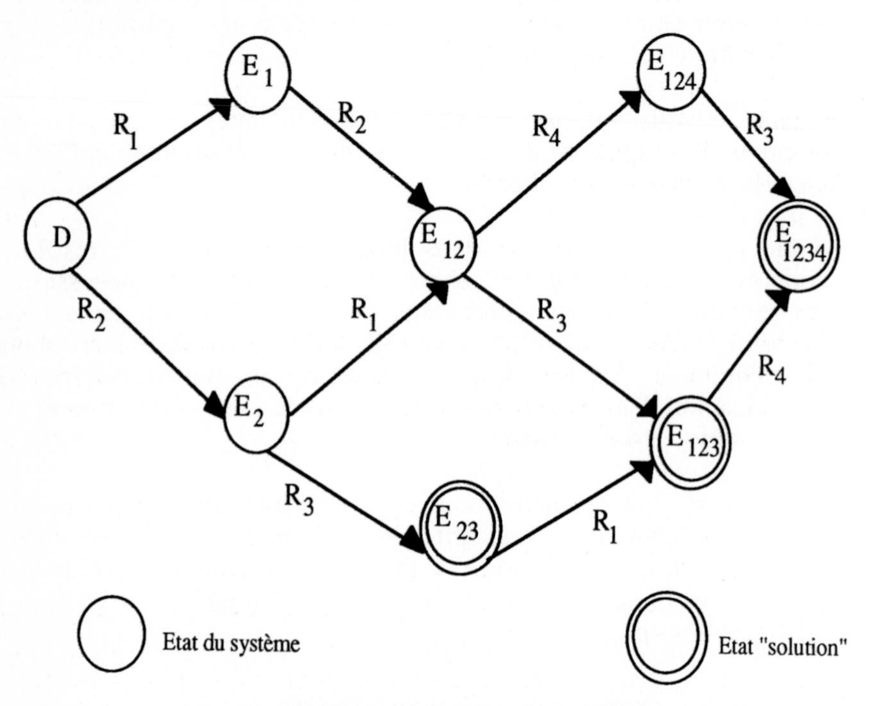

Fig.4.1 - Exemple de système commutatif

Remarques :

- Le fait qu'une règle soit applicable à un état ne signifie pas nécessairement qu'elle le soit plusieurs fois, c'est-à-dire qu'elle soit applicable à l'état résultant de l'application d'elle-même à cet état. Ainsi, sur l'exemple, R_1 n'est pas réapplicable à E_1.

- Dans b), on considère une séquence de règles R_i qui sont toutes applicables à l'état initial D. Il résulte de a) qu'elles restent applicables aux états ultérieurs.

- En revanche, la commutativité n'implique pas que toute séquence de règles conduisant à un état puisse être réordonnée. Certaines règles deviennent applicables après l'application de certaines autres, et ne peuvent l'être avant. Sur l'exemple, R_3 ne peut être appliquée qu'après l'application de R_2, R_4 après celle de R_1 et R_2.
- Ce que la commutativité garantit, en revanche, c'est que l'application d'une"mauvaise" règle ne compromet pas les chances de succès, c'est-à-dire :
  - la possibilité d'appliquer ultérieurement la bonne,
  - la neutralité de l'application de la mauvaise sur le résultat obtenu.

  Sur l'exemple, la solution résulte de l'application successive de R_2 et R_3. Le choix d'appliquer R_1 et éventuellement R_4 laisse néanmoins la possibilité de parvenir à un état solution E_{123} ou E_{1234}.

Difficulté : comme on le voit sur l'exemple (minuscule) ci-dessus, même si l'on est assuré de pouvoir toujours parvenir au résultat, ce peut être après des détours considérables. Il sera donc souhaitable de disposer d'un critère pour guider localement les choix.Le "*hill-climbing*" en est un exemple.

4.3.3. Le "hill-climbing"

C'est le cas où l'on dispose d'une fonction de "potentiel", calculable en chaque état, et qu'on cherche à maximiser. Cette fonction doit permettre d'évaluer chaque état et prendre son maximum pour un état "solution".
Processus : à chaque pas, la fonction "potentiel" est évaluée sur les états successeurs possibles, et celui sur lequel la fonction est la plus élevée est retenu. S'il existe plusieurs états sur lesquels le maximum est atteint, le choix est arbitraire. Si tous les états successeurs ont un potentiel plus faible que l'état courant, le processus est terminé.

Difficultés :

- Il est nécessaire que la fonction présente un seul maximum. Dans le cas où il existe des maxima locaux, le processus risque de s'y faire "piéger".
- Par ailleurs, si la fonction présente des "plateaux" ou des "arêtes", le choix devient arbitraire et risque de conduire à un bouclage : en effet, le processus étant sans mémoire, et le potentiel par hypothèse égal entre l'état (voire les états) d'où l'on vient et celui où l'on est, un état antérieur peut être choisi comme successeur de l'état actuel.

4.3.4. Conclusions

Le contrôle irrévocable est très léger à mettre en oeuvre : très peu d'information est conservée sur l'espace dans lequel on évolue, et sur le chemin qu'on y suit. En fait, on connaît seulement l'état local, et les paramètres permettant d'évaluer les choix suivants possibles. Il s'agit donc d'un processus "myope" (vision limitée à l'étape suivante) et "sans mémoire" (donc sans retour possible).
Les deux cas d'application (cf. chapitre 5) présentés permettent de mettre en relief la notion d'*heuristique*. Nilsson[1982] cite le "hill-climbing" comme une technique de recherche : en réalité, celui-là apparaît comme un moyen ("heuristique") d'améliorer l'efficacité de celle-ci.

Ainsi :
- le contrôle irréversible est une modalité du contrôle,
- la commutativité du système apparaît comme une condition raisonnable de sa mise en oeuvre (à moins qu'on ne sache à coup sûr choisir à tout coup la bonne direction : cas du "hill-climbing" parfait),
- le "hill-climbing" en général est un moyen de réduire l'effort de recherche (indépendamment de la stratégie de parcours utilisée).

Dans la pratique, ces deux problèmes (recherche et heuristique) sont étroitement entremêlés. Nous retrouverons le choix "informé" (heuristique) dans les autres stratégies de recherche.

4.4. Stratégies (2) : Recherche avec "retour arrière" *(backtrack)*

Le principe du retour arrière consiste à :
- explorer un chemin jusqu'à rencontrer une butée (succès ou échec),
- dans ce cas, remonter au dernier choix effectué, et prendre une autre voie.

4.4.1. Procédure

Ceci se traduit dans la procédure récursive suivante (empruntée à [Nilsson,1982]) :

Procédure BACKTRACK (BdFaits)

```
        1) si BUT (BdFaits), RETOURNER Nil
        2) si IMPASSE (BdFaits), RETOURNER Echec
        3) REGLES <--- APPLREGLE      {calcule les règles
        applicables
                      (BdFaits)       {(et éventuellement les
        classe)
Boucle  4) si NULL (Règles), RETOURNER Echec
        5)            R <--- PREMIER (Règles)
        6)            Règles <--- RESTE (Règles)
        7)            RBdFaits <--- R (BdFaits)
        8)            Chemin <--- BACKTRACK (RBdFaits)
        9)            si Chemin = Echec, ALLER EN Boucle
        10)           RETOURNER CONS (R, Chemin)
```

Avantage : le retour arrière est plus souple que le contrôle irrévocable, car il autorise les échecs. Le prix à payer est la conservation en mémoire du chemin parcouru. *Le backtrack est donc un processus à mémoire.*

Remarque : Où apparaît le stockage du chemin exploré dans la procédure ci-dessus ? En fait, le stockage est effectué par le système d'exploitation, lors de l'appel récursif de la procédure. Lors de cet appel, le système stocke tous les paramètres de la procédure appelante, donc notamment toute la BdFaits, l'ensemble Règles des règles non encore appliquées à celle-ci, et R qui est la règle sélectionnée au niveau considéré. Le chemin exploré est construit, une fois le but atteint, en ajoutant à la variable Chemin, lors de chaque retour de l'appel récursif, les règles R stockées à ce niveau.

Difficultés :

- Le retour arrière n'offre pas de garantie de terminaison. En particulier, si l'espace de recherche n'est pas borné en profondeur, le processus poursuit l'exploration du chemin entamé indéfiniment.
- Dans la version simple ci-dessus, le programme ne "voit" pas quand il repasse deux fois au même endroit. Il lui faudrait donc une mémoire explicite du chemin parcouru.

4.4.2. Une procédure améliorée

C'est ce que permet la version ci-dessous modifiée de la procédure BACKTRACK (qui introduit par ailleurs (pas 5) une limite à la profondeur de l'exploration, pour pallier la première difficulté mentionnée).

Procédure BACKTRACK (Liste BdFaits)

```
        1) BdFaits <--- PREMIER (Liste  BdFaits)
        2) si MEMBRE (BdFaits, Reste (Liste  BdFAits)),
                                      RETOURNER Echec
        3) si BUT (BdFaits), RETOURNER  Nil
        4) si IMPASSE (BdFaits), RETOURNER Echec
        5) si LONGUEUR (Liste BdFaits) > Limite,
                                      RETOURNER Echec
        6) Règles <--- APPLREGLE (BdFaits)
Boucle  7) si NULL (Règles), RETOURNER Echec
        8)                            R <--- PREMIER (Règles)
        9)                            Règles <--- RESTE (Règles)
        10)                           RBdFaits <--- R (BdFaits)
        11)                           RListe BdFaits <--- CONS
        (RBdFaits, Liste BdFaits)
        12)                           Chemin <--- BACKTRACK 1
        (RListe BdFaits)
        13)                           si Chemin = Echec, ALLER
        EN Boucle
        14)                           RETOURNER CONS (R,
        Chemin)
```

Cette procédure trace explicitement toute la suite des états (BdFaits) explorés jusqu'au stade présent, et certifie (étape 2) que la BdFaits actuelle n'est pas déjà dans le chemin antérieur (ce qui correspondrait à un bouclage).

(***Remarque*** : dans la mesure où, comme Backtrack, cette procédure s'appelle récursivement, le stockage devient alors très important, puisque chaque instance de la procédure conserve la liste complète ListeBdFaits des états antérieurs).

4.4.3. Retour arrière et heuristique

Le processus de retour arrière ne préjuge nullement du degré d'information dont on dispose pour effectuer le choix de la règle applicable. C'est seulement une modalité de suivi du chemin parcouru, permettant d'effectuer un balayage exhaustif. La fonction de choix locale peut être arbitraire (aveugle) ou plus "informée".

Exemple : le problème des reines (échiquier 4x4)

Le problème est de placer 4 reines sur l'échiquier de façon qu'aucune ne soit en prise par une autre. Les règles de prise sont celles du jeu d'échecs : une reine prend sur toutes les cases situées sur son horizontale, sa verticale et les deux lignes diagonales passant par elle.

- La base de faits est le tableau 4x4, sur lequel les cases occupées sont marquées d'une croix.
- Les règles sont (par exemple) :

  $R_{i,j}$ = condition : SI (pour i=1, s'il n'y a aucune marque)
  (pour 1:<i≤4, s'il y a une marque en ligne i-1)
  effet : ALORS placer une marque en ligne i, colonne j.

On applique les règles en croissant sur i.
Essayons la fonction de tri arbitraire des règles, consistant à appliquer les $R_{n,j}$ dans l'ordre des j croissants pour n donné.

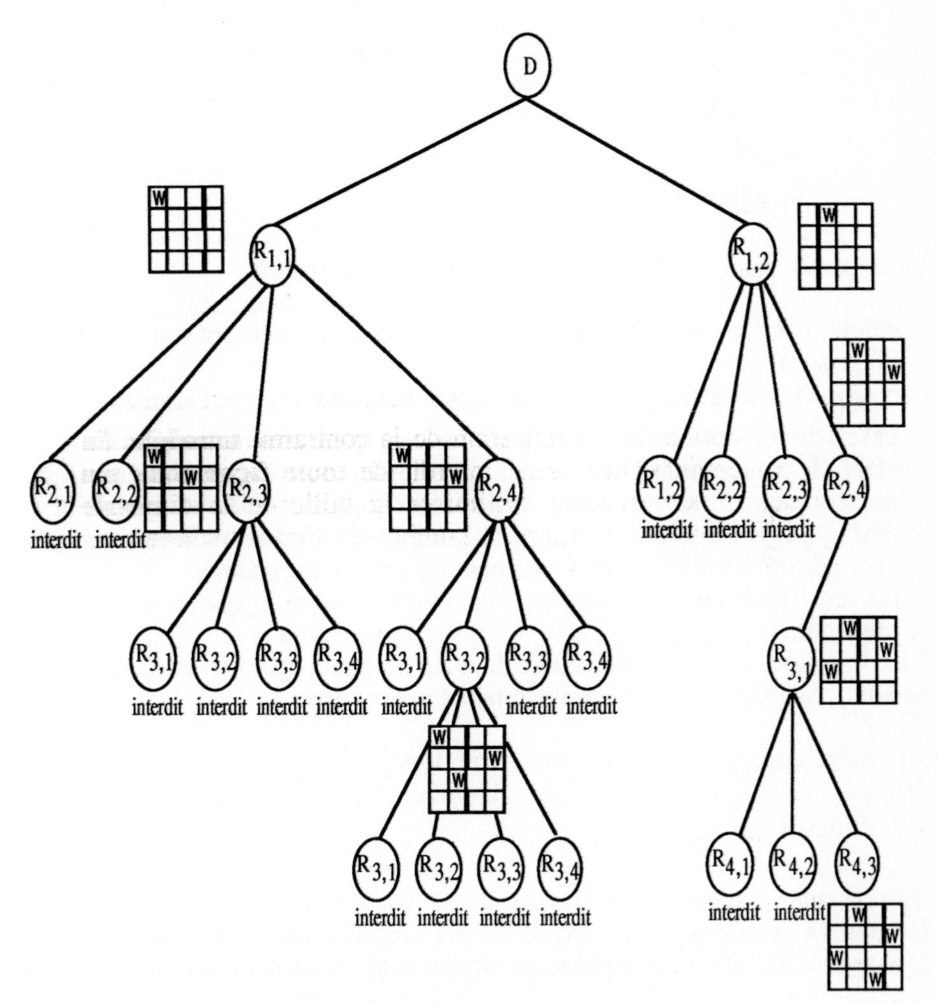

Fig 4.2 - Recherche avec backtrack

Au niveau 1 : choix $R_{1,1}$.
" " 2 : les choix $R_{2,1}$ et $R_{2,2}$ sont interdits (ils correspondent à des cases en prise par la reine en 1,1) ==> choix $R_{2,3}$.
" " 3 : Aucun choix de R_3 ne convient (voir fig.4.2).
Retour arrière au dernier choix:
au niveau 2 : choix suivant $R_{2,4}$.
" " 3 : choix $R_{3,2}$ ($R_{3,1}$ interdit par la reine en 1,1).
" " 4 : aucun choix possible (cf. fig.4.2).
Retour arrière au dernier choix:
au niveau 3 : $R_{3,3}$ et $R_{3,4}$ interdits ==> retour arrière à nouveau:
" " 2 : plus de choix possible ==> retour arrière à nouveau:
" " 1 : choix $R_{1,2}$.
" " 2 : choix $R_{2,4}$ (seul possible)
" " 3 : choix $R_{3,1}$ (premier choix).
" " 4 : choix $R_{4,3}$ (premier choix) : Solution.

Essayons la fonction de tri plus informée qui consiste à :

- calculer la longueur de la plus longue diagonale passant par i.j : soit diagmax (i,j);
- choisir $R_{i,j}$ avant $R_{i,k}$ si diagmax (i,j) < diagmax (i,k) (Ce critère est basé sur une notion de minimisation de la contrainte introduite. En effet, le placement d'une reine interdit de toute façon toute son horizontale et sa verticale; minimiser la taille de la diagonale maximale revient à minimiser le nombre de lignes sur lesquelles apparaît une contrainte de placement due aux diagonales);
- (si les fonctions d'évaluation sont égales, on appliquera le critère précédent).

Bien entendu, on n'effectuera le calcul de diagmax que sur les cases qui ne sont pas interdites par les placements antérieurs.

Le critère appliqué à la première ligne donne
diagmax(1,1)=4; diagmax(1,2)=3; diagmax(1,3)=3; diagmax(1,4)=4
==> choix $R_{1,2}$.

On voit que au niveau 1, le choix effectué est le bon.
On pourra vérifier qu'il en est de même aux niveaux 3 et 4 (au niveau 2, aucun calcul n'est nécessaire, puisqu'un seul choix est possible).

4.5. Stratégies (3) : Recherche en graphe

4.5.1. Description générale

Le principe de cette recherche est de conserver la trace de tous les noeuds qui ont été rencontrés. Au fur et à mesure de l'exploration de l'espace de recherche, les états effectivement générés par le processus de recherche sont mémorisés, constituant ainsi une représentation explicite du *graphe de recherche.*
(L'*espace de recherche*, quant à lui (cf. définitions au §3.1), comprend tous les états qui pourraient être atteints, compte tenu des conditions initiales - représentés par la Base de Faits - et des opérateurs disponibles - contenus dans la Base de Connaissances. Sa représentation complète est hors de portée pour les problèmes non-triviaux : c'est le problème de l'explosion combinatoire, qui conduit à l'utilisation d'heuristiques, cf. §5.2.).

L'existence de cette représentation ouvre de larges possibilités de choix quant au parcours de recherche : à chaque instant, tous les états du graphe qui n'ont pas été examinés sont des candidats potentiels pour constituer la prochaine étape de la recherche.
(Dans les processus précédents, à mémoire limitée, l'absence d'une "vue d'ensemble" sur la recherche imposait un processus relativement systématique : la recherche "aveugle" procède nécessairement à partir du seul état qu'elle connaît ; le "retour arrière" se fait impérativement au dernier choix effectué, sauf à abandonner définitivement l'exploration de certaines branches).

Ici, l'exploration du graphe explicitement connu peut se faire en sautant d'une branche à une autre, en fonction d'un critère de rangement global des noeuds "ouverts", dont le classement (par ordre de "mérite") est effectué à l'étape 8 de l'algorithme ci-dessous.

La procédure

Elle travaille sur deux listes : 'Ouvert' et 'Fermé', et construit un graphe G, dont le noeud de départ est D.

Procédure GRAPH SEARCH (BdFaits)

1) Mettre D dans Ouvert
2) FERME := vide
3) **si** Ouvert = vide ---> RETOURNER Echec
4) Fermé <--- 1er noeud de Ouvert (soit : P)
5) **si** P APPARTIENT_A {But} ---> Succès
   Tracer le chemin de S à N en remontant les pointeurs
6) Développement de P :
   M = {N : SUCCESSEUR_DE P, **non** PARENTS_DE P}
7).1 **pour tout** N de M qui **n'appartient pas à** G
   le PLACER dans Ouvert
   ETABLIR_UN _POINTEUR vers P
   (éventuellement : **tester si** N **appartient à** {But}
   ---> MARQUER N)
   .2 **pour tout** N de M qui **appartient à** G
   DECIDER_SI on REDIRIGE_SON_POINTEUR vers N
   .3 **pour tout** N de M qui **appartient à** Ouvert
   pour chacun de ses descendants dans G,
   DECIDER_SI on REDIRIGE_SON_POINTEUR
8) REORDONNER Ouvert
   (éventuellement : placer en tête un noeud "but" s'il existe)
9) Aller en 3)

Analysons le fonctionnement de cette procédure.
Le graphe G est le graphe de recherche. Un "arbre de recherche" est construit, par les pointeurs mis en place à l'étape 7 : chaque noeud (sauf D) a un pointeur dirigé vers un seul de ses parents (il s'agit donc bien d'un arbre).
De plus, le chemin ainsi construit est "optimal" parmi ceux qui ont été trouvés : c'est le sens des réordonnancements effectués aux 2ème et 3ème points de 7. Si le développement d'un noeud fait apparaître dans ses successeurs des noeuds déjà connus, il se peut que cette nouvelle manière de les atteindre soit plus intéressante, en terme de simplicité du chemin à parcourir.

Exemple : dans le graphe représenté ci-contre (fig. 4.3), le développement du noeud 6 fait apparaître une nouvelle possibilité de rattachement du noeud 5. Mais celle-ci n'est pas intéressante (si le critère est le nombre d'étapes depuis la racine).
En revanche, le développement du noeud 7 conduit à un réaménagement complet de l'arbre de recherche (on pourra reprendre l'algorithme sur cet exemple).

Graphe de recherche

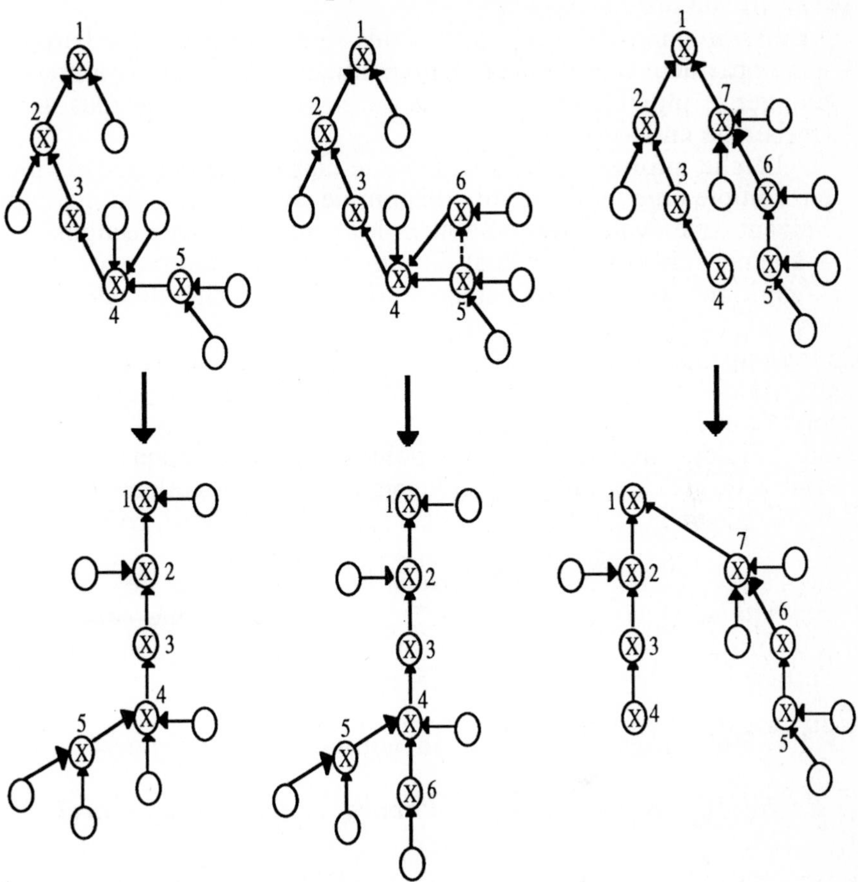

Arbre de recherche correspondant

Fig.4.3 - Exemple de recherche en graphe

4.5.2. Politiques de recherche en graphe

L'existence de la liste complète de tous les noeuds "ouverts" du graphe permet de choisir l'ordre dans lequel ils sont explorés. Cet ordre est mis en oeuvre à l'étape 8 de l'algorithme.
Quatre politiques de recherche en graphe sont classiques : recherche en *profondeur d'abord*, en *largeur d'abord*, à *coût uniforme*, et ce qu'on appelle "*algorithme A*".
Les politiques possibles peuvent être classées suivant le type ou le degré

d'information auquel elles font appel.

Ainsi, Nilsson distingue-t-il :
- "recherche non informée" : les noeuds sont classés suivant l'ordre de leur apparition, ce qui donne deux politiques, selon que l'on prend en premier le plus récent (recherche en profondeur) ou le plus ancien (recherche en largeur);
- "recherche informée", dans laquelle le classement des noeuds prend en compte une information disponible sur le coût du parcours. Suivant cette évaluation, on obtient les deux catégories d'algorithmes : à coût uniforme (évaluation du coût du parcours passé) ou "algorithmes A" (coût du parcours passé + estimation du coût futur).

Ce regroupement introduit une notion d'information sur le parcours : le coût. Mais l'ordre d'apparition des noeuds n'est-il pas, lui aussi, une information ?
Nous préférons donc regrouper les politiques différemment :
- d'un côté, celles qui utilisent uniquement une information sur le passé de la recherche : *profondeur d'abord*, *largeur d'abord*, *coût uniforme* ;
- de l'autre, celles qui introduisent une "évaluation de l'avenir" : *algorithme A* et ses dérivés (*A**). Nous verrons que cette notion d'information sur le futur a une importance essentielle dans l'efficacité de la recherche (cf. §5.2.).

4.5.2.1. Politiques basées sur la connaissance du passé

1) *Recherche en profondeur d'abord ("depth-first search")*

C'est une recherche en graphe dans laquelle la fonction d'ordonnancement des noeuds est "dernier développé : premier pris" ou "LIFO" (Last In, First Out).
Compte tenu de cet ordre de sélection, on explore chaque branche jusqu'au bout avant de passer à la suivante. En effet, ce sont les voies nouvelles à l'extrémité de la branche dans laquelle on se trouve qui, étant apparues les dernières, sont explorées en premier.

Remarques :
- Du point de vue du chemin suivi, cette politique d'exploration est identique à celle du backtrack. En effet, on a vu que ce dernier devait impérativement épuiser l'exploration d'une branche avant d'entamer la suivante, car sa mémoire est limitée à la branche en cours d'exploration : de ce fait, des embranchements déjà explorés ne peuvent être repris ultérieurement sous peine de bouclage. Si le mode

de parcours est le même qu'en "retour arrière", le stockage est beaucoup plus important, puisque tout l'arbre de recherche est conservé.

- L'avantage qu'on peut en tirer est de savoir interrompre une exploration qui retomberait sur un chemin déjà parcouru, détecté lors de la comparaison (étape 7) entre les noeuds nouvellement apparus et ceux qui étaient déjà connus.

2) ***Recherche en largeur d'abord ("breadth-first search")***
La fonction d'ordonnancement est maintenant "premier développé : premier choisi" ou "FIFO" (First In, First Out).
En conséquence, le graphe est balayé niveau par niveau, en entendant par niveau l'ensemble des noeuds séparés de la racine par le même nombre de générations.

Il en résulte que s'il existe un chemin vers le but, *la recherche en largeur d'abord trouve le plus court.*
Toutefois, le chemin le plus court n'est pas nécessairement le moins cher. Nous voyons apparaître ainsi la notion du coût associé à un arc, qui conduit à la politique suivante :

3) ***Recherche dite "à coût uniforme"***
Notion de coût d'un arc : rappelons que notre graphe est constitué de noeuds représentant des "états" de notre univers (problème), reliés par des arcs correspondant à des "opérateurs" qui permettent de passer d'un état à un autre. Ces opérateurs, qui désignent en général toute "connaissance" permettant de transformer un état en un autre, peuvent très bien se voir associer des *coûts d'application* : ce sera notamment le cas dans les problèmes de génération de plan.
Considérons par exemple un système qui étudie le déplacement et l'activité d'un robot : le générateur de plan déplace et anime un robot virtuel dans un espace virtuel à l'aide d'opérateurs virtuels. Lorsque le plan aura été arrêté, il faudra l'exécuter réellement : alors, la réalisation de chaque tâche représentera un certain coût réel (travail, énergie) que l'on peut souhaiter réduire, voire minimiser. Cet exemple illustre l'intérêt que peut présenter l'association, à chaque arc du graphe, d'un coût de parcours.

Une telle technique a notamment été utilisée dans la réalisation de systèmes de diagnostic (en particulier, le système RUFUS pour l'aide au diagnostic des pannes sur les rames de R.E.R.).

Optimisation d'une solution et optimisation d'une recherche de solution : remarquons que dans l'exemple ci-dessus, nous avons soigneusement dissocié deux notions de coût d'un opérateur correspondant en fait à deux sens très différents de la notion d' "application" de cet opérateur :

- il y a l'application de cet opérateur *dans la réalité*, c'est-à-dire lors de l'exécution du plan conçu par le système. Cette "application" a pour coût le travail que consomme l'exécution de l'opération prévue.
- il y a son application virtuelle *par le système* dans son parcours du graphe de recherche : dans ce cas l' "application" consiste à générer par le calcul les résultats possibles de l'exécution de l'opération, et le coût de cette application virtuelle est celui du (temps de) calcul correspondant. Cette dernière notion est seule pertinente en ce qui concerne l'optimisation de l'ensemble du *processus de recherche* lui-même (et non de son *résultat*, c'est-à-dire de la solution proposée).

Cette distinction importante entre deux optimisations doit être gardée présente à l'esprit lorsqu'on réalise un système de résolution de problèmes : bien souvent, la notion de *solution* optimale, héritée des recherches classiques sur l'algorithmique et la recherche opérationnelle, reste un objectif implicite. Pourtant, l'un des apports essentiels de l'informatique symbolique est bien de savoir fournir une solution non-optimale (ou dont l'optimalité n'est pas démontrée, voire pas démontrable), pourvu que cette solution soit satisfaisante (correcte) et que sa recherche ait été rapide : ce qui suppose de mettre l'accent bien plus sur l'optimisation du processus de recherche que sur celle de son résultat. Ceci posé, revenons à nos techniques de recherche.

L'algorithme du "coût uniforme", classique en recherche opérationnelle, fournit une solution de coût optimal.
Soit $c(n_i,n_j)$ le coût d'un arc (opérateur) menant de n_i à n_j. On calcule la fonction de coût d'un noeud n_s successeur de n par

$$g(n_s) = g(n) + c(n,n_s).$$

L'algorithme de coût uniforme ordonne les noeuds "ouverts" du graphe de recherche par coûts croissants ; c'est-à-dire que le noeud sélectionné est celui dont la fonction de coût est minimale.

Remarque : si tous les arcs ont un coût identique, on retrouve l'algorithme de recherche "en largeur d'abord", qui apparaît donc comme un cas particulier de la recherche à coût uniforme.

4.5.2.2. Politiques basées sur une prévision de l'avenir

1) *Recherche heuristique : algorithme A*

Si la recherche précédente "à coût uniforme" pouvait être dite "informée" par Nilsson, au sens où elle prenait en compte une information sur les coûts de réalisation des actions (opérateurs) dans l'univers, elle ne s'appuyait sur aucun critère visant à orienter a priori le choix d'un opérateur vers la solution. (L'existence d'un tel critère "a priori" constitue ce que nous conviendrons d'appeler une "heuristique").

Considérons maintenant l'algorithme de recherche en graphe muni d'un type particulier d'heuristique.

A chaque noeud sont associées deux informations :

- sur le passé : le coût du chemin parcouru $g(n)$ (comme dans l'algorithme coût uniforme précédent),
- sur le futur : le coût du chemin à parcourir. Supposons que $h^*(n)$ est le coût minimal d'un chemin allant de n au but, on désignera par $h(n)$ une évaluation de $h^*(n)$.

Soit $f(n) = g(n) + h(n)$ la fonction d'évaluation associée au noeud n. L'algorithme de recherche en graphe dans lequel les noeuds sont sélectionnés par valeurs de f croissantes est connu sous le nom *d'algorithme A*.

Remarque :

$h(n)$ est bien une heuristique (puisqu'elle évalue le coût du chemin restant à parcourir) d'un type très particulier. En effet, elle constitue une évaluation de la distance à la solution.

Beaucoup d'autres formules, beaucoup plus locales (exemple : évaluation de coût limité à celui de la prochaine étape, "pertinence" de tel ou tel opérateur ou catégorie d'opérateurs) peuvent être - et sont en général - appliquées.

Cependant, si elle existe, une fonction de type $h(n)$ est en fait une heuristique très puissante. La difficulté est de savoir la définir...

Un exemple de recherche en graphe "informée" : le cas du taquin à 3x3.

Le problème consiste à ranger les 8 dominos numérotés en utilisant la case vide, à partir d'une position de départ a priori quelconque.

1	7	2
8	4	5
6	3	

↓ ?

1	2	3
8		4
7	6	5

- Si la fonction d'évaluation d'un noeud n est

$$f(n) = d(n)$$

($d(n)$ profondeur du noeud n), on a une exploration en largeur d'abord : $d(n)$ représente le coût pour atteindre n, chaque étape valant 1.

- Si la fonction d'évaluation d'un noeud est

$$f(n) = d(n) + W(n)$$

où $W(n)$ est le nombre de dominos mal placés dans la configuration, on a une exploration beaucoup plus rapide (cf. figure 4.4).
Avec la fonction d'évaluation, on a pratiquement à tout coup choisi le bon mouvement.

(A titre de comparaison, on pourra compter le nombre de positions explorées par l'algorithme coût uniforme $f(n) = d(n)$)

2) *Algorithme A**

Si de plus h est borné supérieurement par h^*, on dit que h vérifie la condition d'*admissibilité* : $(h(n) \leq h^*(n))$. Alors on a à faire à l'algorithme A*.

Propriétés :

- A* trouve le chemin optimal (s'il en existe un),
- Plus *h* est "informé" (c'est-à-dire proche de *h**), moins A* développe de noeuds,
- Si de plus *h* vérifie la condition de *consistance* :
  quels que soient n_i, nj, $h(n_i) - h(n_j) \leq c\ (n_i, n_j)$,
  alors, pour tout noeud développé par A*, le chemin qui y mène est déjà optimal.

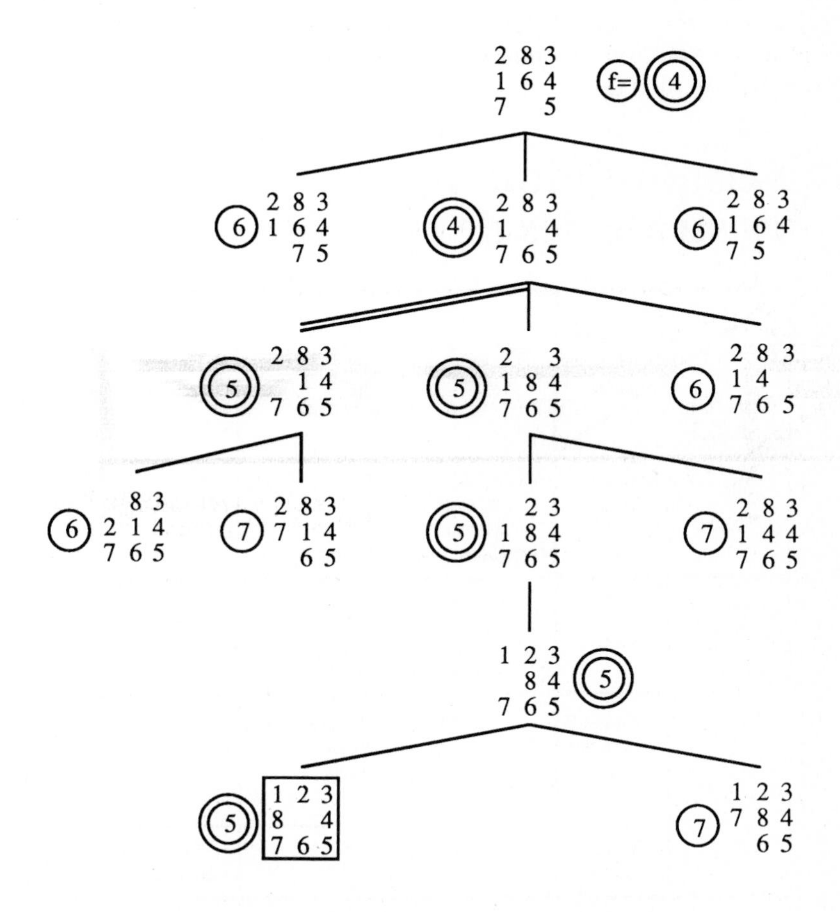

Fig. 4.4 - Recherche en graphe "informée"

4.5.3. Un aménagement : le "bandwidth search"

L'utilisation d'une fonction *h* évaluant par défaut le coût du chemin restant à parcourir conduit à l'obtention à coup sûr d'un chemin optimal.
Comme on l'a vu, le problème n'est pas nécessairement de trouver un tel chemin (minimisant le coût de la solution), mais de parvenir, pour un coût de recherche raisonnable, à une solution. Dans cette optique, on cherchera éventuellement une fonction heuristique *h* n'offrant pas les qualités (admissibilité) nécessaires à l'obtention d'un chemin (solution) optimal, mais permettant de substantielles économies en termes de calculs à effectuer pour chaque noeud.
Dans cette optique, la technique du "*bandwidth search*" [Harris,1973] peut offrir un compromis. Soit *h* tel $h^*(n) - d \leq h(n) \leq h^*(n)+e$. L'algorithme de recherche ordonnée A muni de la fonction *h* est dit e-admissible. La solution obtenue est dite e-optimale si elle n'excède pas le coût optimal de plus de e.

4.6. Récapitulation : les stratégies de contrôle

Classification sur le degré d'information utilisé / Classification de NILSSON		Mémoire croissante du passé	Prévision de l'avenir "heuristique"
Contrôle irréversible		A) Recherche - sans mémoire - sans retour (Application : système commutatifs)	Heuristique : "hill climbing" (fonction de potentiel)
Contrôle réversible		B) "Backtrack" Recherche - avec mémoire } limités - avec retour } limités	Heuristique éventuel "hill climbing"
	Recherche "aveugle"	C) Recherche avec mémoire totale - profondeur d'abord - largeur d'abord	Recherche en graphe
	Recherche "informée"	- coût uniforme	- Algorithme A - Algorithme A*

Fig.4.5 - Classification des stratégies de contrôle

4.7. Méthodes de recherche pour les jeux

Il s'agit ici des jeux au sens classique (et ludique...) du terme, du tic-tac-toe ("morpion" 3x3) aux échecs, voire au go, en passant par les "checkers" (dames américaines), le backgammon, ... : jeux à deux personnes, en information parfaite, dans lesquels tous les développements possibles sont donc - au moins en théorie - prévisibles. Considérés comme l'archétype des problèmes d'"intelligence", avec des règles bien définies, ces jeux ont fait l'objet de nombreux travaux dans les équipes d'informatique symbolique.

4.7.1. Position du problème

La recherche se caractérise par le fait que, contrairement au cas courant des Systèmes de Résolution de Problèmes (SRP), le planificateur ne dispose pas de la maîtrise complète de l'enchaînement des opérateurs, puisque des décisions extérieures à lui sont prises (par l'adversaire). Plus précisément, ces interventions extérieures ont en fait, la particularité d'être *symétriques* des décisions du système.

On peut imaginer - et il arrive en effet - que des SRP doivent élaborer un plan dans un univers "non inerte" : par exemple beaucoup de tentatives sont faites aujourd'hui pour l'application des techniques d'informatique symbolique au contrôle de processus. Toutefois les événements extérieurs qui peuvent survenir ne sont pas systématiquement ou délibérément "hostiles" à l'exécution du plan. Et s'ils le sont, il n'y a pas en général de similitude entre les "événements" du milieu extérieur et les actions du planificateur : celui-ci commande des asservissements, déplace des objets de façon constructive alors que le milieu extérieur évolue et atteint des états caractérisés par des valeurs de paramètres, et éventuellement se dégrade, donc de façon destructive (cf Tchernobyl...).

Dans le cas du jeu, sur un terrain parfaitement formalisé, deux planificateurs antagonistes construisent l'évolution d'une situation avec des objectifs opposés.

Cette symétrie fournit en fait une simplification considérable, puisque le planificateur peut envisager les décisions de son adversaire comme identiques aux siennes, à l'inversion du point de vue près.

4.7.2. L'algorithme MINIMAX

Sauf dans les cas élémentaires, les jeux présentent une diversité de combinaisons qui défient très largement toute possibilité de calcul exhaustif. Le choix doit donc être effectué en se projetant à l'horizon qu'on sait calculer (que ce soit 1, 2..., 6 coups ou davantage) et en choisissant le coup qui oriente le jeu vers la meilleure des positions envisagées.

Leur classement suppose l'existence d'une *mesure* : les algorithmes sont donc basés sur une *fonction d'évaluation* qui attribue à chaque position une note, caractérisant sa qualité pour le joueur. Cette fonction est maximum en cas de victoire. Il est clair que, pour le joueur adverse, l'interprétation des valeurs est opposée : plus la fonction est élevée, moins bonne est la position ; pour les positions gagnantes, la fonction est à son minimum.

L'alternance des coups joués par le planificateur et par son adversaire inverse la logique de la décision à chaque niveau de l'arbre (cf. figure 4.6). Si le niveau du noeud de départ est numéroté 0, à ce noeud et à tous les noeuds de rang pair, le planificateur doit choisir le coup qui maximise la fonction d'évaluation : pour cette raison, ces noeuds sont dits "noeuds MAX".
A chaque étape intermédiaire en revanche, le choix du coup à jouer sera effectué par l'adversaire, dont l'intérêt est de minimiser la fonction : à ces noeuds de rang impair, le programme doit donc s'attendre à voir choisir le minimum de ladite fonction sur les coups possibles (noeuds MIN).

Le calcul commence en bas de l'arbre développé aussi loin que possible dans le temps imparti : tous les noeuds terminaux (ou feuilles) sont évalués par application de la fonction à chacune des situations correspondantes.
Si (comme c'est le cas sur la figure), les noeuds immédiatement au-dessus des feuilles sont des noeuds "MIN" correspondant à un coup joué par l'adversaire, pour chacun d'entre eux, sa valeur est calculée, non plus par application de la fonction d'évaluation, mais en remontant la plus faible (Min) des valeurs des feuilles qui lui sont rattachées.
A l'étape au-dessus, chacun des noeuds correspond donc à un coup joué par le programme (alternance des coups) : sa valeur est donc celle du plus élevé de ses descendants immédiats.
Et ainsi de suite jusqu'au sommet de l'arbre, où le choix est dirigé vers celui des coups possibles dont la valeur "remontée" est la plus forte.

Ce fonctionnement est illustré sur la figure 4.6 par ***l'exemple du "tic-tac-toe".***

Choix d'une fonction d'évaluation :
Appelons MAX et MIN nos deux joueurs. Une fonction d'évaluation e(p) de la position p est définie par :

- si p n'est pas gagnante :

e(p)=(nombre de colonnes, lignes et diagonales restant ouvertes à MAX)
-(nombre de colonnes, lignes et diagonales restant ouvertes à MIN)

- si MAX a gagné, e(p) = + l'infini
- si MIN a gagné, e(p) = - l'infini

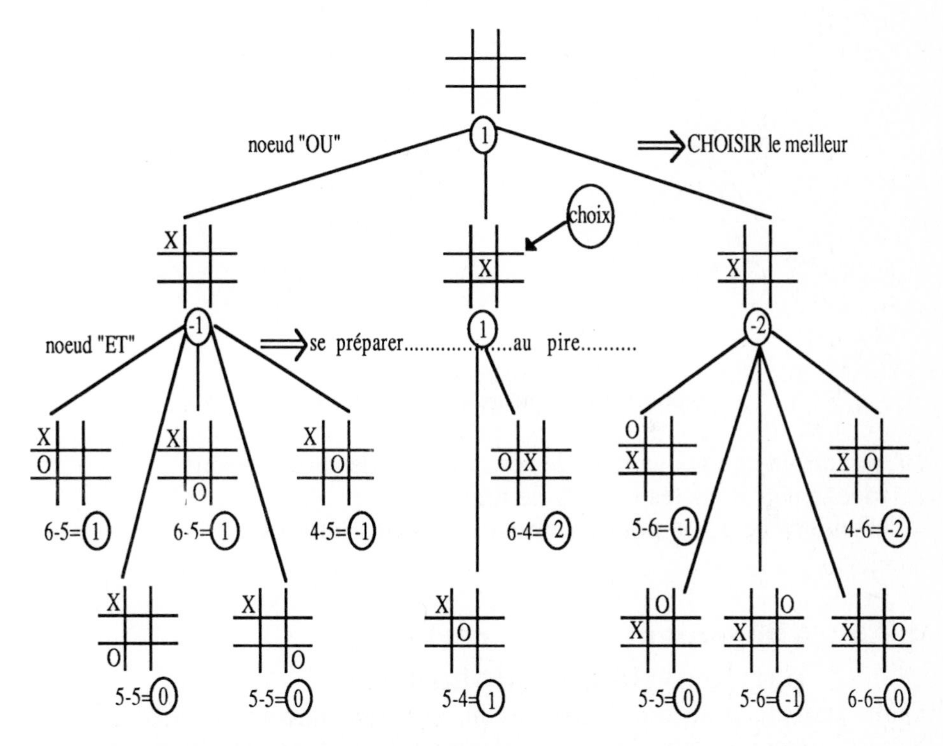

Fig. 4.6 - Arbre de recherche : cas d'un jeu (tic-tac-toe : étape 1)

4.7.3. Le formalisme NEGMAX

La symétrie soulignée ci-dessus peut être exploitée pour uniformiser la logique de décision, considérant que l'opposé de la fonction d'évaluation constitue la fonction d'évaluation de l'opposant.

Dans le formalisme NEGMAX [Knuth et Moore, 1975], chaque niveau inverse la fonction d'évaluation f :
$F(n) = (-1)^r f(n)$, si n est une feuille et si r est son rang (compté à partir de 0 pour le noeud de départ, position actuelle, dans laquelle le planificateur doit jouer);
$F(n) = \max (-F(n_1), -F(n_k))$ si $n_1, \ldots n_k$ sont les successeurs de n.

La figure 4.7 montre ce calcul appliqué à l'exemple de la figure 4.6.

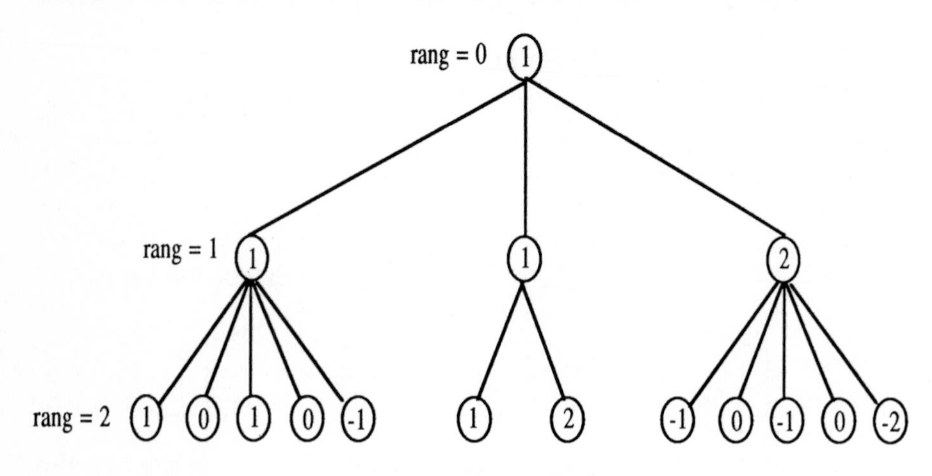

Fig.4.7 - Le calcul NEGMAX appliqué au même exemple qu'en Fig.4.6

On remarque que les valeurs des évaluations des noeuds sont :
- inchangées pour les noeuds de rangs pairs,
- changées de signe pour les noeuds de rangs impairs.

4.7.4. Allègement de la recherche par le système "alpha-bêta"

Dans toute la procédure, nous avons imaginé que toutes les feuilles étaient évaluées, puis leur valeur remontée le long des branches. En réalité, un système simple permet de réduire la quantité d'évaluations, qui représente la charge principale de calculs et donc de coût de la recherche.

Ce système connu sous le nom de "*alpha-bêta*" (nom historique donné aux variables dans la première réalisation) est basé sur le fait que, dès les premières évaluations, on possède une valeur du maxima qu'il est possible de réaliser à chaque étage de l'arbre. Cette valeur n'est peut-être pas définitive, mais pour un noeud MAX par exemple, toute branche conduisant à coup sûr à une valeur inférieure peut être éliminée.

Reprenons notre exemple du tic-tac-toe (cf. fig.4.7) :
le dernier noeud de la première branche doit, de toute façon, être développé en entier pour se voir affecter la valeur -1. Nous remontons cette valeur provisoire à l'étage au-dessus : pour l'instant, le maximum de {-1}, c'est -1 ; et nous la stockons dans une variable ad hoc, disons "Alpha".

Nous explorons maintenant la deuxième branche : le développement du dernier noeud (ici de rang 1) donne pour la première feuille (de rang 2) la valeur 1, que nous stockons immédiatement dans une variable de minimum associée au noeud de rang 1, appelée "Bêta", soit Bêta :=1. La deuxième feuille vaut 2, le minimum reste 1, que nous remontons à l'étage au-dessus, puisque Max {-1,1} = 1. Stockons dans Alpha, soit Alpha := 1.

Passons à la troisième branche : la première feuille vaut -1, que nous attribuons immédiatement à la variable Bêta, maintenant associée au troisième noeud de rang 1.
Que peut-on en déduire ? Que, quelle que soit la valeur des feuilles suivantes, le joueur adverse, qui minimise la fonction sur ce noeud, choisit un coup de valeur *au plus égale* à celle de Bêta, soit -1. Or, à l'étage au-dessus, le planificateur peut assurer au moins 1 (valeur de Alpha) en choisissant un autre noeud que le troisième. Conclusion : il est inutile de poursuivre l'exploration du troisième noeud, et les quatre feuilles suivantes ne sont pas développées.

La procédure alpha-bêta se définit donc ainsi :

aux noeuds MAX est associée une variable appelée Alpha
aux noeuds MIN est associée une variable appelée Bêta
qui contient à chaque instant le meilleur (au sens du noeud considéré) résultat qui peut être atteint à partir de ce noeud. Par construction, Alpha est non décroissante, Bêta non croissante.
Alors, dès que, sur un noeud MAX (respectivement : MIN), Alpha (respectivement : Bêta) devient supérieur (respectivement : inférieur) *ou égal* à Bêta (respectivement : Alpha) sur l'un de ses ancêtres MIN (respectivement : MAX), la recherche peut être interrompue pour ce noeud.

Remarque 1 : si, par chance ou par tout autre moyen légal (heuristique par exemple), le noeud le plus intéressant avait été développé en premier, le développement aurait été celui de la figure 4.8, soit 4 feuilles développées sur 12 :

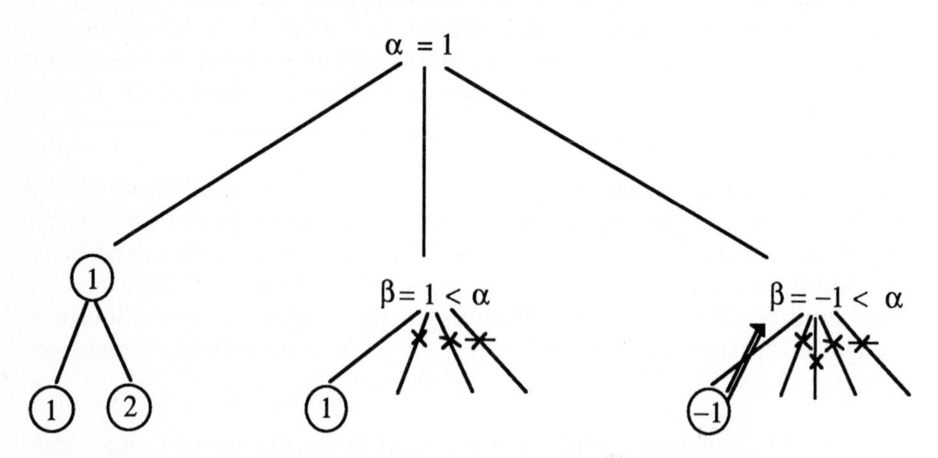

Fig.4.8 - Réduction de la recherche par "alpha-bêta"

Remarque 2 : le procédé alpha-bêta *n'est pas une heuristique.* Les noeuds éliminés le sont en toute rigueur, avec la *certitude* qu'ils n'auraient pas apporté de solution plus intéressante que celles qui sont déjà connues.

Nous allons préciser le sens de cette remarque dans le chapitre suivant.

5

Les heuristiques

5.1. Définition

Nous avons employé çà et là, au cours de la présentation des techniques de contrôle, le terme "heuristique". Ce terme, largement répandu dans la terminologie de l' "Intelligence Artificielle" est utilisé dans des sens divers (à ce sujet, voir notamment [Barr et Feigenbaum,1981],pp.28-30).

En substance, deux termes sont considérés :
- *heuristique*, en tant que substantif, ou comme adjectif associé à un nom tel que "règle", "méthode",...;
- *recherche heuristique*.

Pour la première, l'interprétation commune est "règle de l'art" permettant d'améliorer les performances d'une résolution de problème, mais pas de façon démontrable. Comme le souligne l'ouvrage cité, cette définition regroupe deux caractéristiques : l'amélioration de l'efficacité, et l'absence de garantie.

En ce qui concerne la "recherche heuristique", les auteurs signalent, chez Newell et Simon, une assimilation apparente de ce terme avec la recherche aveugle en général. Ils retiennent pour leur part une distinction de Nilsson, qui oppose justement :
- *recherche aveugle* (génération et test d'hypothèse, sans aucune information pour l'orientation de la recherche)
- *recherche heuristique* (dès qu'une information, quelle qu'elle soit, est utlisée pour orienter la recherche).

A partir de l'examen des techniques qui précède, nous précisons un peu cette définition.

Définition : Nous considérons comme ***heuristique*** *toute méthode permettant de guider le choix d'une connaissance* (au sens général d'opérateur de transformation d'un problème ou d'un état) *en se basant sur une évaluation des résultats **futurs** de ce choix.*

Cette définition présente l'avantage de bien séparer ce qui est pure technique d'optimisation d'un parcours basé sur une *connaissance du passé* (par exemple : algorithme de recherche à coût uniforme, ou élagage de l'arbre de recherche par alpha-bêta), de ce qui introduit un élément de *prédiction d'un coût futur* (algorithme A et ses dérivés, fonction de potentiel) ou de *classement de qualité* plus ou moins arbitraire (notamment : fonction d'évaluation d'une situation dans un programme de jeu).

De plus, elle est cohérente avec l'usage courant, qui - comme le signale le *Handbook* dans le passage cité plus haut - a conservé l'appellation de "heuristique" à l'algorithme A* (ce qui est logique, compte tenu de l'existence de la fonction de prédiction du coût futur dans la fonction d'évaluation), mais l'a abandonné pour alpha-bêta (ce qui est non moins logique, l'élagage par alpha-bêta étant rigoureux, puisque l'on est sûr que les noeuds éliminés ne seraient jamais sélectionnés).

5.2. Signification et rôle

Sans entrer ici dans des développements techniques sur la calculabilité, il est maintenant clair que pour toute une catégorie de problèmes, la quantité d'opérations à effectuer dépasse très largement les capacités de calcul -pourtant considérables- des machines actuelles, et même qu'elle restera inaccessible dans tout avenir prévisible.

C'est le problème de l'*explosion combinatoire*. Il est illustré notamment dans le domaine du jeu d'échecs par le calcul du nombre de coups possibles au cours d'une partie(*). Si l'on imaginait que chaque atome de la planète soit un ordinateur qui calculerait chaque coup en une seconde, la résolution du problème complet par cet univers calculateur requerrait un nombre respectable de millions (ou de milliards?) d'années.

(*)*Ce nombre est de l'ordre de* 10^{120}

Bref: il est tout à fait clair que la recherche du chemin vers la solution doit être faite avec le maximum d'efficacité, alors même que l'on travaille "à l'aveuglette", puisque, comme le montre l'exemple ci-dessus, il est en général exclu de générer tous les chemins possibles pour trouver le(s) bon(s).

Le seul moyen de venir à bout de ce problème est de disposer de règles efficaces permettant de limiter de façon drastique l'éventail des choix. Pour cela, on dispose de deux méthodes: l'utilisation d'heuristiques, ou... l'utilisation d'heuristiques.

Cette boutade voudrait attirer l'attention sur deux points

1) L'importance de la notion d' "heuristique" : la conclusion principale des travaux des trente dernières années sur l' "intelligence artificielle" est la suivante : *pour reproduire sur ordinateur un comportement "intelligent"* (résolution de problème ou diagnostic, compréhension d'images, compréhension de textes,...) *il est nécessaire de faire appel à une connaissance spécifique guidant le traitement* de la représentation d'univers construite en machine. Outre la connaissance proprement dite qui permet de *traiter* le problème (cf Représentation des Connaissances), il existe une connaissance sur la *façon de traiter* le problème. On parle en général de *méta-connaissance.*

2) La diversité des formes sous lesquelles elles se présentent : il y a de multiples façons de prendre en compte ces heuristiques de méta-connaissance. Evoquons-en deux :

- la prise en compte, dans l'algorithme de contrôle, d'une information sur la "valeur" du chemin suivi, permettant d'accroître l'efficacité de la recherche;

- l'intégration dans le processus de choix, de règles "ad hoc" traduisant l'expérience du spécialiste en terme de résolution de problème.

Même si ces "heuristiques" ne sont pas *toujours* bonnes, il suffit qu'elles soient performantes *en moyenne.* Et si elles conduisent parfois à écarter une bonne voie de recherche (voire : la meilleure), le problème n'est pas (contrairement aux réflexes de la recherche opérationnelle) de trouver LA solution (sous-entendu : optimale) ; il est de trouver UNE solution convenable.

5.2.1. Heuristique et connaissances

Il arrive cependant que l'on dispose, pour effectuer un choix, de critères basés soit sur une analyse théorique de la catégorie de problèmes traitée, soit sur une connaissance empirique permettant d'orienter le choix dans une bonne direction : ce sont les "règles de l'art" (désignées en anglais par l'expression imagée de "rules of thumb") des systèmes experts. Par exemple, en intégration formelle : "si la fonction à intégrer est une fraction, et si le dénominateur est à une puissance multiple de 1/2, essayer d'abord un changement de variable par une ligne trigonométrique".

Cette information "heuristique" intervient au niveau du choix de la connaissance à appliquer. Pour cette raison, on l'assimilera à la *méta-connaissance* (ou connaissance sur la connaissance) couramment évoquée à propos des systèmes experts.

Ainsi se trouve achevée la décomposition des connaissances en trois niveaux :

- les "*faits*" descripteurs du *problème particulier* que l'on traite ;
- les "*connaissances*" caractéristiques du *domaine* dans lequel on travaille (et duquel relève ce problème) ;
- les "**heuristiques**" ou "**méta-connaissances**" permettant d'ordonner ces connaissances, éventuellement de définir leur domaine de validité, ou des stratégies pour leur utilisation.

5.2.2. Coût des heuristiques

Si les méta-connaissances permettent (si elles sont bonnes...) de réduire l'effort de recherche en guidant cette dernière, il reste que l'utilisation de cette information ne va pas sans calcul. En effet, le coût de l'exécution d'une stratégie se décompose en deux éléments : le coût d'application des règles, et le coût du contrôle (c'est-à-dire de la sélection de la règle à appliquer).
Le coût du contrôle peut être très élevé si la détermination de l'information permettant le choix nécessite de nombreux calculs.
En revanche, en l'absence d'un choix informé, le coût d'application des règles devient probablement considérable en raison du grand nombre d'essais à faire avant de parvenir à la solution.

Ces tendances peuvent être synthétisées par la courbe classique en microéconomie :

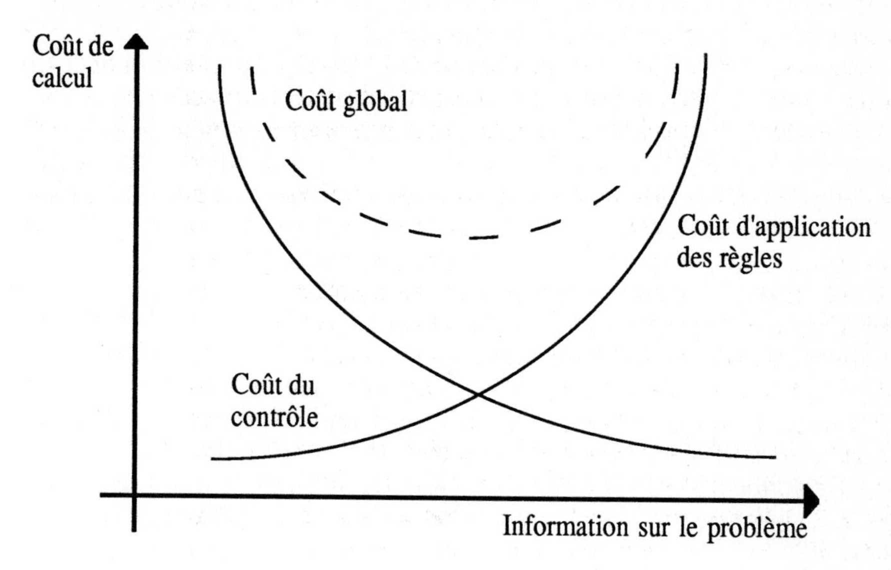

Fig.5.1 Coût et bénéfice des heuristiques

L'art de concevoir un système "intelligent" consiste à choisir le point d'équilibre entre ces coûts.
*Un système "intelligent" est possible (ou plutôt intéressant) s'il existe une connaissance **informelle** mais **puissante** permettant de guider la résolution du problème.*
Alors, l'utilisation des techniques de manipulation d'information symbolique a un sens.

5.3. Classement des heuristiques

L'information "heuristique" permet donc de guider le choix à effectuer entre les différents chemins qui s'offrent au système de résolution du problème.

Les interventions basées sur l'heuristique peuvent être classées suivant deux critères :
- d'une part, elles peuvent porter soit sur les **noeuds** (états), soit sur les **opérateurs** ;
- d'autre part, l'action peut consister soit en un **classement**, soit en une **élimination**.

A première vue, on pourrait penser qu'il n'y a pas de différence fondamentale entre une décision de choix portant sur les noeuds une fois développés, ou bien sur les opérateurs qui peuvent leur être appliqués, et qui seront générateurs de nouveaux noeuds.
Pourtant, il est clair que le type de critère qui peut être appliqué à un noeud (état) et à un opérateur (connaissance) est assez fondamentalement différent. En substance, le critère applicable à un état sera plutôt "global" (mesure de "distance à l'objectif"), alors que le critère appliqué à un opérateur sera plutôt "local" (connaissances plus ou moins appropriées à l'état considéré).

Suivant que le critère est utilisé comme moyen de classement ou, de façon binaire, comme moyen d'élimination ("seuillage"), on obtient en définitive quatre politiques heuristiques :

1) Classement des noeuds par ordre de "préférence" :
c'est notamment ce que font les algorithmes "de type A" (dont le A* est un cas particulier), algorithmes de recherche ordonnée dont le classement est basé sur une fonction $f = g+h$: la composante h, qui est une évaluation du coût du chemin restant à parcourir, est typiquement "heuristique".

2) Elimination des noeuds qui apparaissent non-prometteurs :
cette politique a été appliquée au programme Logic Theorist, dont une version tardive (cf. [Newell et Simon,1972] - le programme initial est de 1956) élimine les sous-problèmes jugés trop compliqués. La conclusion des auteurs est que cette politique s'est révélée la plus efficace pour réduire l'effort de recherche.

3) Classement des opérateurs : c'est ce qu'effectuent les systèmes dans lesquels l'ordre des connaissances a une importance.

L'exemple le plus fruste de cette technique est constitué par le classement des connaissances dans un "programme" PROLOG : diverses équipes ont expérimenté la nécessité - ou à tout le moins l'intérêt - d'ordonner les "*clauses*" décrivant la connaissance, afin que le balayage s'effectue suivant un certain plan.

Une autre technique a consisté à regrouper les connaissances en "paquets" et à guider l'utilisation vers tel ou tel paquet en fonction des caractéristiques de la situation courante.

Le General Problem Solver (GPS) de Newell et Simon procède ainsi : une "distance" entre l'état actuel et le but est détectée par le système. Plusieurs catégories de différences peuvent être identifiées, et "la plus difficile" est choisie pour être traitée (réduite). Les opérateurs disponibles sont caractérisés par le type de différence qu'ils réduisent : par ce processus, on a donc bien classé les opérateurs possibles par ordre de pertinence.

4) Elimination d'opérateurs :
l'exemple de GPS ci-dessus est aussi un exemple d'élimination, puisque, à partir des différences identifiées, seuls les opérateurs pertinents sont retenus.
Autre exemple : le programme Geometry Theorem Proving Machine (de Gelertner, cf. §6.1) utilise une figure (type très particulier d'heuristique) pour diverses éliminations (en général de type 2), mais aussi pour admettre sans démonstration certaines propriétés, ce qui revient en fait à éliminer du choix les opérateurs de démonstration correspondants.

5.4. Génération de plans et heuristique: l'"implication minimale" *(least commitment)*

Nous avons souligné la nécessité, dans les problèmes de génération de plans, de savoir réordonner les opérations (cf. §2.2.).

Une solution consiste à *retarder au maximum les choix*, c'est-à-dire à ne pas ordonner les actions à effectuer, tant qu'aucun élément ne vient imposer un ordre particulier. Dans la mesure où cette stratégie conduit à réduire ou à différer au maximum les décisions prises par le système, elle a été baptisée *"least commitment"*, ce que nous traduisons par "implication minimale". L'idée a été proposée par E. Sacerdoti, qui l'a appliquée au programme de génération de plans ABSTRIPS (dérivé de STRIPS de Fikes et Nilsson), puis dans la réalisation de Noah, à l'occasion de sa thèse de doctorat [Sacerdoti, 1975].

En pratique, Noah génère un graphe d'actions à entreprendre, placées en parallèle tant que rien ne vient indiquer si l'une doit précéder l'autre. Des tables recensent les effets des actions sur l'environnement et font apparaître les conflits éventuels entre les résultats produits. C'est l'apparition de tels conflits qui conduit à ordonner les actions pour résoudre les incompatibilités.

L'idée introduite par Sacerdoti a été reprise, et appliquée non plus à l'ordre des opérateurs, mais même à leur choix, dans le programme MOLGEN de M. Stefik (cf. §6.3) : cette fois-ci, ce sont des opérateurs "abstraits" très généraux qui seront précisés lorsque des contraintes, issues du développement de la planification, viendront indiquer quel choix effectuer parmi les opérations concrètes appartenant à la classe abstraite choisie initialement.

La stratégie de "least commitment", portant sur les choix d'opérations à effectuer, relève pour nous de l'heuristique. Elle consiste en fait à *attendre que les développements de la recherche fournissent les éléments permettant de classer les opérateurs.*

6

Contrôle et heuristique : analyse de quelques réalisations

6.1. Geometry Theorem Proving Machine

Il s'agit d'un programme développé par Herbert Gelernter d'IBM (présentation dans [Feigenbaum et Feldman,1963]). Il a pour objet la résolution de problèmes de géométrie du niveau de l'examen de fin d'études de "high school".

Description technique

1°) Connaissances

Les **faits** connus du programme à l'origine constituent l'énoncé d'un problème de géométrie, c'est-à-dire la donnée d'une figure et de ses propriétés, ainsi que d'une propriété à démontrer.
Les **opérateurs** de résolution sont des axiomes et des théorèmes de base de la géométrie. Ces connaissances fournissent une transformation d'un problème en un problème équivalent, ou en plusieurs sous-problèmes, et indiquent éventuellement plusieurs voies possibles de transformation.
Exemples :

- pour montrer que 2 segments sont égaux, montrer qu'ils sont les éléments correspondants de triangles égaux.
- Pour montrer que 2 triangles sont égaux, montrer l'égalité d'un côté et 2 angles dans des positions correspondantes ou montrer l'égalité d'un angle et de deux côtés.

Une procédure particulière de résolution est appliquée si aucune décomposition satisfaisante n'est trouvée pour un problème : la *construction.* Celle-ci est définie comme le tracé d'une ligne entre deux points de la figure jusqu'alors non reliés par un segment. Cette ligne est étendue jusqu'à ses intersections avec les autres segments de la figure. Cette méthode est la seule qui permette d'ajouter de nouveaux points à la figure (il est en effet indispensable, dans tout système de résolution automatique de réduire au strict minimum la création de nouveaux objets).

2°) Le contrôle

La recherche s'effectue en "réduction de problèmes", c'est-à-dire dans une description en espace de problèmes.

Le système travaille en chaînage arrière (transformation de problème à partir du problème initial).

La **mémorisation** de la recherche s'effectue par un arbre ET-OU (noeuds "ET" : décomposition d'un problème en sous-problèmes complémentaires;
noeuds "OU" : solutions alternatives possibles pour la résolution d'un même problème).

Sélection des problèmes à résoudre :

• Plusieurs procédés permettent d'*éliminer des sous-problèmes*, contribuant ainsi à limiter la recherche :

a) A partir de la détection de la symétrie entre deux problèmes :
  1) lorsque la transformation d'un but conduit à un but symétrique ce dernier est éliminé (cela évite que le raisonnement ne "tourne en rond");
  2) lorsqu'un but est identifié comme symétrique d'un but déjà démontré, sa démonstration n'est pas reprise.

b) A partir d'une "figure", générée par le système de façon aléatoire en respectant les données connues du problème :
  1) un but à démontrer est vérifié sur la figure, et écarté si celle-ci ne présente pas la propriété cherchée;
  2) des caractéristiques élémentaires (telles que les qualités de "segment", "couple", "triangle",...) sont vérifiées sur la figure et admises sans démonstration formelle.

Les auteurs considèrent qu'à elles seules, les deux heuristiques **a)1** et **b)1** conduisent à écarter 995 sous-problèmes sur 1000.

• Le *classement des problèmes* restant à traiter s'effectue à partir d'une évaluation de "distance" aux hypothèses initiales, après recherche des problèmes résolubles en une étape.

Les problèmes nécessitant une construction ne sont examinés que lorsque la liste des autres problèmes est vide (cette heuristique -de type classement des problèmes- limite l'extension du problème due à la génération de nouveaux éléments).

6.2. Symbolic Automatic Integrator (SAINT)

Il s'agit d'un programme développé comme thèse de doctorat par J. Slagle (cf. [Feigenbaum et Feldmann,1963]) au MIT en 1961. Il a pour objet la résolution de problèmes élémentaires d'intégration symbolique : il intègre les fonctions : constante (y = a), identité (y = x) et toutes les combinaisons linéaires, trigonométriques et logarithmiques des précédentes.

Description technique

1°) Connaissances

Faits : les données initiales sont une fonction et une variable d'intégration.

Les **opérateurs** sont classés en trois types :
1) 26 formes standard d'intégrales,
2) 8 transformations "algorithmiques" (qui font sûrement progresser la résolution)
Exemple : sortir une constante de l'intégrale $\int f+g= \int f+\int g$,
3) 10 transformations "heuristiques" (dont le résultat n'est pas nécessairement favorable à la résolution)
Exemple : substitution trigonométrique - intégration par parties.

2°) Contrôle

Pour la **représentation** de la recherche : le système tient une liste des problèmes à traiter.

La **mémorisation** de la recherche s'effectue dans un arbre ET/OU ;

Le **choix** des orientations du parcours de recherche s'effectue suivant deux modes :

- un *classement des opérateurs* : il est "câblé" dans le programme de contrôle. Sont appliqués systématiquement à chaque problème sélectionné tous les opérateurs de type 1 puis 2. Si aucun n'a été applicable, le problème est mis à part dans une "Heuristic Goal List" pour application ultérieure des opérateurs de type 3.
  Les opérateurs de type 3 ne sont appliqués que lorsque la liste des problèmes à traiter est vide. L'application d'un opérateur de type 3 génère de nouveaux sous-problèmes, auxquels sont appliqués les opérateurs de type 1 et 2 : *recherche en profondeur.*

- choix par *classement des problèmes* : seuls les problèmes de la "Heuristic Goal List" font l'objet d'un classement heuristique. La méta-connaissance utilisée est une mesure de "complexité" (degré de la fonction intégrande).

6.3. MOLGEN

MOLGEN [Stefik,1980] est un travail de doctorat de l'Université de Stanford. Son objet est d'élaborer le plan d'un processus de "fabrication" en génie génétique.

Description technique

MOLGEN se caractérise par une décomposition en 3 "espaces", séparant assez nettement le processus de raisonnement des données techniques (connaissances).

1°) Connaissances

Les **faits** du domaine technique considéré, manipulés par MOLGEN dans son "espace de planification", se situent à deux niveaux : un niveau *d'objets concrets* (tel ou tel produit actif, telle bactérie, telle opération de laboratoire) et un niveau *d'objets abstraits* ("gène", "plasmide", "organisme", "trier",...) (structures de connaissances dites "*units*").

Les **connaissances techniques** sont constituées par des listes d'objets connus, et par leurs types ("units").

2°) Le contrôle de l'élaboration du plan s'effectue dans un "espace de conception" dont les opérateurs sont "proposer un but", "spécifier un opérateur", "propager une contrainte",...

La recherche s'effectue par la technique de l'analyse fins-moyens (means-ends analysis).

La conduite de la recherche met en oeuvre diverses techniques :

- La **stratégie** d'élaboration du plan est déterminée dans l'"espace de stratégie".
  Deux stratégies sont disponibles :"*least commitment*" (moindre implication) et "*heuristique*". La première est la solution usuelle : elle consiste (cf. §5.4.) à *différer les choix* aussi longtemps qu'il n'existe pas de raison de les effectuer.
  A cet effet, MOLGEN utilise les contraintes dont la satisfaction restreint l'espace des choix possibles.

- Les "**contraintes**" sont l'expression sous forme explicite et déclarative des restrictions et des conditions que certains choix imposent pour effectuer d'autres choix.
  Elles sont traitées suivant un cycle en trois étapes :
  - formulation (définition de la contrainte),
  - propagation (transfert de la contrainte vers d'autres choix, sur lesquels elle peut avoir une influence),
  - satisfaction (remplacement d'un objet abstrait par un objet spécifique respectant la contrainte).

- Si aucune décision de planification ne peut être prise en respectant la stratégie de "least commitment", le programme effectue un choix au hasard (opérateur GUESS : stratégie dite "heuristique"), quitte à le remettre en cause par *retour arrière* (opérateur UNDO) s'il se révèle conduire à une impasse dans l'élaboration du plan.

Un exemple de fonctionnement de MOLGEN porte sur le problème de la génération d'insuline par une bactérie.

Le but, exprimé en terme d'objets abstraits, est d'obtenir une culture avec :

```
ORGANISMES : (une bactérie avec
                    EXOSOMES : (un vecteur avec
                                    GENES : (INSULINE DU RAT))).
```

Le programme fonctionne en "means-ends analysis" (stratégie "least commitment") c'est-à-dire réduire la différence entre les objets existants et le but (espace "conception") ce qui conduit (dans l'espace "plan") au *plan abstrait* suivant : insérer le gène insuline sur un vecteur (plasmide), puis insérer l'objet résultant dans une bactérie.

MOLGEN (au niveau "conception") décide de préciser des éléments de son plan abstrait : l'opération d'insertion d'un plasmide dans une bactérie s'appelle une transformation (objet de l'espace "plan").
Elle donne lieu à la formulation d'une contrainte (espace "conception"), à savoir la compatibilité du plasmide et de la bactérie.

Par ailleurs, au cours de la transformation, certaines bactéries n'absorbent pas le plasmide : il y a donc une différence entre le résultat obtenu (culture d'un mélange de deux sortes de bactéries) et le but (une seule sorte de bactérie souhaitée).

MOLGEN complète son plan abstrait en décidant de "trier" (opération abstraite) la culture, puis décide (espace "conception") de préciser cette opération : le tri est fait par "destruction sélective" (opération concrète) par application d'un antibiotique.
Il en résulte deux contraintes supplémentaires sur les bactéries :
- résistance à l'antibiotique de celles qui ont absorbé le plasmide,
- sensibilité à l'antibiotique de celles qui ne l'ont pas absorbé.

La propagation de contrainte (espace "conception") conduit à réduire ces deux contraintes en une seule portant sur le plasmide : celui-ci doit conférer l'immunité à l'antibiotique considéré.

On notera la *caractéristique de la stratégie de least-commitment* : en effectuant un raisonnement à plusieurs niveaux (objets abstraits, objets concrets), en différant les choix autant que possible et en propageant les contraintes qui résultent des choix effectués, *le programme évite pratiquement toute remise en cause des recherches et constructions effectuées. Celles-ci se trouvent précisées, dans une démarche constructive* (par opposition à la démarche destructive de backtrack).

Finalement, MOLGEN arrive à une solution : la seule bactérie qu'il connaisse qui satisfasse les contraintes est E. Coli ; connaissant une méthode d'insertion des gènes dans les plasmides, il trouve deux antibiotiques (tétracycline et ampicilline) et quatre plasmides qui satisfont les contraintes. L'ensemble forme quatre combinaisons solutions.

7

Les techniques d'identification

7.1. L'appariement (*pattern matching*)

7.1.1. Définition

*On désigne sous le nom d'appariement la mise en correspondance d'expressions symboliques pour déterminer si elles sont identiques ou similaires. L'appariement fait intervenir une donnée que l'on cherche à mettre en correspondance (*match*) avec un modèle (*pattern*).*

Un élément essentiel du processus de contrôle dans les systèmes symboliques est l'identification des objets (faits, connaissances) utiles pour la recherche au stade auquel en est parvenu le système.

Par rapport à une activation classique, dans laquelle les procédures et variables sont désignées par leur nom, le modèle de contrôle symbolique ("moteur d'inférences") appelle ces éléments en fonction de leur structure (ou de leur "signification") et de la correspondance entre cette structure et celle du problème que l'on cherche à résoudre.

Exemple :

Dans le système de MYCIN (cf. §9.1.3.), les connaissances sont fournies sous forme de règles de déduction.

La règle suivante (dans une syntaxe dérivée de celle de LISP) :

```
PREMISE :
(AND (SAME CNTXT INFECT PRIMARY-BACTEREMIA)
     (MEMBF CNTXT SITE STERILESITES)
     (SAME CNTXT PORTAL GI))
ACTION :
(CONCLUDE CNTXT IDENT BACTEROIDES TALLY .7)
```

(qui se traduit :
if *1) the infection is primary-bacteremia, and*
2) the site of the culture is one of the sterile sites, and
3) the suspected portal of entry of the organism is the gastrointestinal tract,
then *there is suggestive evidence (.7) that the identity of the organism is bacteroides.)*

serait sélectionnée dans un état de recherche où le système chercherait à prouver que l'identité de l'organisme cherché est "bactéroïdes" :

(GOAL (CNTXT IDENT BACTEROIDES))

On reconnaît dans cette approche une sorte d'adressage par le contenu, dans lequel c'est la *valeur* de la variable qui est appelée, et non pas le *nom* sous lequel elle a été stockée. Ce type de recherche est connu sous le nom de *recherche guidée par un modèle* (*pattern directed retrieval*). Il peut s'appliquer aussi bien à l'adressage d'une variable qu'à l'appel d'une procédure (*pattern directed invocation*). Ainsi, dans l'exemple ci-dessus : l'on peut en effet considérer que la règle de production est une procédure très élémentaire, dont l'effet est de transformer un ensemble de faits connus en un ou plusieurs nouveaux faits déduits.

L'exemple le plus simple est évidemment celui de la donnée et du modèle strictement identiques, auquel cas le processus d'appariement se réduit à une comparaison terme à terme.
Toutefois la notion même de modèle implique une structure plus générale que la simple reproduction d'une donnée unique.

On désigne dans la littérature sous le nom de "*pattern*" une structure symbolique dont certains éléments sont constitués de variables. L'appariement effectue la comparaison de la donnée considérée avec la structure modèle, les variables de cette dernière constituant autant de degrés de liberté de la mise en correspondance.

Dans l'exemple ci-dessus, la recherche de l'identité de l'organisme origine de l'infection s'écrirait (dans une syntaxe du type de celle du langage PLANNER) :

(GOAL (CNTXT IDENT ?))

dans lequel "?" désigne une valeur quelconque de l'identité (IDENT) de l'organisme considéré (désigné par CNTXT).

7.1.2. Variables

Différentes catégories de variables sont utiles dans la construction des modèles.

Remarque : les codes utilisés pour décrire ces catégories varient d'un langage à l'autre. Les exemples ci-dessous utilisent une syntaxe parlante. Le lecteur confronté à la syntaxe particulière d'un outil effectuera les traductions nécessaires : l'important est de bien saisir les différents types d'appariement envisageables.

7.1.2.1. Variables "atomiques"

Dans une version simple, on se contentera de mettre en correspondance une variable avec un élément unique de la donnée :

? ou **?nom** désignera une telle variable atomique.

On peut souhaiter que la variable du modèle reçoive, comme valeur, l'élément de la donnée à laquelle elle correspond. Cette affectation n'est pas toujours systématique ; il peut être nécessaire de le spécifier au matcher, en utilisant un code spécial :

>nom ou **-->nom**

Exemple(*) :

```
---> (MATCH '(A) '(?X))
T
---> X
NIL
---> (MATCH '(A) '(>X))
T
---> X
A
```

(*)Dans cet exemple et ceux qui suivent, nous utiliserons la syntaxe de LISP. Le lecteur non familier avec cette syntaxe se reportera à la rapide présentation du langage effectuée en annexe.

Une fois mise en correspondance, la variable est *liée*. Sa valeur peut être utilisée, mais elle ne peut pas être réutilisée en variable libre (à mettre en correspondance).
L'utilisation de la variable liée s'indiquera en général :

<nom ou **<--nom**

Exemple (suite du précédent) :

---> **(MATCH '(B) '(<X))**
NIL
---> **(MATCH '(A) '(<X))**
T

Remarquons que si :

(MATCH '(+ A B) '(+ >X >Y))

donne A pour valeur à X, B pour valeur à Y, en revanche :

(MATCH '(+ A A) '(+ >X >X))

serait illégal (deux affectations successives à X).

Il faudrait écrire :

(MATCH '(+ A A) '(+ >X <X))

si l'on désire effectivement tester que l'expression à apparier est du type (+ A A).
Plus généralement,

(MATCH '(+ A A) '(+ >X >Y))

fonctionnerait très bien.

7.1.2.2. Variables complexes

Dans les exemples ci-dessus, chaque variable du modèle est associée à un élément unique de la donnée ("atome", dans le vocabulaire LISP). Dans de nombreux cas, on souhaitera mettre en correspondance un modèle comportant certains éléments avec des données comportant également ces mêmes éléments, à des emplacements correspondants, mais sans que la structure des éléments variables de la donnée soit prédéfinie. Ainsi, pour déterminer si une expression algébrique est de la forme $a^2 - b^2$, en vue d'une factorisation (a - b)(a + b), il convient d'admettre que a et b peuvent être remplacés par toute expression algébrique valide - par exemple $(x^2 + 3x + a)^2 - (y - a)^2$.
Ceci conduit à admettre dans le modèle *des variables qui puissent être mises en correspondance avec des expressions de longueur quelconque.*
On désigne en général de telles variables par une syntaxe du type :

?? nom } avec la même différence
>>nom } entre **?** et **>** qu'en 7.1.2.1. ci-dessus.

Exemple :

```
        --->    (MATCH
                '(-  (↑(+  (↑  X  2) (*  3  X)  A)² )(↑(-  Y
 A)   2))
                '(-  (↑ >>B   2)(↑ >>C   2)))
        --->    T
        --->    B
            (+  (↑ X  2)(*  3  X)  A)
        --->    C
            (-  Y  A)
```

On notera qu'avec la syntaxe utilisée, consistant à préfixer les variables du modèle par un signe conventionnel qui définit leur utilisation, n'importe quel nom de variable peut être utilisé. Toutefois, il convient de s'assurer que le système saurait distinguer deux variables de même nom utilisées dans la donnée et le modèle. Ainsi, dans l'exemple ci-dessus, le remplacement de B ou C par A risquerait de poser un problème.

7.1.2.3. Variables précontraintes

Il se peut que la structure de la donnée que l'on cherche à mettre en correspondance doive faire apparaître à un certain endroit, non pas un élément fixe, mais un élément possédant un certain nombre de caractéristiques.
Un système d'analyse de phrases en langage naturel destiné à la réservation de places de chemin de fer devrait par exemple distinguer des variables consacrées à la classe (1e ou 2e). L'élément correspondant du modèle est soit un 1, soit un 2. Un prédicat dénommé RESTRICT peut permettre d'introduire de telles contraintes.

Exemple :

```
(DEFINE (CLASSEP A)
        (COND ((EQUAL 1e A) T)
              ((EQUAL 2e A) T)))
```

définit le prédicat CLASSEP qui est vrai si la variable A est "1e" ou "2e".
(MATCH REPONSE '(?? (RESTRICT >X CLASSEP) ??)
permet alors de retenir l'élément intéressant de toute REPONSE à la question "Quelle classe désirez-vous?", de "2e" à "Je désirerais une place en 2e classe, si c'est possible (...)"...
Les deux variables "**??**" permettent de sauter tous les éléments "inintéressants" encadrant "2e".

7.1.3. Un algorithme d'appariement

La fonction MATCH que nous avons évoquée dans nos exemples peut être construite progressivement sous forme de fonction LISP, en traitant successivement les différents cas cités.

L'algorithme de base est le suivant :

MATCH P(Modèle) D(Donnée)
début

si P EST VIDE et D EST VIDE **alors** RETOURNER "Succès" ;
fin si

si P ou D EST VIDE **alors** RETOURNER "Echec" ; **fin si**

si le 1er élément de P, CAR P, est de la forme
CAR P = (RESTRICT >Variable ...)
et **si pour tout** PRED n ème élément de CAR P (n ≥ 3),
PRED (CAR D) est vrai
et **si** (MATCH (CDR P)(CDR D)) = Succès
alors Variable : = CAR D ; RETOURNER "Succès"
fin si

si le 1er élément de P est de la forme CAR P = ">Variable"
et **si** (MATCH (CDR P)(CDR D)) = Succès
alors Variable : = CAR D ; RETOURNER "Succès"
fin si

si le 1er élément de P est de la forme CAR P= ">>Variable", **alors**
si (MATCH (CDR P)(CDR D)) = Succès
alors Variable : = (CAR D) ; RETOURNER "Succès"
sinon
si (MATCH P (CDR D)) = Succès
alors Variable : = (CONS (CAR D) Variable) ;
RETOURNER "Succès"
fin si
fin si
fin si
fin

7.1.4. Extensions et problèmes

Le principe de mise en correspondance peut être étendu par de nombreux perfectionnements.

Ainsi QLISP permet l'utilisation de types de données particuliers, non ordonnés, dénommés BAG et CLASS.

BAG est une liste dont les éléments peuvent être mis dans n'importe quel ordre :
BAG (1 2 3 2 1) = BAG (1 1 2 2 3) = BAG (1 3 2 1 2) = ...

CLASS ne prend en compte qu'une fois chaque élément représenté, quel que soit le nombre initial de représentants :
CLASS (1 2 3 2 1) = CLASS (1 2 3) = CLASS (1 2 1 3 2 1 3 1 2) = ...

A partir de ces types, il est possible d'apparier de façon beaucoup plus large :

Exemple :
(+ (BAG 0 ??X)) appliqué à
(+ (BAG 0 1 2 3 2 1)) donne X = (BAG 1 2 3 2 1)
(+ (BAG 1 0 1 2 3 2)) donne X = (BAG 1 1 2 3 2)
ce qui permet ici d'éliminer l'élément 0 sans intérêt pour l'addition.

7.2. Unification

L'unification peut être considérée comme une généralisation de l'appariement, dans laquelle *on met en correspondance deux modèles qui contiennent chacun des variables.*

Exemple :
(UNIFY (A ?X)(?Y B)) fournit X = B et Y = A.

L'algorithme d'unification est la base de la programmation en logique, en particulier du langage PROLOG, ainsi que des moteurs d'ordre 1(cf. §18.3.2.1.3°)a).

7.2.1. Principe

Considérons la mise en correspondance d'une règle de substitution (ou production, ou théorème, ou règle de réécriture) avec une expression.

Soit R (H ---> C) la règle (composée d'une partie Hypothèse et d'une partie Conclusion), et E l'expression à unifier.
Le travail d'unification va consister.
1) à transformer les variables de H et E de façon à rendre ces deux expressions identiques ;
2) à appliquer les transformations correspondantes de variables à C, pour obtenir la nouvelle forme de la conclusion de R qui pourra se substituer à l'expression initiale E.

Exemple : Nous reprenons l'exemple déjà mentionné dans le paragraphe sur l'appariement, visant à appliquer la règle

$a^2 - b^2 \dashrightarrow (a - b)(a + b)$

à l'expression $(x + 3x + n)^2 - (y - n)^2$.
L'algorithme effectuera successivement
la substitution $a / (x + 3x + n)$
puis $b/(y - n)$
pour obtenir la nouvelle conclusion

$((x + 3x + n) - (y - n))((x + 3x + n) + (y - n))$

Remarquons au passage que, pour éviter toute ambiguïté, nous avons remplacé dans l'expression la constante a, que nous avions employée plus haut, par n.. Cette distinction est indispensable. En effet, il faut séparer nettement dans le processus :
- les variables, qui peuvent prendre n'importe quelle valeur;
- les constantes et tous les autres éléments qui sont figés, et doivent être mis en correspondance stricte entre eux.

Dans les règles de réécriture, les variables sont entièrement libres : "a" et "b" dans l'exemple ci-dessus sont parfaitement substituables, au début de l'unification. Il est donc nécessaire qu'une convention de représentation soit adoptée pour *distinguer les variables* (substituables) *et les constantes* (non substituables), et ceci dans les expressions et dans les règles de réécriture.
L'exemple ci-dessus ne fait pas apparaître la différence fondamentale entre l'appariement simple et l'unification :

- dans l'appariement, seuls les élements du modèle sont éventuellement substitués;
- dans l'unification, la substitution peut se faire dans les deux sens : de la donnée vers le modèle, ou du modèle vers la donnée.

Exemple :

R : *x - x ---> 0*
E : *sin a - sin 2b*
L'unification effectue la substitution *x / sin a*,
fournissant la nouvelle règle *sin a - sin a ---> 0.*
La poursuite de l'unification tente la mise en correspondance
sin a / sin 2b, soit *a / 2b.*

Remarque : Si l'expression initiale avait été, par exemple, *sin a - sin 2a*, la substitution *a / 2a* aurait échoué.

Une première remarque en découle : l'algorithme d'unification doit bloquer la substitution d'un terme t par une expression qui contient elle-même le terme t (dans l'exemple ci-dessus, substituer a par 2a).

Il en résulte que si, à l'origine, des variables différentes portent le même nom (ce qui peut se produire entre la règle et l'expression), il convient de les renommer, de façon qu'aucun nom ne soit partagé entre deux variables différentes.

Récapitulons les caractéristiques et contraintes de l'unification :

1) l'unification balaye en parallèle deux expressions (dont l'une est éventuellement l'hypothèse d'une règle de réécriture). Elle vérifie la correspondance entre les termes non substituables (opérateurs, constantes) de ces expressions.
2) Elle substitue le cas échéant un terme variable de l'une des expressions par le terme correspondant de l'autre. Ce correspondant peut être lui-même une variable, une constante ou une sous-expression. Dans ce dernier cas, il ne doit pas contenir le terme variable objet de la substitution (cas *a / 2a* ci-dessus).
Toutes les occurrences du terme variable dans les deux expressions (et, éventuellement, dans la conclusion de R) sont substituées par le terme correspondant.
3) Pour éviter que la restriction introduite au **2)** ci-dessus n'entraîne un blocage de l'algorithme sur une fausse identité de variables, toutes les variables distinctes des expressions mises en correspondance doivent au départ porter des noms différents.

7.2.2. Algorithme d'unification

Il résulte de ce qui précède que l'algorithme correspondant est fini, bien que l'opération de substitution conduise éventuellement à allonger l'expression traitée : en effet, le nombre initial de variables étant fini, et chaque étape de la substitution remplaçant l'une de ces variables par un terme qui ne la contient pas, le nombre de variables à traiter est strictement décroissant, ce qui garantit la terminaison du processus après une nombre fini d'étapes.

L'algorithme(*) correspondant est le suivant :

avec
e = pointeur dans l'expression E
h = pointeur dans l'expression H (éventuellement hypothèse de la règle R)
s(x) = symbole pointé par x

tant que h ≤ Longueur (H),
  si s(e) ≠ s(h), **alors** INCREMENTER e et h ;
  sinon
    si s(e) = Opérateur (ou constante) (= *non substituable*) **alors**
      si s(h) = Opérateur (ou constante)(= *non substituable*)
          alors RETOURNER : Echec ;
          sinon (*s(h) est une variable substituable*)
          SUBSTITUER à s(h) le terme de E commençant par s(e)
        fin si
    sinon (*s (e) est une variable susbstituable*)
      SUBSTITUER à s(e) le terme (variable, constante ou sous-expression) de H commençant par s(h)
    fin si
    si SUBSTITUER = Echec RETOURNER : Echec
    fin si
  fin si
fin tant que

Cet algorithme fait appel à une procédure SUBSTITUER qui
- teste l'absence de la variable objet de la substitution dans le terme qui s'y substitue et retourne Echec dans le cas contraire ;
- effectue la substitution dans toute la suite des deux expressions ;
- incrémente de la valeur convenable les pointeurs e et h.

(*) Par J.L Laurière à l'Université P. et M.Curie - Paris VI (en 1981/1982).

7.2.3. Variables libres et variables "moins libres"

Reprenons l'exemple ci-dessus de la règle de simplification *x - x ---> 0* appliquée à E : *sin a - sin 2b*.

Les substitutions successives
x / sin a
a / 2b
permettent de réduire E à 0.

Nous voyons bien néanmoins que les variables de l'expression n'ont pas le même degré de liberté que celles de la règle :
si la simplification *x-x--->0* est valide quelle que soit la substitution à effectuer sur *x*, l'introduction d'une substitution sur la variable *a* de l'expression E établissant une relation entre *a* et *b* constitue une restriction sur le domaine de définition de E.

J.L Laurière propose d'appeler de telles variables "*indéterminées*" plutôt que libres, et illustre les restrictions introduites par l'unification par l'exemple suivant :
soit R) *a + a ---> 2a*
et E) *(x - 3) + (2y - 3) = 2*,
E est ici une équation à résoudre, établissant un lien entre *x* et *y*.
L'unification complète de E avec R est possible. Elle conduit
(par *a / (x - 3)* puis *x / 2y*) à
2(x - 3) = 2, soit *x = 8*, d'où *y = 4*.
Ce résultat est un cas particulier de la solution générale de E :
x + 2y = 8.

Plus généralement, on sera amené à traiter des cas dans lesquels on souhaitera ou non substituer certaines variables. La solution la plus simple est d'utiliser un marqueur syntaxique de variable, comme ? ou > que nous avons utilisés plus haut.

Par ailleurs, il sera souhaitable que l'algorithme conserve et fournisse la trace des correspondances établies entre variables au cours des différentes étapes d'une substitution. Ces correspondances constituent en effet des hypothèses, ou des contraintes, sur les variables substituées, entre lesquelles elles établissent des liens. L'utilisateur appréciera, en fonction du contexte, le caractère plus ou moins acceptable de ces contraintes.

Deuxième Partie

LES TECHNIQUES DE REPRÉSENTATION DES CONNAISSANCES

8

Représentation des connaissances : émergence et limites

Il est devenu classique de dire que "la Représentation des Connaissances est le problème central de l'Intelligence Artificielle".
Pourtant, il n'en a pas toujours été ainsi : le consensus qui se forme dans les années 70 autour de cette idée, et qui paraît largement établi dans les années 80, résulte d'une évolution historique ; par ailleurs, la définition de ce qu'on doit entendre par Représentation des Connaissances est loin de faire l'objet de la même unanimité que l'affirmation générale de l'importance du problème.

C'est pourquoi, avant d'aborder la description des techniques, une première réflexion s'impose pour percevoir les frontières du domaine et prendre une vue d'ensemble de son contenu.

8.1. Emergence de la notion

Un tournant se produit à la fin de la décennie 60 lorsque des développements de programmes spécifiques d'un problème particulier commencent à apparaître. Jusque là, ce qui a intéressé les chercheurs, ce sont des modélisations des mécanismes de raisonnement, que l'on imagine complètement généraux : l'objectif est de construire une machine à raisonner qui pourra traiter tous les problèmes, ou une machine à traduire qui pourra traduire tous les textes,...

General Problem Solver [Newell et Simon,1972] dont le nom résume bien l'ambition, a été construit sur un "paradigme" de raisonnement ("means-ends analysis") appliqué à un domaine jugé représentatif (ou significatif ?) : la logique mathématique.

Malheureusement, tel qu'il a été réalisé, il s'est révélé incapable de prendre en compte d'autres problèmes que ceux pour lesquels il avait été spécifiquement conçu. Différentes évolutions (portant notamment sur les modes de description des objets traités par GPS) devaient lui permettre de traiter des problèmes de nature sensiblement différente des théorèmes de logique (notamment : intégration formelle, ...) [Ernst et Newell, 1969]. Mais, une fois ces évolutions réalisées, le programme ne pouvait plus s'appliquer au domaine initial !...

Cette expérience presque caricaturale montre à quel point *le formalisme de représentation est étroitement lié au domaine* considéré, et prouve que l'on ne peut se désintéresser de ce problème pour réaliser un système de résolution général. C'est donc bien dans la voie de systèmes spécifiques que l'on s'engage avec les "experts", DENDRAL d'abord, puis MYCIN et toute la suite.

Toutefois, un effort permanent est accompli pour revenir à la généralité : développer un système expert par problème n'est guère rentable, il faut donc tenter de mettre au point le moteur d'inférence banal, qui permette de décrire et de résoudre toute une catégorie de problèmes. C'est en ce sens qu'est effectuée l'extraction, à partir de MYCIN, du premier "moteur d'inférences nu", E. MYCIN (Essential MYCIN)[van Melle, 1980].

Mais même si l'on cherche à revenir vers des programmes généraux, on peut considérer qu'*un pas décisif a été franchi* par rapport aux tentatives initiales ; le travail ne part pas d'un modèle de raisonnement, plus ou moins universel ou espéré tel, et appliqué pour validation à un problème quelconque, en général complètement formel. Au contraire, *c'est le problème qui sert de point de départ* : un bon problème, technique et concret, pas très bien formalisé ; à partir de là, on décrit la connaissance utilisée, et on fabrique le mécanisme qui va la mettre en oeuvre. L'isolation du mécanisme, et l'élaboration d'interfaces appropriées pour lui fournir de nouvelles connaissances, différentes, permettent de généraliser son utilisation : on a construit un nouveau moteur d'inférences.

La pratique oblige à constater que son application à d'autres problèmes soulève des difficultés. Parallèlement, d'autres systèmes conçus à partir d'une démarche identique sur des sujets différents conduisent à des moteurs dissemblables.

Ainsi, à partir d'expériences diverses de représentation de connaissances, voit-on apparaître de multiples solutions. Ce qui conduit à poser la question centrale : peut-on dégager des *caractéristiques communes* aux méthodes mises au point *pour décrire les données et règles de l'art* permettant la résolution de problèmes -autrement dit : comment doit-on représenter les connaissances ?

Avant d'aborder la présentation des techniques mises au point pour la représentation des connaissances, il nous faut tout d'abord préciser ce qu'on entend par "Représentation des Connaissances" ?

8.2. Le débat syntaxe-sémantique : recherche d'une frontière

8.2.1. Indissociabilité du couple "connaissance - mécanisme d'interprétation"

La notion de "*connaissance*" soulève une difficulté essentielle : aucun modèle, aucune information ne sont opératoires lorsqu'ils sont pris *isolément.*

C'est ce que A. Barr formule en disant qu'"une encyclopédie n'est pas la connaissance" : à quoi sert-elle, en effet, à quelqu'un qui ne sait pas lire ? De même, pour prendre un exemple moins extrême, que saurez-vous tirer d'une encyclopédie spécialisée, médicale par exemple, si vous ne connaissez rien au domaine concerné ?
Une illustration plaisante de ce problème est donnée par l'humoriste anglais J.K. Jerome dans son fameux roman "Trois hommes dans un bateau" : le héros se rend à la bibliothèque et emprunte l'Encyclopédie Médicale Universelle pour y chercher un renseignement anodin. De fil en aiguille, il parcourt le livre entier et découvre qu'il est atteint de TOUTES les maladies - à deux exceptions près. Il se précipite alors chez son médecin pour lui raconter ses malheurs et, celui-ci, après l'avoir écouté poliment, lui fournit une ordonnance qui lui prescrit *"une promenade de 5 miles tous les soirs, une solide escalope et une bonne pinte de bière aux repas - et ne vous farcissez pas la tête avec des choses auxquelles vous ne comprenez rien ..."*.

Ceux qui ont examiné des exemples de systèmes-experts dans des domaines qui ne leur étaient pas familiers ont pu constater qu'ils rencontraient le même genre de difficultés que J.K. Jerome face à l'Encyclopédie Médicale.

Il s'agit là d'un phénomène très général que confirment les réflexions récentes de psychologie de la connaissance et de la communication : un apprentissage est nécessaire pour être capable non seulement d'*interpréter*, mais même de *percevoir* des faits(*). Tout se passe comme si, en l'absence de "structures" existantes dans les mécanismes cérébraux, l'apparition d'un fait ne pouvait, dans certains cas, pas même être enregistrée. D'autres expériences montrent l'observateur distordant (inconsciemment) les faits pour pouvoir les rattacher à des structures préétablies familières. Nous nous situons ici dans le domaine de la psychologie expérimentale et de la psychologie cognitive, dont on se rappelle qu'elles ont constitué une des sources et des motivations premières des travaux en "intelligence artificielle".
Le lecteur intéressé par ces problèmes se reportera avantageusement aux ouvrages de P. Watzlawick[Watzlawick,1978; Watzlawick et al.,1979].

Pour revenir à notre problème de réalisation de systèmes de traitement automatique de l'information symbolique, nous retiendrons donc que la notion de connaissance ne peut pas être totalement réduite à la formulation de faits et de règles. Comme le dit D. Kayser, *aucune représentation n'a de signification a priori. C'est l'ensemble "formalisme + règles d'inférence" qui doit être comparé à l'ensemble "connaissances + modalités d'utilisation".*

Ce débat sur la sémantique (le sens) des structures peut se résumer dans les termes suivants [Kobsa, 1984] :

- Une vision traditionnelle de la Représentation des Connaissances consiste à considérer qu'il existe une correspondance directe entre un schéma syntaxique (une "forme" ou une "structure") et un domaine représenté.
- Mais ceci suppose l'existence d'une "connaissance" sur l'univers qui est une façon particulière de modéliser "l'intelligence" : pour montrer que cette notion de *connaissance* suppose de se placer à un niveau, relativement arbitraire, de description de *l'intelligence*, il suffit de constater que cette même activité cérébrale que le psychologue étudie sous le nom d'intelligence, peut être décrite par le neurologue en termes d'influx nerveux, ou par le biologiste

(*)Si cette idée vous choque, imaginez-vous en face d'une radiographie (à moins que vous ne soyez médecin), d'une photo de chambre à bulle (sauf si vous êtes physicien nucléaire), ou essayez d'entendre la partie d'alto dans un orchestre ou un choeur (si vous n'êtes pas musicien ou au moins mélomane très entraîné).

en termes d'échanges chimiques au niveau des parois cellulaires... ; autrement dit la *structure utilisée* pour représenter la connaissance *est totalement liée au mécanisme qui l'utilise.*

- Le fait de décider de l'existence d'une "connaissance" dans un système suppose donc de l'attribuer, soit au système dans son ensemble (c'est le cas d'une procédure), soit à des sous-unités identifiables (Représentation des Connaissances) auxquelles cette connaissance peut être attribuée (ou identifiée). Mais dans ce dernier cas, on l'a vu, tous les auteurs conviennent que cette connaissance n'a d'existence que dans la mesure où elle produit un effet, par le biais d'un processus qui l'utilise.

- Dès lors, pourquoi faudrait-il que ces structures "ressemblent" à quelque chose, puisque ce qui est important, c'est le résultat que produit leur utilisation par un processus ?

8.2.2. Importance de la forme de représentation

Résumons-nous

Nous avons constaté qu'aucune structure de données (ou de "représentation " de "connaissance") n'a de signification en soi : il faut obligatoirement l'associer à un processus, qui définit la façon de l'interpréter.

Ceci met en évidence la nécessité de *concevoir un couple représentation-interpréteur efficace* ***dans son ensemble***. Cette exigence n'est pas nouvelle : elle a toujours constitué un critère de qualité pour les informaticiens et leur produits.

Certains en déduisent par ailleurs que peu importe la forme des structures, puisque prises isolément, elles n'ont pas de "sens". Cette conclusion est contraire à l'expérience : l'intérêt de l'informatique symbolique est d'avoir mis au point des *structures de données "parlantes"* ***pour l'utilisateur***. La question fondamentale ne nous paraît donc pas tant être de savoir *définir* la sémantique formelle d'une représentation, que de *choisir* celle qui permet au spécialiste d'exprimer *commodément* ce qu'il sait du problème à traiter et ce qu'il utilise pour le résoudre.

Ainsi, **deux critères d'évaluation** émergent de cette réflexion sur ce que signifie Représentation des Connaissances :

- étant donnée une Représentation, il est indispensable de prendre en considération *simultanément* cette représentation et l'interpréteur qui l'utilise, et *d'évaluer l'efficacité globale* de l'ensemble ;

- *préalablement*, le caractère approprié d'une Représentation des Connaissances doit être estimé par rapport au problème à traiter, et surtout *par rapport à l'utilisateur* qui va fournir sa connaissance.

Un point reste à examiner : de quelle(s) connaissance(s) parlons-nous ?

8.3. Classement des connaissances et de leurs représentations

8.3.1. Les catégories de connaissances

D. Kayser(1984) propose de distinguer des connaissances de natures diverses :

1) Connaissances de *définition*
Exemple : "Un quadrilatère est un polygone ayant exactement quatre côtés".

2) Connaissances *évolutives*
Exemple : "Pierre Durand est élève de 2e C3" (aujourd'hui).

3) Connaissances *incertaines*
Exemple : "Clovis Ier est né en 465 après J.C".

4) Connaissances *vagues*
Exemple : "Les jeunes élèves sont turbulents"
(jeunes = ... ?, turbulents = ... ?)

5) Connaissances *typiques*
Exemple : "*Habituellement*, chaque période d'enseignement est consacrée à une seule matière".

6) Connaissances *ambiguës*
Exemple : "Avant le conseil de classe, le professeur savait que trois élèves redoubleraient."

Est-ce un nombre global estimé en raison du niveau général de la classe ? ou bien trois cas particuliers connus individuellement ?
Est-ce trois exactement, ou au moins trois ?

Cette énumération fait ressortir une grande quantité de problèmes relatifs au classement de la connaissance. Un classement possible est relatif à ce qu'on pourrait appeler *la "nature" des connaissances* traitées.

- Certaines d'entre elles sont des éléments de l'univers dans lequel on évolue : des **objets** et leurs **propriétés**, ainsi que des **faits** concernant ces objets. Dans les exemples ci-dessus, un "quadrilatère", la "2e C3", "Clovis Ier", "une période d'enseignement" ou un "élève" sont des objets tandis que les propositions 2, 3 et 6 définissent des faits, ou des propriétés de certains objets.

- Une deuxième catégorie de connaissances est constituée par les **règles** et **opérateurs** qui permettent de progresser dans la résolution des problèmes à traiter. Exemples : dans Geometry Theorem Proving Machine de Gelertner, ainsi que dans General Problem Solver, on distingue en général les deux catégories en désignant les premières comme des "faits" et les secondes comme des "connaissances" (distinction courante : Base de Faits = données relatives au problème particulier en cours de traitement - Base de Connaissances = règles ou opérateurs à appliquer pour résoudre les problèmes du domaine considéré).

  Les exemples cités au début du paragraphe montrent que la distinction entre faits et connaissances a un certain caractère relatif : les propositions 1, 4 et 5 sont-elles des faits (propriétés communes à une certaine classe d'objets du domaine : les quadrilatères, les "jeunes élèves", les "périodes d'enseignement") ou des connaissances applicables lors de l'apparition d'un objet approprié dans les données du problème à traiter ?

- Au-delà de la connaissance directement utile dans la résolution du problème, il apparaît nécessaire de distinguer une catégorie supplémentaire : celle de la connaissance qui porte sur la connaissance.

On la désigne sous le nom de **méta-connaissance**.

La méta-connaissance peut définir le *degré de validité* d'une connaissance : par exemple la proposition 5 (chaque période d'enseignement est consacrée à une seule matière) n'est pas vérifiée dans les écoles maternelles. Elle peut également préciser la *façon d'utiliser* les connaissances pour résoudre efficacement les problèmes.

Par exemple, dans GPS, les opérateurs de résolution de problèmes sont associés à des différences à réduire (entre l'état initial obtenu et l'état final souhaité), et la liste des différences possibles est classée par ordre de difficulté décroissante. En conséquence, on applique d'abord les opérateurs permettant de réduire les écarts jugés les plus difficiles : la méta-connaissance est ici implicite mais elle pourrait être formulée explicitement dans une règle "Réduire d'abord les écarts les plus importants". Cette règle, appliquée à un problème de génération de plan de déplacement entre mon domicile et le bureau d'un client à Los Angeles me commande de résoudre d'abord le problème Paris-Los Angeles, avant de m'attaquer à celui du transport de mon quartier à Roissy, puis de ma porte à la station de taxi - ou du métro - la plus proche.

Comme entre faits et connaissances, des problèmes peuvent apparaître à la frontière entre connaissance et méta-connaissance. On retiendra que, dans beaucoup de systèmes, la méta-connaissance relative au choix et à l'ordonnancement des connaissances à utiliser n'est pas formulée explicitement. Toutefois son existence et sa qualité conditionnent les performances du système de résolution du problème (cf. Chap.5 sur les heuristiques).

D'autres problèmes de classement sont soulevés par l'énumération de D. Kayser : le plus important est celui du *degré de certitude* dont on dispose sur la connaissance.
Ce facteur est parfois un élément important du processus de raisonnement. Son évaluation et sa représentation sont discutés plus loin (cf. §14.1. "Mécanismes de pondération").

8.3.2. Les techniques de représentation

La diversité des méthodes de *représentation* des connaissances est au moins égale à celle des *définitions* de la connaissance.

Diverses manières de classer les méthodes de représentation des connaissances ont été définies et proposées. Lorsqu'on parcourt la littérature consacrée au sujet, on constate que ces typologies sont extrêmement différentes : ceci traduit la complexité du problème, qui ne se laisse pas ramener à un critère unique selon lequel distinguer les techniques disponibles.

De plus, non seulement les classements et les regroupements diffèrent, mais les listes ne comptent pas les mêmes éléments. C'est dire que l'étendue et le contenu du domaine eux-mêmes ne font pas l'objet d'un consensus parfait entre les spécialistes.

Trois exemples de ces classements, extraits respectivement du Handbook of Artificial Intelligence (Barr et Feigenbaum,1981 - sommaire du Chapitre III) et de deux articles (Kobsa,1984 et Kayser,1984), mettent en évidence cette diversité (fig. 8.1).

Handbook	Kobsa	D. Kayser
Logique	Représentation déclarative	Logique
Représentations procédurales	(calcul des prédicats	(classique
Réseaux sémantiques	(réseaux sémantiques	(multivaluées
Systèmes de production	(représentation directe (analogies)	(modales
Représentation directe (analogies)	Représentation procédurale	(non-monotones
Primitives sémantiques	Systèmes de production	Modèles psychologiques
Frames et scripts	Frames (et scripts)	(sémantique psychologique
		(prototypes (frames)
		(dépendance conceptuelle
		Modèles informatiques
		(bases de données
		(réseaux sémantiques
		(langages orientés objets
		(règles de production
		(métaconnaissances

Fig.8.1 - Techniques de représentation des connaissances vues par trois auteurs

8.3.2.1. Représentations parcellisées - Représentations structurées

Face à cette diversité, nous proposons de regrouper les modes de Représentation des Connaissances en deux grandes catégories, caractérisées par le degré de structuration des modes de représentation.

1) Nous désignerons la première comme celle des **représentations parcellisées.**

- On y trouvera d'abord les *systèmes de production* (ou systèmes à règles de production), ainsi que la *logique*, utilisée comme langage d'expression de connaissances.

  La caractéristique de ces modes de représentation, c'est qu'ils offrent une structure de base de description de la connaissance très simple : on pourrait dire que c'est la parcelle élémentaire de raisonnement. Ainsi avec une règle de production, on écrit une "déduction élémentaire" : "SI telles et telles conditions sont vérifiées, ALORS telle et telle conclusions en découlent".

- Nous rattachons à cette famille les *représentations procédurales*. Ce vocable désigne des langages (PLANNER [Hewitt,1970], CONNIVER [Sussman et McDermott,1972], QLISP [Reboh et al.,1976]) qui permettent d'exprimer un raisonnement comme la juxtaposition d'opérations élémentaires - un peu comme les règles de production sont les opérateurs de base du raisonnement dans un système de production.

  Toutefois, les opérateurs élémentaires des langages "procéduraux" sont plus divers, permettant notamment d'indiquer le sens dans lequel utiliser une règle (chaînage avant ou arrière), des déductions vraies sauf dans certains cas particuliers (raisonnement "non monotone"), des paquets de règles à utiliser de préférence pour démontrer telle ou telle propriété,... (cf. §14.5.).

Caractéristiques :

Découpage des connaissances en morceaux élémentaires, utilisation d'une structure de base extrêmement simple, indépendance presque totale entre les éléments de connaissance ainsi décrits : telles sont les caractéristiques communes à ces modes de représentation, qui justifient le qualificatif de "parcellisée".

2) L'autre grande famille de représentations regroupe ce que nous choisissons d'appeler **représentations structurées.**

- La première d'entre elles a pour nom "*réseaux sémantiques*" : développés à l'origine pour les besoins de la compréhension du langage naturel, ces réseaux rassemblaient dans une seule structure tous les composants d'une réalité décrite par des phrases. Chaque objet de la réalité considérée était représenté par un noeud du réseau, les relations entre objets étant décrites par les arcs qui reliaient les noeuds.

  L'évolution de la technique conduisit progressivement à généraliser les notions d'objets et de relations, en définissant des "catégories" d'objets et de relations (ou d'actions), dont chaque objet particulier était un "représentant". La création d'un représentant à partir de la catégorie générale constitue ce qu'on appelle une *instanciation*, le représentant créé étant une *instance* de cette catégorie.

- On retrouve ce mécanisme d'instanciation dans une autre grande représentation structurée, que sont les *frames*. Un "frame" est un modèle d'objet, comportant une liste d'attributs relatifs à cet objet et dont les valeurs permettent de la caractériser (exemple, un siège est caractérisé par son nombre de pieds, son dossier, son nombre de bras, son matériau, sa hauteur, ...).

  Outre la notion d'instanciation vue plus haut, le frame offre la possibilité de construire des hiérarchies de classes d'objets: un frame particulier (non pas une instance, mais bien un frame générique - par exemple : tabouret) peut être déclaré comme un sous-ensemble d'un frame plus général (par exemple : siège, meuble, ...). Cette hiérarchie permet d'introduire la notion d'*héritage* : les propriétés définies pour le frame général se transmettront automatiquement à ses descendants, sauf spécification contraire explicite dans ceux-ci.

La structure "modèle" du frame se retrouve sous des noms divers dans une variété de langages et de systèmes (cf. Chap.12).

- On rattachera à cette famille les *langages orientés objets*, *langages d'acteurs* (SMALLTALK [Kay et Goldberg,1976], FLAVORS, KEE) qui offrent une certaine généralisation de la notion de frame.
  Ces langages permettent de décrire des classes (objets, acteurs) possédant un certain nombre de caractéristiques, suivant le principe déjà évoqué plus haut.

Une première spécificité de ces acteurs, tient à ce qu'ils incorporent, associées à leurs caractéristiques, les procédures permettant de déterminer lesdites caractéristiques : autrement dit, *chaque acteur est un module*, fournissant un certain nombre de résultats.
Deuxième spécificité de cette technique de représentation : la communication par *messages*. Lorsqu'un acteur a besoin d'un élément, il envoie un message le demandant. L'acteur concerné par la demande fournit en retour le résultat demandé, également par message.

Un parallèle peut être établi entre ces mécanismes et les principes les plus récents de la programmation structurée : décomposition de la tâche, définition des "machines abstraites" capables d'exécuter les sous-tâches, et des "types abstraits de données" traitées par ces machines, avec les opérations qu'elles exécutent dessus. La différence réside dans la forte structuration par niveaux de la méthodologie des machines abstraites, alors que le scheduling d'ensemble des systèmes d'acteurs impose beaucoup moins de rigueur dans la hiérarchisation : chaque message est une bouteille à la mer, qui peut être recueilli et traité par n'importe quel acteur du système.

Caractéristiques :

Définition d'un concept par une liste de ses caractéristiques, description des relations existant entre les objets d'un discours sous la forme des liens d'un réseau, établissement d'un arbre de filiation entre les représentations et transmision par héritage des propriétés des schémas les plus généraux à leurs "descendants" : tout ceci explique le choix du terme "structuré" pour qualifier ces représentations.

8.3.2.2. Structures et mécanismes

Le rapide balayage ci-dessus a fait apparaître l'existence d'idées communes aux différents modes de représentation évoqués. En fait, ceux-ci sont apparus au cours de l'histoire du développement de l'informatique symbolique : chacun d'entre eux s'est inspiré des résultats de ceux qui l'avaient précédé, a emprunté des idées aux études contemporaines. Il en résulte que les divers outils répertoriés (systèmes de production, frames, réseaux sémantiques,...) ne sont pas des "corps purs".

Pour mieux mettre en lumière les idées techniques sous-jacentes, nous adopterons une présentation bâtie sur deux notions : les structures et les mécanismes.

Les ***structures*** sont des constructions statiques, des architectures à partir desquelles sont bâties les représentations des connaissances.
Nous en avons distingué cinq :

1) **La structure "si...alors..."** (ou condition-action) (Chap.9) est la structure de base des règles de production et du syllogisme. Elle établit une relation de conséquence entre des données.

2) **La structure "sorte de"** (Chap.10) correspond à la notion d'arborescence et de spécialisation : elle relie des éléments dont les uns sont des cas particuliers ou des sous-classes des autres.

3) **La structure "objets-relations"** (Chap.11) introduit un élément nouveau : les liens établis entre les objets sont eux-mêmes nommés et pourvus de propriétés.

4) **La structure "modèle"** (Chap.12), dont le frame est le premier représentant, consiste à établir, pour les connaissances à représenter, un canevas, une sorte de "formulaire" dont les zones vierges seront garnies avec les caractéristiques propres à l'objet considéré.

5) Enfin, la **structure analogique** (Chap.13) dont l'exemple le plus évident est la figure de géométrie, est basée sur l'idée d'une correspondance, le cas échéant d'une relation numérique, entre l'une des caractéristiques de l'objet représenté et l'une des caractéristiques de sa représentation.

Les ***mécanismes*** regroupent les moyens dynamiques par lesquels les structures communiquent entre elles ou sont utilisées plus efficacement.

Ces mécanismes, décrits au Chapitre 14, sont au nombre de cinq également :
- **pondération** de la connaissance,
- **évocation** d'une connaissance voisine,
- **calcul associé** à une connaissance,
- **communication** entre connaissances,
- **contrôle du contrôle**.

9

La structure "si...alors..."

9.1. Règles de production

La *règle de production* est la composante "représentation des connaissances" d'un modèle général de raisonnement symbolique appelé *système de production.* La première formulation de ce modèle est apparemment due à un mathématicien nommé Post en... 1943, dans une étude sur les réductions formelles du modèle combinatoire général [Post, 1943].

9.1.1. Système de production

Un système de production comporte trois composantes :
- un *contexte*, description de l'état courant de la recherche ;
- une base de *règles de production*, qui constituent la connaissance opératoire disponible pour le traitement des problèmes considérés ;
- un *interprète* qui gère l'application des règles.

• **Les règles de production** sont des déclarations de la forme

"SI condition(s), ALORS action(s)"

dont la signification est immédiate : la vérification des *prémisses* contenues dans la *partie gauche* de la règle conduit à l'exécution des opérations de la partie *conclusion* ou *partie droite.*

Exemple : la règle d'organisation "Rappeler soi-même au téléphone tout demandeur important dans les vingt-quatre heures" se traduira

SI appel téléphonique de X
    ET X important
ALORS dégager une période dans les prochaines vingt-quatre heures
    ET inscrire "téléphoner à X"

Les actions indiquées peuvent aussi comporter des commandes physiques d'interface, telles que l'impression d'une conclusion ou la demande d'une information complémentaire non disponible.

• **Le contexte** est également désigné sous les noms de *base de faits*, *base de données* (sans que cette dénomination corresponde à la structure ainsi nommée dans les systèmes classiques), *registre de mémoire à court terme*.
C'est lui qui regroupe l'ensemble des éléments du problème connus à chaque instant. Les règles de production actives ou déclenchables sont celles dont la partie gauche est effectivement vérifiée dans le contexte courant. L'application de la règle conduit en général à modifier le contexte, ce qui peut entraîner l'activation de nouvelles règles.
Le contexte est en fait la description de l'état du problème : il peut être constitué par une simple liste de faits, par une série de variables d'état ou regrouper un ensemble de données de structure(s) beaucoup plus complexe(s). On peut notamment combiner un contexte composé de *frames* (voir plus loin) avec un système de production qui le gère.

• **L'interprète** est le programme de contrôle, dont les tâches sont décrites dans le chapitre correspondant :
- DETECTER si le problème est résolu (condition de terminaison)
- DETERMINER les règles applicables dans l'état courant du contexte
- DEFINIR celle qui sera appliquée
- DEVELOPPER le nouveau contexte résultant de l'application de la règle choisie.

9.1.2. Avantages - Inconvénients

Les avantages reconnus aux règles de production sont :

- la **modularité** pratiquement la plus extrême : chaque connaissance est un "grain", un pas élémentaire de raisonnement. Toutes les interactions se font par l'intermédiaire du contexte : il n'y a donc pas d'effet direct d'une règle sur une autre (appel, modification de variables partagées), ce qui garantit l'intégrité de la base en cas de modification, adjonction ou suppression de règles ;

- le caractère **naturel** de l'expression des connaissances, sous forme de règles conditions-actions. Il a été constaté que les spécialistes formulent assez spontanément les éléments de leur raisonnement de cette façon ;

- la **simplicité** et **l'uniformité** de cette structure la rendent aisément accessible en peu de temps à des personnes non averties. Elles en rendent même possible la manipulation automatique (systèmes qui modifient leur propre base de règles [Waterman,1970], traduction en langage naturel et aide à l'acquisition de nouvelles règles pour MYCIN par le programme TEIRESIAS [Davis,1976]).

En contrepartie, les inconvénients sont :

- l'**inefficacité**, contrepartie naturelle de la modularité : il est notamment impossible de prévoir un déroulement efficace pour une séquence d'actions, et le balayage systématique des règles génère un travail de recherche considérable dès que le volume de la base devient significatif. Diverses solutions ad hoc ont été mises en oeuvre, telles que
  - le regroupement et le marquage de règles relatives à un même stade de raisonnement (par exemple prédicat APPLY dans QLISP : cf. exemple § 4.1.1),
  - l'indexation des règles par leurs éléments déclenchants, qui permet de limiter l'exploration en fonction des derniers résultats obtenus ,
  - voire même la compilation de la base de règles, aboutissant à générer le réseau complet des inférences ;

- la **mauvaise lisibilité** du raisonnement et de la cohérence de la base.
  C'est le problème de l'arbre qui cache la forêt : l'utilisateur manque de la vue d'ensemble sur la connaissance d'un problème qui permet de contrôler sa cohérence et de percevoir son organisation logique, base du raisonnement. Il en résulte que la logique algorithmique de la résolution ressort mal de la formulation sous forme de règles de production. Symétriquement, la connaissance de nature algorithmique s'exprime difficilement dans ce formalisme.

9.1.3. Exemple : MYCIN

MYCIN est sans doute l'un des plus connus, sinon le plus connu des programmes développés dans les années 70 sur le principe naissant des systèmes experts. Consacré au diagnostic des pathologies infectieuses et à la recommandation thérapeutique (antibiothérapie) associée, il a été conçu comme un instrument d'assistance au médecin hospitalier. Celui-ci se trouve en effet confronté, dans des services dont ce n'est pas la spécialité, à des complications infectieuses de maladies ou interventions chirurgicales. Ces infections nécessitent une réaction rapide (évolution souvent foudroyante sur des organismes affaiblis), sur la base de données existantes mais incomplètes (résultats complets des cultures biologiques disponibles seulement sous 24 à 48 heures, voire davantage).

Avec 450 règles, le programme couvrait le champ des infections du sang et des méningites : c'est-à-dire une partie seulement du domaine des pathologies infectieuses pour lesquelles il avait été initialement développé. Cette couverture incomplète est une des raisons avancées pour expliquer le fait que le système n'ait pas été mis en usage effectif en milieu hospitalier. Néanmoins, ses diagnostics et prescriptions ont été évalués sur plusieurs dizaines de dossiers cliniques : ils se sont révélés de niveau équivalent à ceux de spécialistes, et supérieurs à ceux de cliniciens non spécialistes.

9.1.3.1. La représentation des connaissances

1) Les faits

Connaissances élémentaires de MYCIN, les "faits" médicaux, sont *des triplets* qui définissent la *valeur* que possède *l'attribut* d'un *objet*.

Les *objets* sont les centres d'intérêt du domaine considéré : ici par exemple les organismes, les cultures, ...
Leurs caractéristiques sont les *attributs* : identité (d'un organisme), site (d'une culture), porte d'entrée (d'une infection), ... qui peuvent prendre un certain nombre de *valeurs*, soit : Escherichia coli, le sang, le tractus gastro-intestinal, ...
Pour décrire un fait, on rajoutera à ces *triplets objet-attribut-valeur* un quatrième élément, qui est le *coefficient de vraisemblance.*

2) Les coefficients de vraisemblance ("*confidence value*" ou c.v.)

Une des caractéristiques les plus intéressantes de MYCIN est l'introduction, dans le raisonnement, d'un facteur de confiance associé aux faits, ainsi qu'aux règles.

Ce coefficient de vraisemblance est compris entre -1 et +1, -1 indiquant la certitude que le fait est faux, +1 la certitude qu'il est exact ; la valeur 0 ainsi que celles d'un intervalle autour d'elle (choisi arbitrairement égal à [-0.2, +0.2] dans le système) correspondent à un fait "inconnu" (c'est-à-dire que les déductions dont le coefficient de vraisemblance entre dans cette fourchette ne sont plus prises en compte dans le raisonnement).

Compte tenu de ces éléments, les faits de MYCIN seront par exemple :
ORGANISM-2 IDENT KLEBSELLIA -25
ORGANISM-1 SENSITIVS PENICILLIN -1.0
PATIENT-1 IMMUNOSUPPRESSED YES -1.0

3) Les connaissances

Les connaissances médicales générales qui vont constituer le raisonnement sont décrites sous forme de règles de production, de la forme

IF Prémisse THEN Action/Conclusion.

- La *prémisse* (ensemble des conditions permettant le déclenchement de la règle) est une conjonction de clauses, elles-mêmes constituées à partir de fonctions (*prédicats*) appliquées à des triplets "objet-attribut-valeur".

  Les fonctions prédicatives sont un des éléments généraux (indépendant du domaine) du langage de description de la connaisance. Un jeu de 24 telles fonctions est disponible, parmi lesquelles : SAME, MEMBF, KNOWN, DEFINITE, ...

  Les clauses constituées à partir de couples prédicat-triplet ("objet-attribut-valeur"), peuvent comprendre des conjonctions (ET) et des disjonctions (OU) à plusieurs niveaux. Dans les clauses, l'objet est souvent l'objet courant (au stade du raisonnement auquel se trouve le système lorsque la règle est utilisée) désigné par CNTXT.

  Les prémisses sont toujours une conjonction (ET) de clauses. Une disjonction (OU) sera traitée en écrivant plusieurs règles.

- La partie *conclusion* est affectée d'un coefficient de vraisemblance de la règle : il indique le degré de confiance qui s'attache à la transformation de la prémisse en conclusion. Combiné avec les degrés de confiance propres aux faits de la prémisse elle-même, il fournit une nouvelle valeur, qui est attachée au fait fourni par la conclusion.

Par exemple, une règle de MYCIN (déjà citée) sera :

RULE 050
PREMISE :
(AND (SAME CNTXT INFECT PRIMARY BACTEREMIA)
(MEMBF CNTXT SITE STERILESITES)
(SAME CNTXT PORTAL GI))
ACTION :
(CONCLUDE CNTXT IDENT BACTEROIDES TALLY .7)

(qui est traduite (par MYCIN) :
if *1) the infection is primary-bacteremia, and*
2) the site of the culture is one of the sterile sites, and
3) the suspected portal of entry of the organism is the gastrointestinal tract,
then *there is suggestive evidence (.7) that the identity of the organism is bacteroides.)*

9.1.3.2. Le raisonnement

Le raisonnement de MYCIN est un enchaînement de règles en *chaînage arrière*, avec parcours de l'arbre de recherche en *profondeur d'abord.*

A quoi cela correspond-il ? MYCIN part du but (déterminer la nature de l'organisme responsable de l'infection). Il cherche les règles qui concluent sur ce but, et pour chaque règle, vérifie si la prémisse est satisfaite. Pour ce faire, il prend la première clause, et si elle est inconnue, elle devient le nouveau but à atteindre. Le processus fonctionne donc bien en profondeur.
Quelques caractéristiques affinent cette stratégie :

- *généralisation des sous-buts* : si la clause examinée est : "le type de l'infection est primary-bacteremia", le but serait "Démontrer que le type de l'infection est primary-bacteremia", que le moteur généralise en "Chercher le type de l'infection".
  Plus généralement, le sous-but "Démontrer que l'<attribut> de l'<objet> est <valeur>" devient "Chercher (ce que vaut) l'<attribut> de l'<objet>".
- Le système poursuit sa recherche jusqu'à trouver une conclusion. Si la déduction d'un sous-but se révèle impossible, le système *demande sa valeur* à l'utilisateur.

- *Etiquetage des données à demander en premier lieu* : pour éviter de chercher à déduire des éléments qui sont a priori fortement susceptibles d'être connus du médecin, les données qui sont des résultats de laboratoire sont étiquetées comme tels. Pour elles le processus déduction-puis-demande est inversé en demande d'abord, puis déduction si la demande n'est pas satisfaite.

- *Recherche des raisonnements certains* : le système commence par balayer les règles dont le coefficient de vraisemblance est 1.0, établissant ainsi en premier lieu les déductions certaines (qui correspondent en général à des définitions).

- *Evaluation préalable de la possibilité des règles* : le système de recherche en profondeur d'abord pourrait conduire à explorer entièrement l'arbre de démonstration de la première clause d'une règle, alors que la deuxième serait fausse et connue comme telle au départ, et la règle par conséquent inapplicable. Pour éviter cette recherche inutile, lors de la sélection d'une règle, une première évaluation de sa prémisse complète est effectuée uniquement sur la base des faits connus.

9.1.3.3. Conclusion

MYCIN est un système important, un des premiers à avoir illustré les différentes potentialités des systèmes experts (raisonnement et données non totalement certains, explicabilité du raisonnement, acquisition de nouvelles règles, ...).
Bien que la justification formelle des mécanismes utilisés ne soit pas encore acquise, les idées qu'il a introduites ont largement contribué à nourrir la réflexion sur les techniques d'informatique symbolique, et à élaborer les structures suivant lesquelles elles sont présentées.
Il n'est dès lors pas surprenant qu'il apparaisse comme une sorte de cas d'école, tant dans les modèles de raisonnement que dans ceux de la représentation des connaissances.

9.2. La logique

Les origines du formalisme logique remontent aux philosophes de l'antiquité grecque (ce qui explique, soit dit en passant, que l'une des principales applications de cette théorie soit de se préoccuper de la santé de Socrate) : les sophistes définissent des structures de raisonnement, et notamment le syllogisme, parfois désigné sous le nom de "modus ponens":

Tous les hommes sont mortels
Or Socrate est un homme
Donc Socrate est mortel.

La formalisation proprement dite a été effectuée à partir de la fin du XIXe siècle, notamment par Boole, développée entre autres par les travaux de Russel, Gödel, ...

9.2.1. Le formalisme logique

9.2.1.1. Premiers éléments

La logique définit deux choses essentielles :
- d'une part, ce qui peut être dit,
- d'autre part, ce que l'on peut dire.

Ce qui peut être dit est défini par un *vocabulaire* rassemblant l'ensemble des objets élémentaires (symboles) connus, et par une *syntaxe* qui fournit les règles suivant lesquelles les symboles du vocabulaire peuvent être associés pour constituer des expressions.
Toute expression dans un système logique est donc une combinaison de symboles appartenant au vocabulaire, combinaison qui respecte les règles de la syntaxe.
Remarque : ceci est d'ailleurs vrai de tout langage, que ce soit celui des mathématiques, une langue comme le français, ou un langage de programmation informatique.

Exemple :
Nous reprenons l'exemple cité au §3.1.1."Espace d'états - Espace de problèmes" pour illustrer les changements de représentation.
Dans cet exemple nous avions utilisé un système formel :
- les trois symboles M, I et U composaient son *vocabulaire*;
- sa *syntaxe* était (implicitement) définie comme : " Toute chaîne formée d'une succession de ces trois lettres".

Remarquons au passage que la définition des règles fait elle-même appel à deux symboles supplémentaires (en général qualifiés de *méta-symboles*) :

m qui désigne toute combinaison admissible du système ;
---> qui indique la transformation d'une combinaison en une autre.

Ce que l'on peut dire d'une expression logique c'est, fondamentalement, sa *valeur de vérité*. En logique classique, cette est prise dans un ensemble à deux éléments : (VRAI ; FAUX).

En d'autres termes, à toute expression logique admissible (c'est-à-dire correcte aux regards des règles du langage), une théorie logique va chercher à associer une valeur : "VRAI" ou "FAUX".
Comment détermine-t-on ce que l'on peut dire ? Un système logique comprend, outre son vocabulaire et sa syntaxe, des *règles de déduction* (ou d'inférence) qui décrivent les transformations que l'on peut faire subir aux expressions, et les *axiomes* qui sont des expressions définies comme vraies.

On appelle *théorie logique* un ensemble constitué par un certain nombre d'axiomes et de règles de déduction exprimés dans un certain système (vocabulaire, syntaxe, valeurs de vérité).

Dans notre exemple, les règles de déduction étaient les quatres règles
R1 : mI ---> mIU
R2 : Mm ---> Mmm
R3 : III ---> U
R4 : UU --->
et nous avions comme axiome : MI.

9.2.1.2. La logique des propositions

La logique classique traite de *propositions* qui sont en général des énoncés de faits :

La pomme de Jean est verte
Pierre est l'oncle d'Yves
Socrate est un homme.

Le calcul des propositions repose sur l'introduction des *connectives logiques* :

ET ($\wedge$), OU (V), NON ($\neg$), IMPLIQUE (--->ou $\supset$), EQUIVALENT($\equiv$)

définies par leurs tables de vérité ci-dessous :

X	Y	X $\wedge$ Y	X V Y	$\neg$ X	X--->Y	X $\equiv$ Y
V	V	V	V	F	V	V
V	F	F	V	F	F	F
F	V	F	V	V	V	F
F	F	F	F	V	V	V

Remarque : ces tables de vérité correspondent à la "signification naturelle" que l'on attribue en général aux connectives et, ou,... dans le langage courant.
Toutefois on notera que la définition logique de l'implication est très extensive par rapport au sens commun dans la mesure où une proposition fausse "implique" n'importe quoi...
Les connectives permettent d'exprimer des relations entre propositions, et constituent donc la base du raisonnement logique.
Les *règles d'inférence* permettent le développement du raisonnement. La règle la plus connue est celle dite du *modus ponens* : elle déclare que si X est vrai, et que l'on sait que X--->Y, alors Y est vrai - ce qui se traduit

formellement par : (X∧ (X--->Y)) ---> Y

si	Le ciel est bleu ---> le soleil brille	(X ---> Y)
et que	Le ciel est bleu	(X)
alors	Le soleil brille	(Y)

9.2.1.3. Le calcul des prédicats

Les propositions sont un peu rigides, car elles énoncent des faits qu'on pourrait qualifier de "particuliers". Rapidement, le besoin se fait sentir de traiter de faits relatifs à des éléments généraux, en sachant les particulariser :

Le ciel *de Paris* est bleu
La pomme *de Marie* est rouge

On va ainsi introduire les *prédicats* et les *variables.*

Les *prédicats* sont des propriétés possédées par un élément (ou mettant en relation des éléments) : "est rouge", "a un ciel bleu", "oncle de", "plus fort que", "est situé entre" sont des prédicats respectivement à 1, 1, 2, 2 et 3 arguments, arguments qui pourraient être (le vin), (Paris), (Pierre, Yves), (Goliath, David), (Dijon, Paris, Lyon).

Soit, en notation dite préfixée :	qui se lit :
est rouge (le vin)	le vin est rouge
a un ciel bleu (Paris)	Paris a un ciel bleu
oncle de (Pierre, Yves)	Pierre (est) oncle de Yves
plus fort que (Goliath, David)	Goliath (est) plus fort que David
est situé entre (Dijon, Paris, Lyon)	Dijon est situé entre Paris et Lyon

Les *variables* viennent alors naturellement exprimer l'existence d'une propriété pour un objet indéterminé.

L'indétermination en question peut être précisée par le fait que :
- soit la propriété est vraie pour tout objet
- soit la propriété est vraie pour certains objets.

On désigne ces cas par les *quantificateurs*
- quantificateur universel : $\forall$

  $\forall$x, P(x) (pour tout x, le prédicat P est vérifié)
- quantificateur existenciel : $\exists$

  $\exists$x, P(x) (il existe un x, tel que le prédicat P soit vérifié).

9.2.1.4 Les fonctions et la logique du 1er ordre

Pour ajouter encore un peu de souplesse, on définit encore une nouvelle catégorie d'objets, les *fonctions*. Celles-ci ont des arguments, comme les prédicats, mais au lieu de prendre seulement une valeur de vérité (Vrai ou Faux), elles rendent une valeur quelconque. Ainsi, la *fonction* "oncle de" appliquée à "Yves" rendra-t-elle la valeur "Pierre".

Ayant ainsi défini tout un vocabulaire, on dispose d'une logique permettant d'exprimer d'assez nombreuses situations de connaissance, et d'effectuer dessus des raisonnements formels. Cette logique est dite *du 1er ordre* dans la mesure où les variables peuvent remplacer (et les quantificateurs s'appliquer à) des objets, mais non (à) des prédicats ou (à) des fonctions :

"tous les prédicats ont au moins un argument"

ou

"Il existe des fonctions à deux arguments"

ne peuvent s'exprimer en logique du 1er ordre.

9.2.2. Avantages et inconvénients

On retrouve dans cette section les avantages et les inconvénients déjà listés pour les systèmes de production :
- du côté des avantages : modularité, naturel, uniformité
- pour les inconvénients : mauvaise lisibilité de la structure du raisonnement, et **surtout, inefficacité**.

On y ajoutera un avantage supplémentaire : la **rigueur** de l'expression, qui fait du formalisme logique un outil sûr pour la manipulation des connaissances. L'existence d'une théorie sous-jacente garantit la validité des résultats obtenus.

La contrepartie est un inconvénient : la **rigidité** du formalisme constitue rapidement un frein à l'expression d'une réalité qui se laisse rarement mettre en propositions aussi rigoureuses que la logique l'exige. Citons quelques problèmes :
- traitement des cas où la valeur de vérité est inconnue ;
- valeur de vérité présumée, mais pas certaine ;
- prédicats "généralement" exacts, sauf quelques cas particuliers.

Pour y faire face, des recherches sur de nouvelles théories logiques sont effectuées (cf. §15.1.).

9.2.3. Exemple : PROLOG

Nous présentons ci-dessous les caractéristiques essentielles du langage PROLOG (pour PROgrammation en LOGique), qui, comme son nom l'indique, est basé sur la théorie de la logique formelle (du 1er ordre).

La façon la plus simple de voir PROLOG au départ est de l'imaginer comme une "base de données intelligente".

9.2.3.1. Une base de données intelligente

Nous abordons notre étude par des exemples.

PROLOG permet tout d'abord de stocker des données et de poser des questions sur les données stockées.

Les données sont représentées par des faits. Un fait est un prédicat qui exprime une relation entre des objets de la forme f(a, b,...). Par exemple les faits suivants :

possede (elizabeth, automobile).
pere-de (elizabeth, jean).
pere-de-famille (jean).
coquin (fils-de (andré)).

expriment que "Elizabeth possède une automobile", "Jean est le père de Elizabeth", "Jean est père de famille".
Le dernier fait de notre exemple exprime que "le fils de André est un coquin". En effet, PROLOG autorise la manipulation de termes complexes : ici, l'application d'un prédicat sur un terme déjà composé avec un prédicat.

Vous avez remarqué que tous les symboles employés jusqu'à présent commencent par des minuscules et que l'affirmation d'un fait se termine par un point final : ces remarques portent sur la *syntaxe* de PROLOG.

Un ensemble de faits étant déclaré, par exemple par l'intermédiaire d'un fichier, un interpréteur nous permet de poser des questions sur les faits.

Les questions les plus simples sont celles où on répète un fait à l'interpréteur en attendant une réponse positive ou négative.

Par exemple, pour savoir si Jean est le père de Elizabeth, on frappe :

?-pere-de (elizabeth, jean)

et l'interpréteur répond

yes(encore un langage français avec des mots anglais).

Avec l'exemple de la page précédente, on peut ainsi obtenir le discours suivant :

```
?-pere-de-famille (jean).
yes
?-chien (medor).
no
```

En fait, pour répondre aux questions qu'on lui a posées, PROLOG a utilisé l'unification. Ainsi, parmi les exemples simples que nous avons montrés, la réponse à *pere-de-famille (jean)* est *yes* parce que cette expression s'est unifiée à une expression (en l'occurrence la même) de la base de faits.

L'unification autorise l'emploi de variables. Les variables en PROLOG sont représentées par des symboles commençant par une majuscule (nouvelle règle de syntaxe). Supposons par exemple qu'on veuille savoir qui possède une automobile. La question se formule ainsi :

?-possede (Qui, automobile).

Le symbole Qui est une variable ; il commence par une majuscule.
La réponse que donne PROLOG est alors

Qui = elizabeth.

De même, on peut avoir le dialogue suivant :

?-coquin (fils-de (X)).

X = andre.

Nous venons de reconnaître dans les exemples précédents que les connaissances en PROLOG s'expriment dans la logique du premier ordre.

Plus précisément, PROLOG dispose d'un interpréteur qui est un moteur d'inférences d'ordre 1, fonctionnant en chaînage arrière et en profondeur d'abord.

Cela signifie entre autre que PROLOG permet l'écriture de règles. Ces règles sont écrites de façon très synthétique, et, au lieu d'utiliser une syntaxe telle que :

si A et B alors C,

PROLOG préfère dire :	et écrire :
C est vrai dès que A et B sont vrais	C :- A, B.

Voici un exemple de règle :

```
dinosaure (X) : poids(X, Y),
                Y> 40000,
                animal-terrestre (X).
```

Cette règle exprime qu'un animal terrestre de plus de 40 tonnes est un dinosaure.

9.2.3.2. Programmer en PROLOG

Grâce à son mécanisme d'unification, PROLOG se débrouille parfaitement avec des règles telles que :

```
grand-pere-de (X, Z) :- pere-de (X, Y),pere-de (Y, Z).
 pere-de (X, pere(X)) :- .
```

La première ligne est une règle exprimant que le grand-père de X est Z dès que le père de X est Y et que le père de Y est Z.

La seconde ligne est un fait qui exprime que X a toujours un père, qui est le terme père(X).

Pour commencer, notons que, *pour PROLOG, il n'y a pas réellement une grande différence entre un fait et une règle*. D'ailleurs, le terme employé est celui de *clause*. Notre exemple est donc constitué de deux clauses.

Chaque clause donne un renseignement sur la véracité d'une relation. Ainsi, la clause 2 exprime qu'une expression telle que '*pere-de (X, pere(X))*' est toujours vraie. La clause 1 donne une condition suffisante pour que le prédicat *grand-pere-de (X, Z)* soit vrai ; cette condition étant la vérification simultanée des prédicats *pere-de (X, Y)* et *pere-de (Y, Z)*.

Que se passe-t-il si on demande quel est le grand-père de Jean ? L'interpréteur fournit la réponse ci-dessous :

? grand-pere-de (jean, T).
T = pere (pere (jean)).

Examinons ce qui se passe : l'interpréteur examine non pas la base de faits, mais la liste des clauses (*dans l'ordre où elles ont été déclarées*), et s'aperçoit que notre expression peut être vraie dès qu'elle s'unifie avec grand-pere-de (X_1, Z_1), donc dès que X_1=jean, Z_1=T.
(Noter au passage le renommage des variables (cf. §7.2. : Unification)). Pour vérifier grand-pere-de(X_1,Z_1), l'interpréteur vérifie la véracité des prédicats pere-de (X_1, Y_1), puis pere-de (Y_1, Z_1).
Pour savoir si père-de (X_1, Y_1) est vrai, l'interpréteur examine à nouveau la liste de ses clauses, et trouve la seconde clause qui, avec ses variables renommées, s'écrit pere-de (X_2, pere(X_2)).Les deux expressions sont unifiables et

$X_1 = X_2$
Y_1= pere (X_2).

De même pere-de (Y_1, Z_1) s'unifie avec la deuxième clause écrite cette fois-ci avec X_3 au lieu de X, et l'interpréteur trouve :

$Y_1 = X_3$
Z_1=pere (X_3).

Les équations qui ont été écrites sont donc :

Jean = X_1
T = Z_1
X_1 = X_2
Y_1 = pere (X_2)
Y_1 = X_3
Z_1 = pere (X_3).

Leur solution est

$T = Z_1 = pere\ (X_3) = pere\ (Y_1) = pere\ (pere\ (X_2))$

$=$

$pere\ (pere\ (Y_1) = pere\ (pere\ (jean))$

d'où

$T = pere\ (pere\ (jean)).$

9.2.3.3 Conclusion

Il ne saurait être question, dans le cadre de cet ouvrage, d'entreprendre une description technique complète de PROLOG (cf. [Warren, Pereira et Pereira,1977]). Cette présentation très sommaire donne un aperçu de son fonctionnement, basé fondamentalement sur la logique. Le lecteur aura entrevu les possibilités très riches qu'offre l'écriture de prédicats avec variables (ce qui va très au-delà des capacités d'expression d'un langage comme celui de MYCIN, dans lequel le seul élément variable est la "valeur" affectée à l'"attribut" d'un "objet").

Mais il aura aussi soupçonné la lourdeur du mécanisme qui manipule les clauses, avec notamment un contrôle très rudimentaire puisque le balayage des clauses s'effectue strictement dans l'ordre dans lequel elles ont été fournies.

Toutefois, PROLOG a été conçu comme un langage de programmation, et des utilisateurs très expérimentés savent tirer parti de la puissance de ses mécanismes.

10

La structure "sorte de": arborescence taxonomique et héritage

Une large catégorie de connaissances est en fait organisée suivant une structure hiérarchique, dans laquelle chacun des objets est une classe qui peut être considérée comme un sous-ensemble d'une autre classe, plus générale, d'objets du domaine considéré. De la même façon cette classe se subdivisera en sous-classes.

Exemples :

1) Les classifications de la botanique (distinction par l'existence ou non d'une floraison : phanérogames, cryptogames; par le support de la graine, dans un fruit (angiospermes) ou nue (gymnospermes); ...).
La zoologie, la médecine, la géologie,... offrent de telles classifications.

2) Le catalogue d'un constructeur d'ordinateurs se décompose par exemple en logiciels et matériels, et dans ces derniers : unités centrales, alimentations, ventilations, périphériques, châssis d'intégration,...
Les périphériques comprennent : unités de disques, dérouleurs de bandes, imprimantes, consoles, ...

3) Ce livre lui-même présente une telle structure : sa table des matières est organisée en chapitres, divisés en parties, décomposées en sections, constituées de paragraphes, composés d'alinéas,...
Pratiquement, tous les manuels qui présentent un sujet **technique** possèdent cette organisation hiérarchique.

L'examen des exemples ci-dessus fait apparaître une autre

caractéristique de ces structures : la diversité de la chaîne hiérarchique suivant les branches. Certaines d'entre elles seront plus riches en catégories et sous-catégories, d'autres seront plus courtes ; comme par exemple : la rubrique "ventilations" ou "châssis d'intégration" du catalogue constructeur d'ordinateurs, par rapport au chapitre "périphériques". Ceci impose pour représenter des connaissances ainsi organisées, un mode de représentation à la fois structuré et suffisamment souple.
A cette fin, on utilise l'arboresence d'ordre quelconque.

10.1. Arborescences (ou arbres)

Définition de la structure d'arbre

On a déjà défini la structure d'arbre lors de la présentation du formalisme des graphes (chapitre 4). Rappelons que "*un arbre est un graphe dans lequel chaque noeud possède un et un seul antécédent (sauf la racine, qui n'en possède pas)*".
Si l'on a affaire à une arborescence régulière, c'est-à-dire si le nombre des successeurs d'un noeud non terminal est identique pour tous les noeuds, ce nombre est appelé *degré* de l'arborescence. En particulier, une arborescence de degré 2 est dite *arborescence binaire*.

La représentation des arbres : le modèle de LISP

En raison de son intérêt, pour de multiples applications (on l'a vu dans l'étude du contrôle, et on continuera de le voir dans l'examen des modes de représentation de la connaissance), la structure d'arbre a inspiré la conception même du langage LISP. En fait, on peut dire que LISP est un langage d'écriture et de manipulation d'arborescences, puisque la base de sa syntaxe est la liste qui peut être interprétée comme une structure d'arborescence d'ordre quelconque.

En conséquence, l'écriture d'une représentation arborescente en utilisant un langage basé sur LISP est tout à fait naturelle. Son écriture, à partir d'un langage classique (type FORTRAN, PASCAL, ...) poserait d'autres problèmes : soit que l'on recrée dans ce langage les composants de base du LISP (paire pointée) soit que l'on utilise les types disponibles, la question essentielle est celle de la performance, lors de l'exécution, de la mécanique ainsi réalisée ; c'est bien entendu affaire de compilateur et de qualité du code source, mais il convient d'y prêter attention.

10.2. Notion d'héritage

Lorsqu'un concept est décrit comme un des composants d'une classe, cela signifie que cette classe regroupe un certain nombre d'autres objets (concepts) qui partagent avec lui certaines propriétés.
Par exemple, le "chêne" est "à feuilles caduques", ce qui signifie notamment qu'il perd chaque année son feuillage (alors que le "sapin", qui est un "conifère", ne perd pas l'ensemble de ses aiguilles à l'automne). La propriété correspondante, qui est partagée par tous les végétaux "à feuilles caduques" sera inscrite au niveau du concept correspondant, et tous les descendants de celui-ci dans l'arborescence en seront crédités.

10.3. Avantages-Inconvénients

- **Structuration, clarté, cohérence** : la structure arborescente, inspirée par les grands classements scientifiques, offre un schéma très clair des différents concepts utilisés. Cette clarté est elle-même favorable au maintien de la cohérence des connaissances décrites.
- **Economie** : le mécanisme d'héritage réduit la quantité de stockage nécessaire, en n'attachant une propriété qu'à un seul noeud : celui du concept le plus général auquel cette propriété est associée.
- **Rigidité** : en contrepartie, la forte structuration s'oppose à toute évolution importante. Ceci n'est pas gênant pour le stockage d'un ensemble de connaissances solidement établies, et dont le classement peut être considéré comme figé ; en revanche, on prendra en considération cette contrainte si l'on a à représenter des données moins bien maîtrisées et analysées.

10.4. Exemple : INTERNIST

INTERNIST [Pople,1977] est un autre programme de diagnostic médical, conçu pour établir un diagnostic à partir d'une liste de symptômes ; mais il n'est pas spécialisé sur un certain type de maladies : son domaine est, très largement, celui de la médecine interne. Il a été développé (par Pople et Myers, de Pittsburgh University) pour modéliser le processus de raisonnement par lequel les cliniciens établissent leur diagnostic.

10.4.1. Représentation des connaissances

Les connaissances représentées sont les maladies et les symptômes.

Les maladies sont classées suivant une taxonomie, représentée par une arborescence (cf. fig.10.1) :
- chaque feuille (noeud terminal) de l'arborescence est une maladie
- chaque noeud non terminal représente un groupe de maladies, groupe de plus en plus général au fur et à mesure que l'on descend vers la racine de l'arbre.

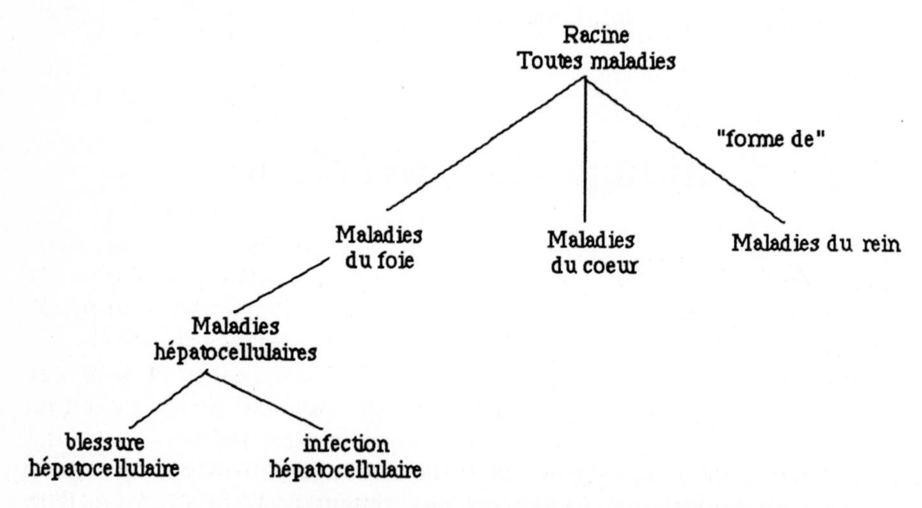

Fig. 10.1 Arborescence des maladies dans INTERNIST

Les liens établis dans cette arborescence sont donc des liens "forme de", qui relient un élément à sa famille (ou à sa "classe").

Symptômes : à chaque noeud de l'arborescence (maladie ou famille de maladies) sont associés les symptômes correspondants.

Lors de l'établissement de la base de connaissances, les symptômes associés à chaque maladie (feuille de l'arborescence) sont indiqués. Ceux qui sont communs à toutes les maladies d'une même famille sont remontés au noeud correspondant, et ainsi de suite tant qu'il est possible.
Ainsi, le symptôme de jaunisse sera associé à toute une catégorie de maladies du foie.
Cette manière de procéder a deux avantages :

- elle économise de la place
- elle permet d'évoquer le groupe le plus large de maladies associé à un symptôme donné.

On voit apparaître ici la notion très importante de l'*héritage* de propriétés le long d'une arborescence de spécialisation, comme l'est celle des maladies : la propriété possédée par la classe la plus générale est automatiquement transmise à tous ses descendants.

Probabilités : les liens entre les maladies et les symptômes correspondants sont affectés de probabilités conditionnelles dans les deux sens :
probabilité (M/S) d'avoir la maladie M en présence du symptôme S,
probabilité (S/M) de rencontrer le symptôme S dans le cas où la maladie est M.

10.4.2. Contrôle

La recherche du diagnostic est basée sur une évaluation de chaque hypothèse, établie à partir des faits connus. Le système tente de confirmer l'hypothèse la mieux classée dans cette évaluation, en demandant des faits supplémentaires (questions), à partir desquels l'évaluation est actualisée et le processus recommence.

On peut assimiler ce mode de contrôle à une *recherche en graphe*, avec reclassement à chaque cycle de la liste des voies à explorer. Le graphe de recherche est tout construit, puisqu'il est identique à la base de connaissance.

En pratique, la consultation commence par la fourniture d'informations disponibles.
Le cycle de contrôle débute, sur la base des manifestations connues, par l'évocation de tous les noeuds associés, et par le calcul pour chacun d'entre eux d'un "modèle" constitué de 4 listes de manifestations :
- les manifestations observées qui ne correspondent pas à celles de la maladie considérée,
- les manifestations observées qui sont cohérentes avec la maladie considérée,
- celles qui auraient dû être présentes mais n'ont pas été trouvées chez le patient,
- celles que l'on devrait trouver (mais dont la présence n'a pas encore été confirmée ou infirmée).

Les noeuds évoqués ne sont pas nécessairement des noeuds terminaux (c'est-à-dire des maladies identifiées). Le système formule un "problème", en déterminant les noeuds terminaux qui peuvent être considérés et en évaluant leur score (en fonction des faits connus). Il choisit le noeud (correspondant à une maladie) le mieux classé, et range les autres en deux groupes : celui des maladies alternatives (qui sont en "concurrence" avec le noeud de tête) et celui des maladies complémentaires (qui peuvent se superposer avec la maladie prise comme hypothèse principale).

La **stratégie de recherche** va consister à déterminer (en posant des questions) la présence - ou l'absence - de manifestations permettant de confirmer l'hypothèse principale, ou de choisir entre elle et ses "concurrents" (maladies alternatives).
Le choix des manifestations à rechercher est guidé par le nombre des hypothèses concurrentes, et par les probabilités qui les lient à ces hypothèses :

- s'il y a beaucoup d'hypothèses, le système cherche à en éliminer le plus possible, en recherchant des symptômes qui ont une forte probabilité d'être présents dans le cas d'une maladie (p(S/M) élevée) ; s'ils n'y sont pas, la maladie peut être écartée ;
- s'il y a une seule hypothèse, le système cherche à la confirmer par des symptômes dont la présence évoque fortement cette maladie (p(M/S) élevée) : s'ils y sont, la maladie peut être retenue ;
- dans le cas d'un faible nombre d'hypothèses en concurrence (2 à 4), la stratégie consiste à chercher des symptômes discriminants, c'est-à-dire ayant une forte probabilité de présence pour une hypothèse de maladie, et une faible probabilité de présence pour une autre hypothèse.

Heuristiques - INTERNIST II
Les moyens de guider le choix de INTERNIST sont :

- une *fonction d'évaluation des hypothèses*, basée sur des "modèles" (facteurs favorables et facteurs défavorables) de concordance entre les données connues et les hypothèses ;
- une stratégie de *choix des données à rechercher* "câblée" dans le programme, en fonction du nombre d'hypothèses en concurrence, et recherchant les questions les plus "informantes".

Une faiblesse de la stratégie d'INTERNIST était qu'elle générait des problèmes en terme de maladies "terminales", aboutissant ainsi parfois à une recherche erratique et à des questions mal ciblées.

Cette déficience est corrigée dans la version INTERNIST II par une recherche plus progressivement descendante. Une catégorie particulière de symptômes (appelés "*constricteurs*"), qui sont des *indicateurs privilégiés* d'une zone de maladie, est introduite. Le programme détermine d'abord les zones de maladie évoquées, puis par raffinements successifs précise les catégories jusqu'à aboutir finalement à la recherche de la maladie précise.

Ce raisonnement par étapes introduit une nouvelle catégorie de méta-connaissances dans INTERNIST : la différenciation entre les symptômes ('symptômes constricteurs' et 'autres symptômes') constitue un *classement des connaissances* (ici connaissances = symptômes) qui définit leur ordre d'utilisation; en effet, les symptômes "constricteurs" sont utilisés prioritairement, et guident la recherche.

10.4.3. Conclusion

Le système INTERNIST, au moins dans sa première version, illustre particulièrement un mode de représentation des connaissances : l'arborescence de catégories, avec le mécanisme d'héritage.
Le graphe de recherche est entièrement construit au départ et le "raisonnement" consiste pratiquement à évaluer d'abord l'hypothèse la plus probable, puis la question la plus informante à poser.

Tel quel, le programme rassemble un certain nombre d'idées essentielles :
- héritage,
- information associée à une réponse (représentée par les probabilités p(M/S) et p(S/M), et leur utilisation pour guider la recherche) .

L'expérience montre la nécessité d'affiner le processus de raisonnement en introduisant dans INTERNIST II une métaconnaissance de classement des connaissances (manifestations ou symptômes). Ce classement permet en fait de *structurer et hiérarchiser le raisonnement en plusieurs étapes successives*, qui se substituent à la recherche "à l'aveuglette" dans le maquis des feuilles terminales de l'arbre des maladies.

Attirons à cette occasion l'attention sur cette notion très importante dans l'efficacité des processus de recherche. La théorie montre, et l'expérience confirme qu'*un découpage approprié du processus de raisonnement en étapes* permet de *gagner plusieurs ordres de grandeur* dans l'effort de recherche.

11

La structure "objets-relations" : les réseaux sémantiques

Les réseaux sémantiques sont très liés aux travaux sur la compréhension du *langage naturel* (analyse de phrases, paraphrase, réponse à des questions). Leur définition initiale est issue de travaux de recherche en psychologie [Quillian,1968], où ils ont été proposés comme *modèles* psychologiques du fonctionnement *de la mémoire.*

Les différents systèmes développés autour de ce concept de représentation sont très divers, et seules quelques idées communes permettent de les rapprocher et de définir un modèle de Représentation des Connaissances.

11.1. Définition - Premiers exemples

L'idée centrale des réseaux sémantiques est de décrire la réalité sous forme d'un graphe (réseau) composé de *noeuds* reliés par des *arcs*. Les noeuds et les arcs sont en général étiquetés, aux premiers sont associés les **objets** (concepts, événements, situations,...), aux seconds les **relations** entre ces objets : d'où la désignation de "structure objets-relations" que nous avons adoptée pour ce formalisme.

Cette représentation traduit commodément des faits décrivant un monde matériel familier (cf. fig.11.1) :

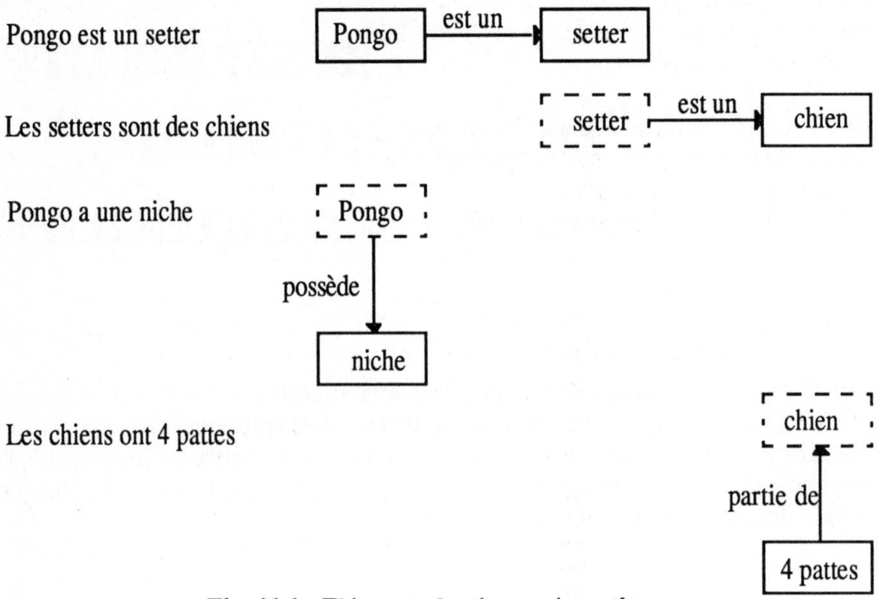

Fig. 11.1 - Eléments de réseau sémantique

11.2. Mécanismes d'interprétation

La deuxième caractéristique essentielle des réseaux sémantiques est le *regroupement des éléments* relatifs à un objet autour (ou à proximité) du noeud correspondant. Ceci est lié à la notion même de réseau, comme il apparaît dans le réseau complet de la fig.11.2, constitué à partir de la dramatique histoire de Pongo.

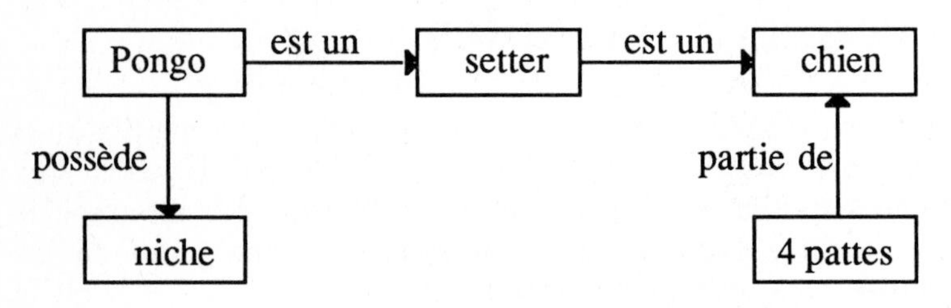

Fig. 11.2 - Le réseau complet

Cette proximité permet de transmettre aisément les propriétés par propagation : ainsi, Pongo est un chien, et il est (normalement) doté de quatre pattes.

La recherche de déductions possibles à partir de faits connus rapprochés par la structure du réseau a été notamment systématisée par Quillian dans ses travaux initiaux : la méthode (*spready activation*) consiste à activer, en partant de deux noeuds, tous leurs voisins, puis les voisins des noeuds activés, et ainsi de suite, par vagues concentriques. Dès qu'un noeud est activé par les deux vagues, un chemin de relation a été trouvé, établissant un lien entre les deux concepts (objets) initiaux.

De façon similaire, la réponse à des questions s'effectuera en comparant le réseau associé à la question avec le réseau décrivant l'univers connu. La superposition des noeuds et arcs de même nature, conduit à la mise en correspondance des inconnues avec les éléments appropriés. Ainsi la question : "Que possède Pongo ? " donne lieu à un élément de réseau (fig.11.3), qui est superposable à un élément de notre réseau d'ensemble, fournissant la réponse : une niche.

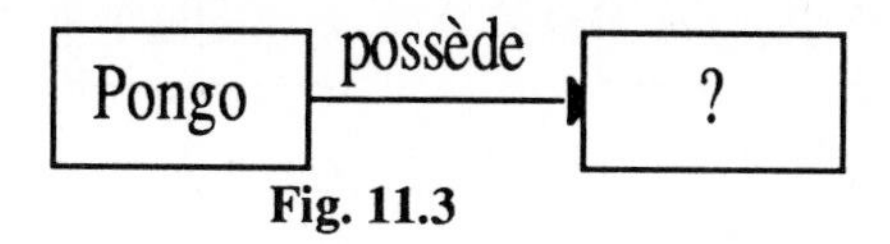

Fig. 11.3

De même, "Y a-t-il un chien qui possède une niche ?" (fig.11.4) peut être associé au réseau de la fig.11.5 (dérivé du réseau initial -fig.11.2- en utilisant la transitivité du lien "est un"), et fournit la réponse "Oui, Pongo".

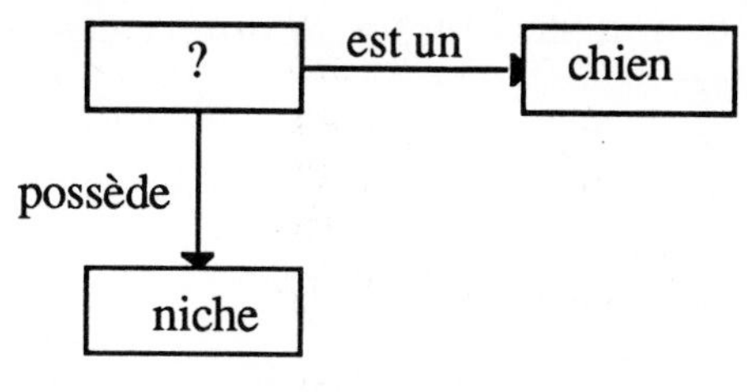

Fig. 11.4

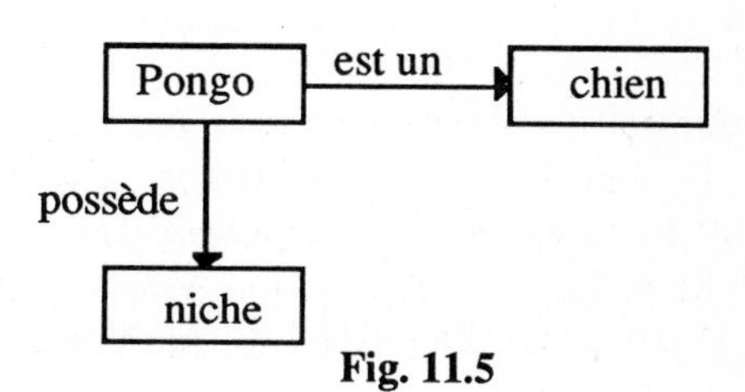

Fig. 11.5

11.3. Généralisation

Première remarque

Notre exemple ci-dessus n'est pas d'une rigueur extrême. En effet, le fait que Pongo possède *une* niche n'est pas tout à fait correctement décrit par la structure

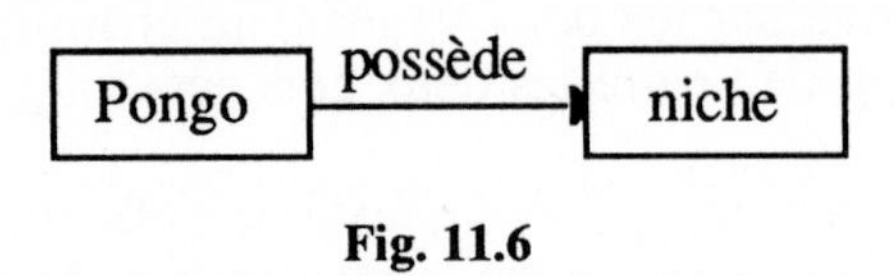

Fig. 11.6

qui traduirait plutôt le fait que Pongo possède *LA* niche. En d'autres termes, il y a d'autres niches (de même qu'il y a d'autres chiens...).

Qu'à cela ne tienne, écrivons :

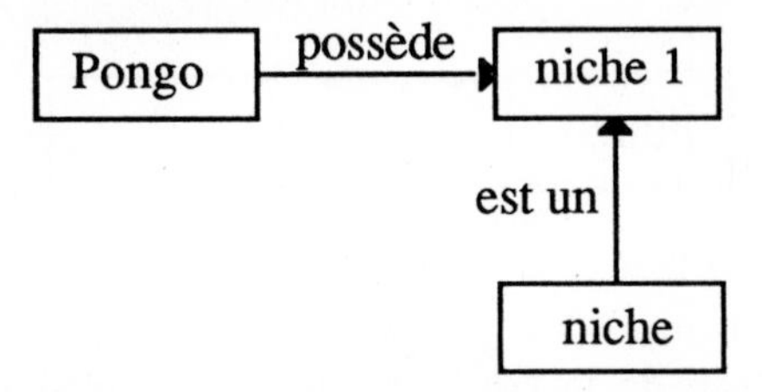

Fig. 11.7 - Différence entre 'une niche' et la niche de Pongo

Cet exemple met en évidence la notion de *classes d'objets* et de *représentants individuels* de cette classe.

Deuxième remarque

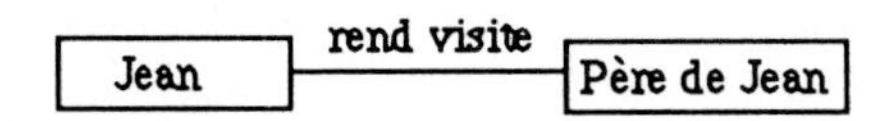

Fig. 11.8 - "Jean rend visite à son père" (1)

Cette représentation est manifestement insatisfaisante, car elle fait disparaître toute mention de la relation existant entre Jean et le père de Jean, traduite dans la phrase par le possessif "son". Si Jean rendait visite au père de Paul, nous aurions mention de trois personnes, et l'on pourrait identifier le fait que ces trois éléments sont des membres d'une même classe, ce qui donnerait le schéma de la fig.11.9 :

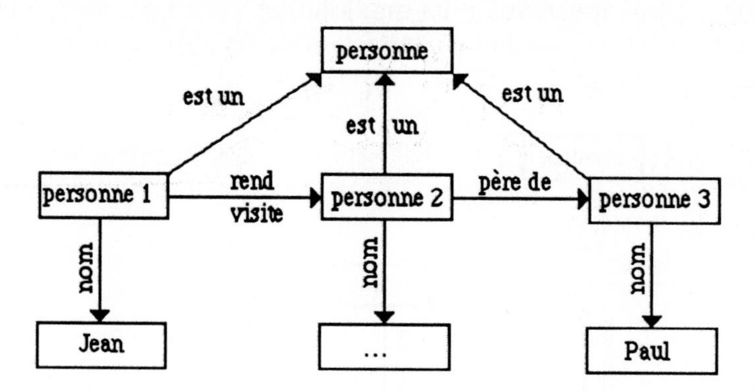

Fig. 11.9 - "Jean rend visite au père de Paul"

Notre phrase se traduira donc avantageusement par la fig.11.10 :

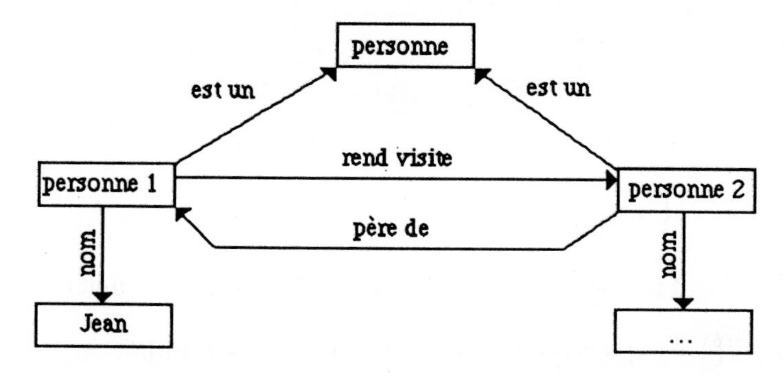

Fig. 11.10 - "Jean rend visite à son père" (2)

Nous voyons ici réapparaître les notions de classes et de représentants, et nous notons l'apparition d'une caractéristique (ici, le nom) associée à chacun des représentants de la classe, même si la valeur n'est pas nécessairement connue.

Troisième remarque

Nous pouvons vouloir traiter d'une réalité un peu plus complexe : par exemple, faisant intervenir des dates de validité,... Dans ce cas, l'arc-relation va lui-même se voir rattacher des caractéristiques, ce qui conduit rapidement à l'idée de *représenter les relations elles-mêmes comme des noeuds*, avec tous les liens qui peuvent y être associés.

Supposons que nous voulions transcrire dans notre formalisme la phrase : "Pierre loue un appartement de mai à juillet", nous devrons donc créer un noeud "location" auquel se rattacheront les différents éléments du contrat.

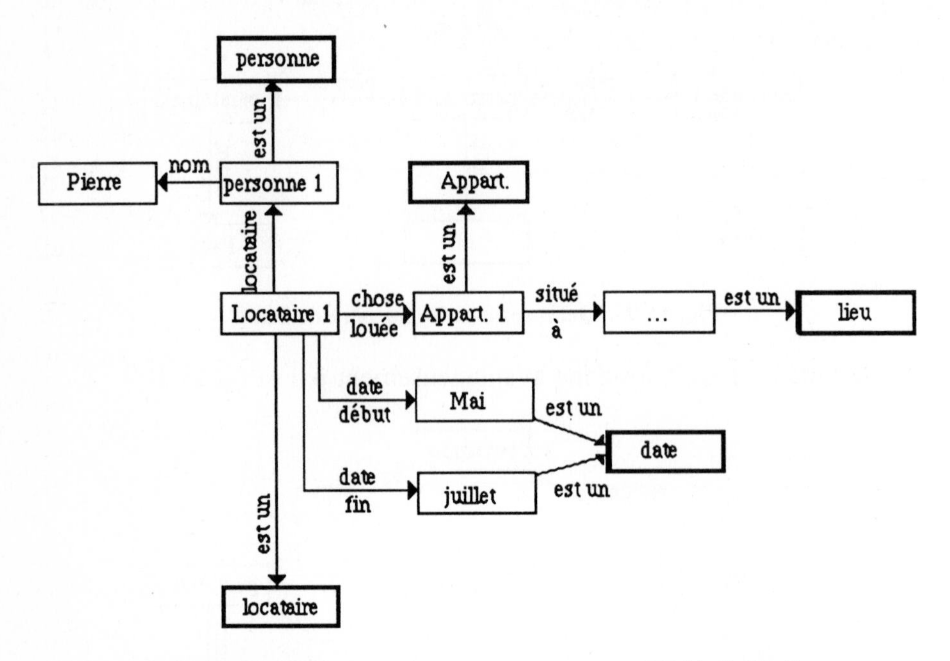

Fig. 11.11 - "Pierre loue un appartement de Mai à Juillet"

Cette fois-ci, la description s'est notablement enrichie - au prix il est vrai d'une certaine complexification du réseau. Ce qui importe, c'est de constater le développement des catégories génériques : personne, appartement, lieu, date, location,...
Cette évolution nous amène tout naturellement à présenter sommairement la notion de *dépendance conceptuelle.*

11.4. La dépendance conceptuelle

Développée par R. Schank à partir de 1969, sur la base de ses travaux sur la compréhension du langage naturel, la théorie de la dépendance conceptuelle [Schank et Abelson,1977] cherche à offrir un cadre de description de la réalité qui soit :

- **général**, c'est-à-dire suffisant pour représenter toute situation ;

- **indépendant** de l'utilisation qui en est faite, c'est-à-dire adapté à toutes les tâches qui peuvent être exécutées sur un texte (paraphrase, traduction, déduction, réponse à des questions,...) ;

- **canonique**, c'est-à-dire exprimant une idée de manière unique, indépendamment de sa formulation en langage naturel ;

- **non ambigu**, c'est-à-dire capable d'intégrer tous les éléments d'information disponibles (aussi bien syntaxiques que sémantiques) pour aboutir à la représentation de l'idée unique de l'auteur du texte (dans la mesure, bien entendu, où le texte fournit effectivement suffisamment d'informations pour lever cette ambiguïté).

Exemples cités : *"I saw the Grand Canyon flying to New-York"* dans la mesure où le Grand Canyon ne vole pas (information sémantique = connaissance de l'univers), il est clair que le sujet de "flying" est "I".

"The old man's glasses were filled with sherry" : ici le contexte indique que "glasses" doit être pris dans le sens de "verres", et non de "lunettes".

Schank propose de décrire les significations à partir de 11 *actions primitives* (ou ACT) :

Actes physiques :
PROPEL : appliquer une force à un objet physique
MOVE : déplacer une partie d'un corps
INGEST : mettre quelque chose à l'intérieur d'un objet animé
EXPEL : forcer quelque chose à sortir d'un objet animé
GRASP : saisir physiquement un objet

Actes caractérisés par le changement d'état qui en résulte :
PTRANS : change l'emplacement d'un objet physique
ATRANS : change une relation abstraite à un objet (telle que la possession)

Actes utilisés principalement comme instruments d'autres actes :
SPEAK : produire un son
ATTEND : diriger un organe sensoriel vers un stimulus

Actes mentaux :
MTRANS : transférer une information
MBUILD : construire une nouvelle information à partir d'anciennes.

Les autres types de concepts sont :

- PPs (picture producers) : objets physiques, intervenant dans les ACT. En particulier :
  - les forces naturelles (le vent, ...)
  - une décomposition en trois de l'activité cérébrale : le Processeur Conceptuel, la Mémoire Intermédiaire, la Mémoire à long terme.

- PAs (picture aiders) : attributs des objets

- AAs (action aiders) qui sont des attributs des ACTs.

- Dates

- Lieux

Bien entendu, toute description se fait à partir de *la création d'objets particuliers* qui dérivent des primitives générales. On désigne ce processus de création d'un représentant d'une classe par le terme d'*instanciation*, l'objet créé est une *instance*. Ainsi, la visite de notre ami Jean à son père est une instance d'un changement d'emplacement PTRANS : soit un noeud particulier PTRANS-123 créé à partir d'un noeud générique PTRANS.

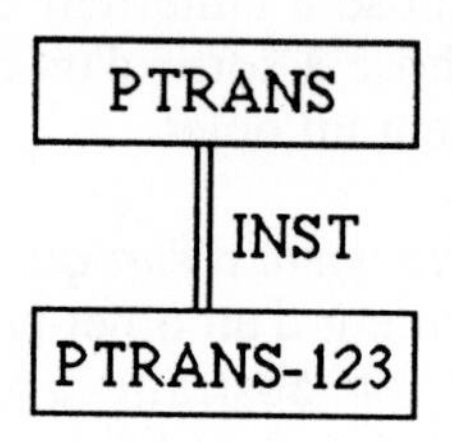

A ces primitives, sont attachées un certain nombre de *caractéristiques* et de *déductions* qui s'appliqueront automatiquement à toute instance de ce modèle.

Exemple : l'action PTRANS-123 a nécessairement
- un acteur (qui effectue le transport)
- un objet (transporté)
- un point de départ
- un point d'arrivée
- une date.

Cette transmission de caractéristiques d'un modèle à ses instances est connue sous le nom d'*héritage*. Elle constitue un des intérêts très importants du mécanisme des primitives. Comme le dit Schank, ce qui justifie la notion de primitive, ce sont les déductions qui lui sont attachées.
Avec ces éléments, reprenons notre exemple de visite (dont nous avions vu un début d'évolution plus haut).
"Jean rend visite à son père" se traduit dans ce nouveau formalisme :

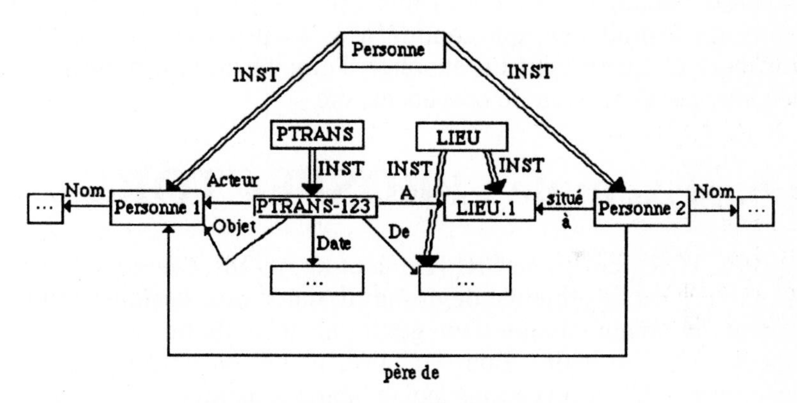

Fig. 11.13 - "Jean rend visite à son père" (3)

11.4.1.Lien d'instanciation, lien de spécialisation

Notons ici qu'un mécanisme d'héritage a déjà été vu à la section précédente. La différence réside dans le type de lien établi :
- ici entre une classe et un de ses représentants (instance), c'est-à-dire un objet physique particulier dont la classe est le modèle ;
- dans le cas de l'arborescence, entre une classe et une sous-classe, c'est-à-dire une catégorie plus restreinte que la classe générale.

Les notions que nous avons vu apparaître : modèles généraux ou classes, liens entre classes et sous-classes, et maintenant liens entre une classe et ses représentants, dit lien d'instanciation, vont constituer les idées fondamentales d'un nouveau formalisme, qui fera l'objet de la section suivante : la structure "modèle".

11.5. Avantages - Inconvénients

Les réseaux sémantiques sont construits autour d'une idée très forte, qui associe un mécanisme de représentation informatique (par le jeu des pointeurs) et un modèle satisfaisant de la psychologie de la mémoire. En particulier, un de leurs avantages essentiels réside dans le regroupement "physique", autour d'un concept, de tous les éléments qui lui sont associés.
Malheureusement, les limites techniques du procédé sont importantes : **lourdeur** de la représentation, qui devient très difficile à gérer dès que la base de connaissances prend une taille significative, **manque de rigueur** du formalisme, qui conduit à de nombreuses questions sur la "signification" qu'on peut lui attacher, l'unicité de la représentation, la représentation d'idées ou de croyances, etc.

11.6. Exemple : PROSPECTOR

PROSPECTOR , conçu au SRI [Duda et al., 1978], évalue la possibilité qu'il existe des gisements de minerai dans une certaine région. Il modélise le raisonnement d'un géologue effectuant sur celle-ci une prospection préliminaire. Pour ce faire, il met en correspondance des données d'entrée (observations sur les caractéristiques géologiques des terrains considérés, et sur la nature des minéraux qu'on y trouve en surface) avec des modèles descriptifs généraux d'un certain nombre de situations géologiques possibles.

11.6.1. Représentation des connaissances

La connaissance géologique est décrite par un **réseau d'inférence**. Les noeuds du réseau sont des affirmations, par exemple :
"Des barytes sur des sulfides suggèrent la présence d'un dépôt massif de sulfides"
"there is pervasively biotized hornblende" (il y a de la hornblende 'biotisée' de manière diffuse)
"La zone étudiée est la ceinture mobile d'une marge continentale"

Ces affirmations situées au noeud du réseau sont reliées entre elles par des arcs qui sont des règles d'inférence : ils expriment la façon dont la probabilité d'une affirmation affecte la probabilité d'une autre

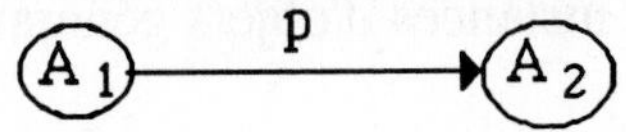

Si p_1 est la probabilité affectée à A_1, la combinaison de p et p_1 fournit la probabilité de A_2.

Comme on le voit, ces arcs représentent tout à fait des règles de déduction affectée d'un coefficient de pondération, semblables aux règles de production de MYCIN avec leur plausibilité.

D'autres arcs établissent des relations "de contexte" entre affirmations, indiquant que l'établissement de l'une (le contexte) est obligatoire pour prétendre établir les autres.

Réseau sémantique : les affirmations qui sont aux noeuds du réseau d'inférence sont représentées comme les sous-ensembles ("*espaces*") d'un réseau sémantique partitionné (fig.11.13).

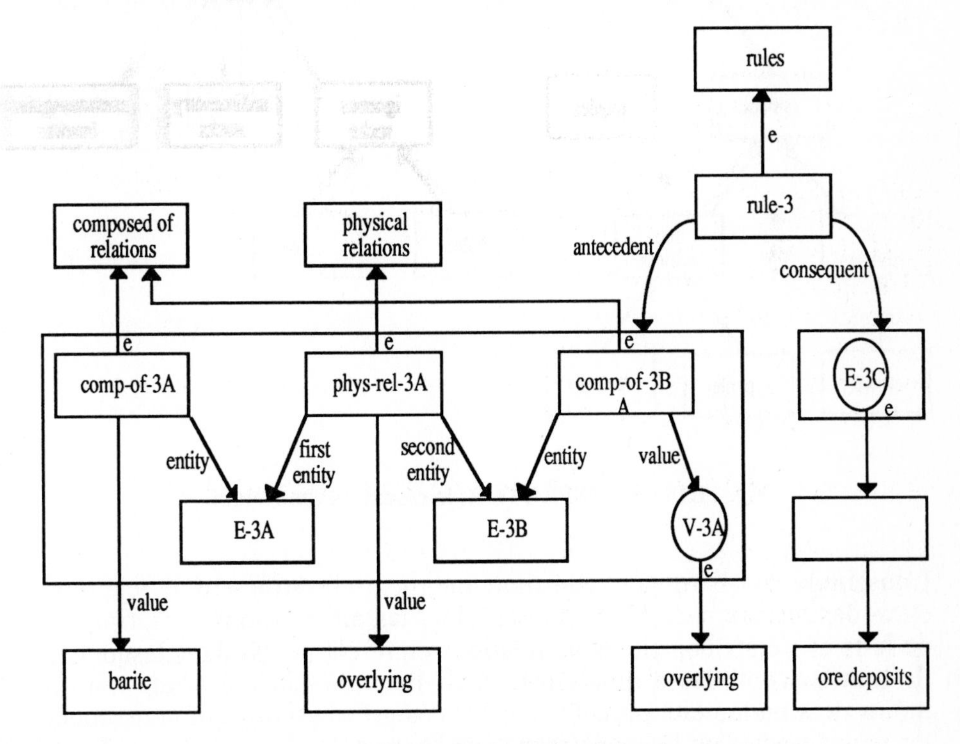

Fig. 11.13 - Une règle de PROSPECTOR

Un tel espace exprime l'existence d'une (ou plusieurs) entité(s) physique(s) (exemple : barytes, sulfides) participant à une certaine relation (exemple : superposition). Les objets qui apparaissent dans les affirmations sont des instances d'objets généraux.

Réseau taxonomique : les différents termes techniques employés sont regroupés dans une arborescence qui fait apparaître les relations entre une catégorie, ses sous-ensembles, les composants de ces sous-ensembles, etc.

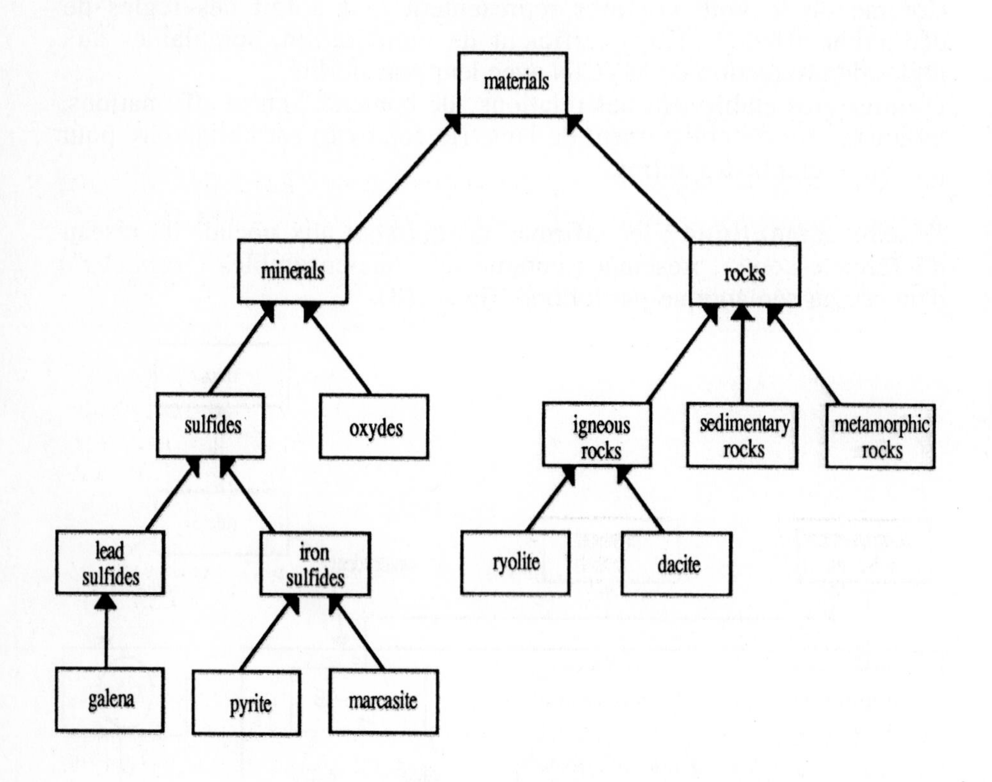

Fig. 11.14 - PROSPECTOR, le réseau taxonomique

L'ensemble de ces réseaux constitue une très riche structure de relations entre des termes techniques du domaine, les affirmations (descriptions de faits et d'états constitués de relations entre éléments) dans lesquelles ils sont susceptibles d'apparaître, et les liens de cause à effet - ou du moins de simultanéité probable - entre ces affirmations, qui constituent les règles traduisant la connaissance de l'expert.

11.6.2. Contrôle

Le système procède par raisonnement en chaînage arrière, à partir d'un modèle but, en cherchant notamment :

- à établir le contexte du modèle but, s'il y en a un : ce contexte devient alors le nouveau but ;

- à établir les prémisses d'une règle d'inférence dont le but actuel est la conclusion : les prémisses deviennent le nouveau but.

Si le but est "demandable", la question est posée à l'utilisateur.

L'acquisition des données (qui permettent la détermination du but courant, notamment au début bien entendu) se fait par génération d'un réseau sémantique associé aux phrases de l'utilisateur, et par appariement (matching) de ce réseau aux parties correspondantes du réseau d'ensemble de la base de connaissances.

La notion de composant ou sous-ensemble conduit à des appariements par déduction. Par exemple, l'affirmation qu'*il n'y a pas de mica*, jointe à la connaissance (contenue dans le réseau taxonomique) que *la biotite est une forme particulière de mica*, conduit à nier l'assertion (citée plus haut) "*there is pervasively biotized hornblende*".

A noter dans cet exemple qu'en outre, l'analyse du texte a effectivement dû générer un réseau qui fasse apparaître que la "*biotized hornblende*" est une forme particulière de biotite.

Les déductions établies à partir des informations fournies par l'utilisateur permettent de générer des probabilités pour les modèles auxquels ces informations s'appliquent. Au départ, c'est cette évaluation qui fournit le premier modèle pris comme but de démonstration. Par la suite, l'utilisateur peut fournir en cours de processus de nouvelles informations dont les conséquences seront prises en compte dans le réseau général, et utilisées dans le raisonnement.

11.6.3. Conclusion

La base de connaissances de PROSPECTOR est un exemple achevé de l'utilisation des réseaux. La quantité d'affirmations et de règles traitées par cette méthode est significative (au total 541 affirmations et 327 règles) mais peut-être néanmoins un peu plus limitée que dans d'autres systèmes : les chiffres ci-dessus correspondent en fait à la conjugaison de 5 modèles différents correspondant à des types de prospection géologique et minière distincts (uranium, nickel, cuivre,...) et à des ensembles d'affirmations et règles assez bien différenciées (les nombres d'affirmations et de règles varient respectivement d'une trentaine à plus de 200 affirmations, de 20 à environ 130 règles).

Quoi qu'il en soit de la lourdeur ou de la complexité éventuelle de ce mode de représentation, PROSPECTOR fait partie des grands systèmes experts qui ont atteint des performances égales à celles des spécialistes dans leur domaine. Il a même eu son heure de gloire en indiquant, contre l'avis même des concepteurs de sa base de connaissances, un gisement de molybdène dont la présence a été confirmée par des explorations ultérieures.

12

La structure "modèle" : les "frames" et les "scripts"

Développée en 1975 par Minsky, l'idée des *frames* est d'offrir un support permettant de *regrouper l'ensemble des informations* disponibles sur un objet (au sens large : concept, événement ou acte).Elle a pris corps dans le cadre des travaux sur la compréhension du monde courant (vision et compréhension de scène, langage naturel et compréhension de textes).
La structure de base se présente comme un "modèle" de l'objet considéré, qui décrit ses différentes caractéristiques. La même idée a été reprise sous différents noms et pour divers types d'applications.

12.1. Principes : modèles et instances. Notion d'héritage

Pour la plupart, les idées essentielles de la notion de "frame" sont similaires à celles qu'on a vu apparaître dans l'évolution des réseaux sémantiques, et notamment dans l'expression de la théorie de la dépendance conceptuelle (cf. §12.4.). Cela est naturel puisque, comme on l'a dit, les deux formalismes sont nés, à peu de temps d'intervalle, pour traiter des mêmes problèmes (représentation de l'univers courant).
Les traits principaux sont les suivants :

1) la structure de la base sert à décrire des objets génériques, des modèles d'objets, à partir desquels on dérivera (par instanciation) les objets particuliers qui se rencontreront dans l'univers traité.
Par exemple : un frame décrira "une chaise", et une instance de ce frame générique sera "la chaise de Paul".

frame générique sera "la chaise de Paul".
2) Une autre catégorie de filiation peut être établie *entre les modèles*, permettant de rattacher un modèle générique donné à un super-modèle, plus général.
Par exemple : le frame "chaise" peut être rattaché à un frame plus général "meuble".

3) Un mécanisme d'héritage permet d'attribuer aux structures qui descendent d'un prototype (qu'elles soient elles-mêmes des sous-classes, dérivées par filiation, ou des individus, créés par instanciation) les caractéristiques de leur "ancêtre".

Ainsi, si je définis le modèle "siège" comme un meuble fait pour s'asseoir et doté de pieds, le tabouret ou la chaise auront les mêmes caractéristiques, auxquelles j'ajouterai seulement l'absence de dossier (pour le tabouret) et sa présence (pour la chaise).

12.2. Structure

Le frame constitue un cadre (comme son nom l'indique) dans lequel sont rassemblées les caractéristiques de l'objet modèle.

Chacune de ces caractéristiques, que l'on désignera sous le nom de *facette* est définie librement par l'utilisateur lors de la description du modèle (par exemple : la facette "nombre de pieds" pour le modèle du siège). Le frame peut ainsi regrouper un grand nombre d'éléments de description divers relatifs à un objet.
A l'intérieur d'une facette, plusieurs éléments peuvent être décrits. Ces éléments, appelés *slots* sont des données ou des comportements attachés à la caractéristique-facette :

- *'valeur'* (ou *'='*) indique la valeur de la facette
- *'doit être'* (*require*) spécifie un domaine de définition (nombre entier, chaîne de caractères alphabétiques, (0, 1, 2), ...)
- *'par défaut'* (*default*) indique la valeur qui devra être admise en l'absence d'indications spécifiques
- *'si nécessaire'* (*if needed*) précise la conduite à tenir si la valeur n'est pas disponible et si l'on en a besoin. Ce pourrait être un calcul, un pointeur vers un élément susceptible de contenir l'information, ou l'appel d'une procédure (par exemple, une interface d'interrogation de l'utilisateur du système) (sur ce point, voir §14.3. : le mécanisme

de l'"*attachement procédural*").

- ...

Exemples :

Frame Chaise
Sorte-de : Meuble
Nombre-de-pieds : **doit être** entier
par défaut 4
Style-du-dossier : **doit être** Droit, Rembourré
Nombre-de-bras : **doit être** 0, 1 ou 2

Frame Chaise-de-Paul
Sorte-de : Chaise
Nombre-de-pieds : 4
Style-du-dossier : Rembourré
Nombre-de-bras : 0

Remarques :

- Le frame "Chaise" décrit une catégorie, qui est un *sous-ensemble* de la catégorie plus générale "Meuble".
  Le frame "chaise-de-paul" décrit un objet particulier, unique, qui est une *instance* de la catégorie "chaise".
  Ces deux types de lien sont en général distingués :
  lien ISA ("is a" = est un)
  lien AKO ("a kind of" = une sorte de)
  L'un comme l'autre permet l'*héritage* de propriétés

- Dans le frame "Chaise", on distingue :

  - facettes : Sorte-de, Nombre-de-pieds, Style-du-dossier,...
  - slots : repérés par des **mots-clés** : **doit être, par défaut**
    (le slot "valeur" est indiqué implicitement par l'absence de mot-clé)
  - valeur du slot : Meuble, entier, 4, (Droit, Rembourré), (0, 1, 2).

Les deux exemples ci-dessus illustrent quelques-unes des propriétés des frames, dans le cas d'un modèle général (chaise) et d'une de ses instances (la chaise de Paul).

Mentionnons encore deux types de slots particuliers :
- *"si ajouté"* (*if added*),
- *"si supprimé"* (*if removed*)
qui décrivent les actions à entreprendre lorsqu'une modification (adjonction ou suppression) est effectuée sur la valeur d'une facette.
Ces opérateurs constituent une version des procédures appelées *démons* qui réagissent par une action à la survenance d'un événement (cf §12.3. sur l'attachement procédural).

12.3. Scripts

La notion de *scripts* (scénario) a été introduite, sur le modèle des frames, par Schank et Abelson[1977] pour décrire, non plus des objets, mais des scènes de la vie courante.

Lorsque nous lisons un roman, beaucoup de détails du déroulement de l'action sont omis : par exemple, si l'histoire amène les personnages au restaurant, l'installation, la remise du menu, sa lecture, la commande, ... ne sont pas toutes décrites en détail, peut-être même pas du tout. Le texte procède par allusions, indiquant par quelques mots tout ce qui se passe normalement, soulignant parfois un détail, un élément insolite qui mérite d'être signalé.

Si l'auteur peut condenser de la sorte, c'est que dans la réalité, nous ne faisons pas davantage attention à une grande quantité de séquences d'actions qui sont pour nous des automatismes : prendre sa voiture, manger au restaurant, réserver un billet d'avion,... relèvent de connaissances passées à l'état d'automatismes. Pour le programme qui doit paraphraser la description de telles actions, tout l'implicite doit être explicité.

L'exemple ci-dessous, emprunté à Schank, illustre ce type de structure de connaissances.

Script Manger_au_Restaurant

Eléments :	(Restaurant, Argent, Nourriture, Menu, Tables, Chaises)
Roles :	(Personnes-affamées, Serveurs, Chefs)
Point-de-vue :	Personnes-affamées
Moment :	(Heures-d'ouverture du Restaurant)
Lieu :	(Emplacement du Restaurant)

Scénario :

d'abord : **script** "Entrer_au_Restaurant"
puis : **script** "Attirer_l'attention_du_maître-d'hôtel"
puis : **script** "Prendre_place_à_table"
puis : **script** "Passer_commande"
puis : **script** "Manger" **sauf-si** (Longue_attente) **alors**
script "Sortie_en_colère"
puis : **si** (Qualité_nourriture > Convenable) **alors**
script "Féliciter_le_Chef"
puis : **script** "Payer_l'addition"
enfin : **script** "Quitter_Restaurant"

Dans la pratique, on peut douter de la nécessité d'un programme qui explique comment se comporter au restaurant. Songeons toutefois à quelques exemples plus professionnels :

- dépanner un matériel (autant de scénarios que de type de matériel)
- négocier un contrat avec un client
- conduire une réunion de travail
- présenter un dossier pour emporter l'adhésion.

12.4. Avantages-Inconvénients

Représentation structurée évoluée, héritière dans sa conception des travaux et réflexions antérieures (arborescence, réseaux sémantiques), la conception des frames conserve et développe les qualités fondamentales déjà mentionnées pour ce type de représentation.

- **Clarté** et **cohérence** du canevas établi pour stocker les informations dont la structure (si elle a été convenablement définie) reproduira une architecture familière au spécialiste utilisateur.
  Nous renvoyons à ce sujet à la discussion introductive sur le "sens" des représentations : nous y avons souligné que, s'il est en principe illégitime d'accorder une signification à une structure de données indépendamment du mécanisme qui l'utilise, il est en revanche intéressant dans la pratique que la forme choisie soit "parlante" pour l'utilisateur (cf. §8.2.2.).
  De ce point de vue, la conception des frames est très bonne.

- **Economie** de stockage obtenue par le mécanisme de l'héritage.

De par sa structuration, cette représentation présente un avantage supplémentaire :

- **Guide** pour le travail de recherche. En effet, :
  - d'une part, elle indique l'existence virtuelle d'informations même lorsque celles-ci n'ont pas été fournies. Ce rôle est tout particulièrement accentué dans la notion de *script* ;
  - d'autre part, elle offre de nombreux outils pour piloter le déroulement du travail : mécanisme des démons, indication des solutions de repli possibles en cas d'échec de la recherche en cours (cf. l'exemple de PIP ci-dessous ; cf. également § 14.2.).

En contrepartie, et comme toute représentation structurée, le frame impose :

- forte **rigidité** de la structure, qui ne pourra s'accommoder de données non conformes au canevas prédéfini. Néanmoins, cette rigidité est tempérée par la richesse de l'outil, qui permet a priori de faire face à de nombreux besoins de représentation.

- **Faible évolutivité** des structures une fois définies : on retrouve ici le problème bien connu de la structure de base de données inadaptée à une application, et qu'il est d'autant plus difficile de corriger que la structure déjà définie est complexe, et que le volume des données est important. Bien souvent, en effet, il sera impossible de récupérer l'existant, qu'il faudra ressaisir entièrement...

Conclusion (pas très originale, mais néanmoins très importante) : bien réfléchir avant de constituer la structure !

12.5. Exemple : the Present Illness Program (P.I.P.)

Développé au MIT, PIP [Szolovits et Pauker,1978] est conçu pour modéliser le raisonnement médical, dans le cas du diagnostic de généraliste : le patient ressent principalement un symptôme dont il se plaint ; ce trouble majeur constitue le point de départ du diagnostic, qui par ailleurs ne s'appuiera que sur des informations facilement accessibles (interrogatoire, examens cliniques de routine, analyses de laboratoire courantes - à l'exclusion des examens lourds, coûteux ou risqués).

12.5.1. La connaissance

Elle est constituée de frames qui décrivent notamment les différentes maladies considérées.

Pour une maladie donnée, les informations disponibles sont classées en différents groupes de caractéristiques :

- les "**typical findings**" décrivent les manifestations que le praticien doit s'attendre à trouver, en présence de la maladie en question. Ces manifestations sont elles-mêmes décomposées en deux groupes :
  - les "*triggers*" sont des manifestations tellement caractéristiques qu'elles déclenchent une "activation" du frame,
  - les "*findings*" sont des manifestations courantes, moins typiques.

- Les "**critères de décision logique**" servent à confirmer ou infirmer une hypothèse. Ils sont de trois sortes :
  - "is-sufficient"
  - "must-have"
  - "must-not-have".

- Les "**relations complémentaires à d'autres frames**" établissent des liens entre la maladie traitée et d'autres affections. Les liens ainsi établis sont :
  - de causalité : "causé par" et "cause de"
  - d'interaction (complication) : "compliqué par" et "complication de".

- Par contraste, le groupe suivant ("**diagnostics différentiels**" : cf. §14.2.) établit des liens utiles en cas d'échec du diagnostic de la maladie considérée. Si le frame a été activé, c'est qu'un certain nombre de symptômes caractéristiques ont été trouvés. En l'absence de confirmation de l'hypothèse, le frame indique néanmoins d'autres frames où les mêmes symptômes se retrouveront en bonne place.

- Enfin, un groupe de **règles d'évaluation** permet de fournir une note à l'hypothèse, sur la base des faits constatés (findings). Chaque règle comporte une suite de cas à chacun desquels est associé un score. Les cas sont examinés à tour de rôle : le premier qui est vérifié indique le score retenu. On passe à la règle suivante dont les cas sont évalués de la même façon, et ainsi de suite.
  La somme des scores obtenus pour chaque règle, normalisée par le score maximum possible du frame, fournit une évaluation d'adéquation de l'hypothèse.

Ci-dessous, un ***exemple de frame*** illustre cette structure :

```
                GLOMERULONEPHRITE-AIGUE

Typical Findings
    TRIGGERS          (OEDEME avec LOCALISATION=FACIALE
    ..)
    FINDINGS          (ANOREXIE ...)

Critères de Décision Logique
    IS-SUFFICIENT         (Néant)
    MUST-HAVE             (Néant)
    MUST-NOT-HAVE         (Néant)

Relations Complémentaires à d'autres Frames
    CAUSED-BY             (INFECTION-STREPTOCOQUE, ...)
    CAUSE-OF              (RETENTION-SODIUM, ...)
    COMPLICATED-BY        (DEFICIENCE-RENALE-AIGUE, ...)
    COMPLICATION-OF       (CELLULITE, ...)

Diagnostics Différentiels
    HYPERTENSION-CHRONIQUE implique
                      GLOMERULONEPHRITE-CHRONIQUE
    OEDEME-RECURRENT implique SYNDROME-NEPHRITIQUE

Evaluation
    (((PATIENT avec AGE=ENFANT) -> 0.8)
     ((PATIENT avec AGE=MOYEN)  -> -0.5)
     ...)
    (((OEDEME avec SEVERITE=non MASSIVE)  -> 0.1)
     ((OEDEME avec SEVERITE=MASSIVE)   ->  -1.0)
     ...)
```

12.5.2. Le raisonnement

Le raisonnement de PIP consiste en l'élaboration d'hypothèses : une hypothèse est une instance d'un frame de maladie.
Les hypothèses peuvent être dans trois états :

- *actives*, si au moins un "trigger finding" a été trouvé,
- *confirmées*, si leur score dépasse un certain seuil,
- les hypothèses *semi-actives* correspondent aux frames qui sont voisins immédiats de ceux des hypothèses actives dans le réseau des frames.

Le cycle de raisonnement comporte :

- la recherche d'un nouveau fait (questions au praticien),
- la sélection des frames concernés par ce fait, et la mise à jour des hypothèses (élimination d'hypothèses pour lesquelles un symptôme "must-not-have" a été trouvé ; activation d'hypothèses déclenchées par un "trigger" ; mise à jour des scores si une règle d'évaluation a été activée ;...),
- la sélection du nouveau fait à rechercher. L'hypothèse ayant le score le plus élevé va retenir l'attention : le prochain fait recherché sera l'un de ceux qui pourraient la confirmer.
  Remarque : à l'usage, cette méthode de sélection des hypothèses s'est révélée erratique ; elle conduit à poser trop de questions et surtout ne suit pas une ligne de raisonnement suffisamment uniforme.

Caractéristiques intéressantes du raisonnement :

- la combinaison de deux formes de raisonnement : l'un par critères de décision logique (raisonnement de type "booléen"), l'autre par évaluation de la valeur d'une hypothèse, par les scores (de type "probabiliste") ;

- la combinaison d'un raisonnement local (évaluation des faits -symptômes disponibles- sur une hypothèse) et global (évaluation d'un ensemble d'hypothèses sur les faits).

12.5.3. Conclusions

La représentation de type frames dans PIP permet la description de modèles généraux structurés des maladies. Plusieurs mécanismes associés à cette structure sont utilisés :

- l'instanciation de frames particuliers à partir des frames généraux pour la génération d'hypothèses : cette procédure peut être identifiée à la constitution d'une Base de Faits (relative au problème spécifique traité) bien distincte de la Base de Connaissances médicales générales ;
- le problème de la recherche des frames correspondants à un certain ensemble de symptômes en cas d'échec de l'hypothèse courante est notamment traité par le mécanisme des pointeurs vers les "diagnostics différentiels" ;

- le calcul de scores, par le biais des valeurs attachées aux différents cas des règles d'évaluation, correspond dans une certaine mesure à un appel de procédure par le biais d'un slot.

La recherche dans l'espace des états est du type "recherche en graphe" : chaque hypothèse est évaluée, et la poursuite de la recherche se fait dans la direction de l'hypothèse la plus prometteuse à chaque cycle.
L'heuristique qui guide cette recherche (critères de décision booléens et score de correspondance avec les faits) est du type "évaluation des résultats obtenus", qu'on peut dans une certaine mesure, assimiler à une mesure de la "distance" restant à parcourir pour parvenir à un diagnostic. Comme on l'a indiqué, cette heuristique se révèle trop peu directrice.

13

Les structures "analogiques"

On ne peut parler de représentation de connaissances sans évoquer une classe particulière que l'on désigne en général sous le nom de *représentation analogique*. Exemples classiques de cette représentation :

- **la figure de géométrie**, qui traduit sur un dessin les éléments du problème traité ;

- **le schéma technique**, qui représente suivant les cas une *structure mécanique* (objets physiques et leurs positions relatives, forces appliquées et leur répartition), une *installation industrielle* (par exemple, une unité de distillation pétrolière : bâtiments, colonne de distillation, réseaux de circulation des fluides,...avec leurs composants: vannes, pompes, points de contrôle, points de mesure,...) ou encore la *constitution d'un matériel* (circuit électronique, schéma de câblage électrique, plan ou figure éclatée d'un composant mécanique,...);

- **la carte géographique** utilise parfois une symbologie complexe pour mentionner de nombreuses caractéristiques du terrain représenté : la projection plane des objets est (en général) purement géométrique, mais il s'y ajoute :
  - la représentation du relief (courbes de niveau),
  - une codification par couleurs et une symbologie, explicitées dans une légende, et susceptibles de représenter des caractéristiques très diverses : constructions et couverture végétale sur les cartes classiques, mais aussi population (géographie humaine et histoire), nature du sous-sol (géologie), production et activités industrielles (géographie économique), etc;

- **la partition musicale.**

Ce type de représentation est connu sous le nom de représentation *analogique* ou encore de représentation *directe.*

13.1. Définition et caractéristiques

La définition la mieux établie est due à Sloman [1971], qui parle de *"schémas dans lesquels les propriétés de - et les relations entre parties de - la représentation représentent les propriétés de - et les relations entre parties de - la réalité complexe représentée, de sorte que la structure de la représentation donne une information sur la structure de ce qui est représenté".*

L'examen des exemples ci-dessus et de quelques réalisations effectives fait apparaître un certain nombre de caractéristiques.

- **Diversité** des types de représentation analogique : la représentation analogique n'est pas nécessairement une figure continue à deux dimensions.
  Comme on l'a vu dans les exemples, toute une variété de symboles peut être utilisée ; dans la construction de cette symbolique, on se rapproche des structures abstraites de description, du type "frame".
  Plus strictement, la "figure" peut très bien être codée : une liste de nombres correspondant aux coordonnées des points représente ainsi une figure géométrique de façon plus efficace (pour l'ordinateur) que la matrice de valeurs binaires qui transposerait directement la feuille de papier.

  Ce qui caractérise la représentation analogique, *ce n'est pas une méthode particulière de représentation*, c'est l'existence d'une *correspondance* entre certains aspects de la structure de la représentation et les mêmes aspects de la structure de la réalité.

- **Spécificité** : les représentations analogiques sont liées au type de réalité qu'elles représentent : ceci résulte de leur définition même.

  Précisons cette spécificité en l'examinant suivant deux aspects :

  1) *le rôle de la procédure* qui interprète la représentation est d'autant plus important que celle-ci est plus liée à une réalité particulière.

On a souligné (cf. §8.2.1.) qu'il était en toute hypothèse impossible de séparer le modèle de représentation de son interpréteur, puisque c'est par les résultats qu'elle permet de fournir que la représentation des connaissances prend un "sens".

Toutefois, dans les représentations plus conceptuelles, on utilise des modèles généraux basés sur le langage. L'interpréteur manipule des mots, et beaucoup de "l'intelligence" du système réside dans le sens que l'utilisateur attache à ces mots. La procédure d'interprétation - du type de celles que nous avons vues dans les structures précédentes - a pour rôle d'établir des définitions et des relations entre des symboles verbaux. En ce sens, elle peut être *assez générale.*

La représentation analogique est basée sur l'établissement d'un lien direct entre des caractéristiques "physiques" de la réalité et le modèle : représentation des distances, d'une intensité, d'une séquencialité temporelle, ... Il est clair que *la procédure qui établit ce lien possède nécessairement un caractère spécifique* : c'est elle qui détermine ce qui, dans le modèle, est effectivement représentatif de la réalité, et *a contrario*, ce qui ne l'est pas.

2) La représentation choisie est adaptée au problème traité, elle n'est en général *pas transposable* à un autre type de problème, même apparemment voisin. Par exemple, la représentation d'une figure de géométrie et celle d'une carte de géographie, bien que graphiques toutes deux, ne font pas appel aux mêmes éléments de représentation. Autrement dit, deux représentations basées apparemment sur une même idée (le "dessin") se distinguent en fonction du besoin sous-jacent à la représentation.

Cette constatation introduit une autre caractéristique de ce type de représentation : leur caractère partiel.

- **Partialité** : un aspect seulement de la réalité est représenté par la représentation analogique. Exemple classique : la carte représente directement les positions et les distances, mais pas (ou pas de la même façon) les altitudes.

En fait, ce n'est pas tant par ce caractère partiel que ce mode de représentation se distingue des autres : toute représentation est réductrice, et les modèles conceptuels à base de formulations logiques et d'expressions verbales le sont peut-être davantage encore.

Ce qu'il faut souligner c'est qu'*un aspect seulement* de la représentation représente effectivement la réalité : certaines caractéristiques du modèle ne sont pas homomorphiques de la réalité. Il importe donc de connaître ces limites, pour *ne pas prendre en compte des aspects* du modèle qui *ne sont pas représentatifs* : c'est ce que Funt[1976] exprime en indiquant que le nombre de situations (qu'il appelle *modèles*) qui peuvent être représentées par une description analogique est plus faible que celui des situations décrites par un autre type de représentations, à base de propositions.Le modèle est, d'une certaine façon, "trop riche".

- **Particularisation** : un cas particulier de cette surdétermination du modèle est celui de la "figure" ou de l'"exemple". Certaines représentations analogiques sont basées sur la description d'un *cas particulier* de la situation traitée : c'est ce qui se passe lorsque l'on fait une figure de géométrie.

  Soulignons que cette particularisation n'est pas systématique : le schéma ou la carte sont des représentations partielles, mais non particularisées, de la réalité qu'ils traduisent.

13.2. Avantages-Inconvénients

Nous examinerons les aspects positifs et négatifs de ce mode de représentation liés à chacune de ses caractéristiques.

13.2.1. Simulation

Le premier de ces couples antagonistes est associé au mécanisme de ***simulation*** qui est spécifique de la représentation directe.

- Avantage : *la vérification d'une propriété est souvent beaucoup plus simple que sa démonstration.* Ainsi, dans le *General Space Planner* [Eastman,1973], le rangement d'objets dans un espace donné, en respectant certaines contraintes de positions relatives, s'effectue à partir d'un diagramme sur lequel sont représentés l'espace de rangement et les objets à ranger (cf. fig.13.1).
  Le respect de contraintes (contiguïté, visibilité) ainsi que la non-occupation d'un espace ou le recouvrement d'objets apparaissent immédiatement sur le diagramme, alors que leur vérification par calcul représenterait un travail relativement lourd.

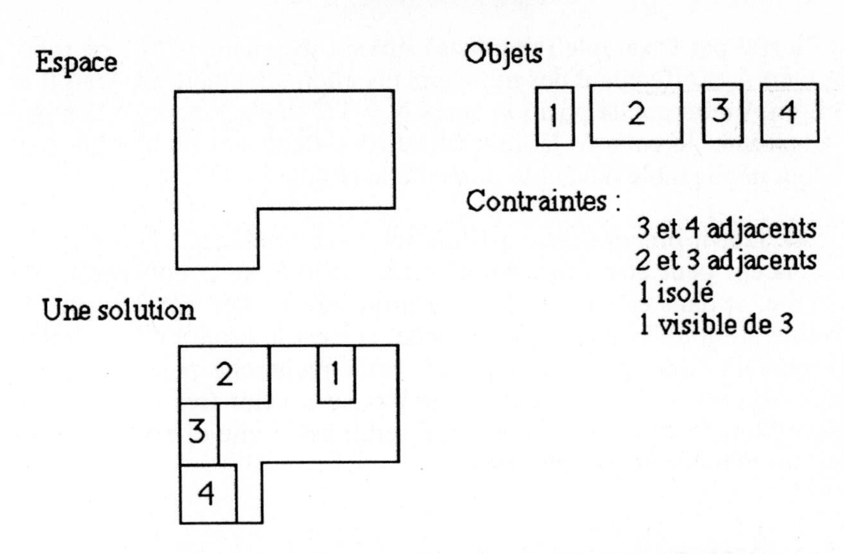

Fig. 13.1 - Un problème traité par General Space Planner

- Autre avantage qui peut être associé au mécanisme de simulation : *la réduction des effets de bord.* Ce problème des effets de bord est connu sous le nom de "frame problem"(*) (Mc Carthy et Hayes, in [Michie et Meltzer,1969]). C'est celui qui résulte de la génération de déductions liées à l'adjonction d'une nouvelle connaissance : problème de la mise à jour de la base de faits et du maintien de sa cohérence lorsque des faits nouveaux apparaissent...ou disparaissent !

  La mise à jour dans une représentation analogique se réduit souvent à l'adjonction de l'élément nouveau. Ceci semble résulter de *l'absence de formulation explicite des relations* entre celui-ci et les autres faits de la base : ces relations sont *implicitement* établies dans la représentation, et leur formulation *explicite* est effectuée quand c'est nécessaire par *des procédures* de vérification (=mécanisme de simulation). L'absence de représentation conceptuelle explicite supprime la nécessité d'y corriger des effets de bord [Kobsa, 1984].

- Inconvénient de la technique de simulation : elle peut se révéler *manquer de généralité.* Dans certains cas, l'usage d'un concept plus général permet de passer à un raisonnement beaucoup plus simple, alors que la simulation collera pesamment à la réalité. Cet inconvénient

(*) Mais n'a rien à voir avec la structure de données baptisée "frame".

est illustré par l'exemple (simpliste) suivant [Sloman,1975] : un robot placé en A et effectuant des mouvements alternativement de A en B et de B en A aura quelle position après N = 377 déplacements ? Lorsque N augmente, le cout de la généralisation du concept de nombre pair devient négligeable devant la durée de la simulation.

Encore faut-il prendre cette affirmation avec prudence : la recherche du concept peut être faite avant la réalisation par le concepteur du système, et dans ce cas la généralisation sera limitée aux cas pris en considération à l'avance ; en revanche, si c'est le programme qui doit chercher le concept généralisateur, cette recherche peut être assez coûteuse en temps de calcul, et ne pas se révéler très rentable par rapport à une simulation brutale, qui serait assez vite effectuée, même pour un nombre de pas très élevé.

13.2.2. Richesse

Autre propriété ambivalente : la richesse de la représentation directe.

Comme on l'a vu plus haut, la quantité d'informations stockées (implicitement) dans un modèle analogique est beaucoup plus importante que celle que contient (explicitement) une liste de propositions. Le nombre de situations réelles qui correspondent à cette représentation est plus faible : de ce fait, cette dernière peut être considérée comme plus exacte - ou plus contrainte.

Inconvénients :

- certaines des caractéristiques contenues dans le modèle peuvent être *fausses dans la réalité.*
  C'est ce que nous avons appris en géométrie, lorsqu'il nous a été enseigné que la vérification d'une propriété sur la figure ne constituait pas une démonstration. Celle-ci est en effet un cas particulier et les caractéristiques qu'elle présente peuvent ne pas résulter des données générales du problème traité.

  Autre exemple : certains planisphères représentent les pays avec leurs positions et leurs formes respectives, mais une superficie proportionnelle à leur population. Cette représentation analogique introduit une homothétie différente (démographique et non géographique) entre les nations de la terre et leur figuration. Il est clair que l'on ne peut effectuer d'évaluation de distance sur une telle carte... Il faut (et il suffit de) le savoir.

- La richesse de la représentation se prête mal à la représentation de l'imprécis et de l'incertain (qui, il est vrai, posent aussi des problèmes aux autres modes de représentation).

  Prenons un exemple : si je sais que la ville C à placer sur une carte est à égale distance de A et de B, je n'ai réduit que d'une dimension la localisation possible de C. Celle-ci est sur la médiatrice du segment AB, mais je ne puis la représenter effectivement.

Avantages :

- La représentation, plus exacte, réduit la recherche et rend le *processus de résolution de problème plus efficient.* Dans la mesure où une seule représentation capte un nombre important de paramètres significatifs, elle constitue une source d'économie de stockage, et un facteur de limitation de la recherche.

  Une bonne illustration de ce bénéfice est fournie par le programme de Gelertner (voir §6.1), dans lequel la représentation analogique permet un très fort taux d'élimination de voies de recherche inintéressantes.

  Le principe de vérification sur la figure est ici inversé : on ne cherche pas à démontrer une propriété en la vérifiant sur la figure (ce qui, on l'a vu, n'est pas légitime) ; simplement, on vérifie qu'une propriété existe sur la figure avant de chercher à la démontrer : si elle n'était pas vérifiée sur la figure - qui est un cas, particulier certes, mais exact, du problème traité - ce contre-exemple suffirait à démontrer que la propriété n'est pas vérifiée en général.

13.2.3. Complémentarité d'une représentation analogique

L'examen du programme de Gelertner et celui du General Space Planner de Eastman évoqués plus haut, fait apparaître *l'intérêt d'une association de deux types de représentation* très différentes, et apparemment complémentaires, que sont une représentation analogique et une représentation procédurale.

Dans un cas (Gelertner), le raisonnement à base de propositions est guidé par un complément analogique (la figure). Dans l'autre (Eastman), la recherche dans l'espace analogique est conduite par une heuristique "propositionnelle" (choix de la contrainte la plus restrictive, fournie par un *graphe des contraintes*, pour la poursuite de la recherche).

Cette constatation met en relief l'idée de la *complémentarité de représentation*. Pour approcher une réalité complexe, un seul mode de description est sans doute trop réducteur. La combinaison de plusieurs approches doit permettre une meilleure prise en compte de différents aspects, réduire le caractère aveugle de la recherche, et par là accroître significativement l'efficacité du programme.

De ce point de vue, les représentations analogiques, par leur caractère fondamentalement différent des autres mécanismes de représentation, présentent certainement un important avantage.

13.3. Conclusion

Les représentations analogiques (ou directes) sont des modèles qui présentent une correspondance avec certaines caractéristiques physiques de la réalité représentée (homomorphisme).

S'apparentant à une simulation, elles sont plus spécifiques du problème traité, contiennent plus d'informations implicites. De ce fait, elles sont facilement plus économes en calcul pour un certain nombre de déductions. Elles ont les inconvénients de leur spécificité (représentation trop contrainte, manquant de généralité).

Significativement différentes des représentations classiques de la connaissance, elles peuvent y être associées : cette combinaison paraît avoir pour effet d'accroître très fortement l'efficacité de la recherche, grâce à la prise en compte d'aspects complémentaires de la réalité.

14

Mécanismes

A côté de ce que nous avons appelé les **structures** par lesquelles sont représentées les connaissances (faits relatifs au problème d'une part, règles de l'art, théorèmes et déductions d'autre part), la pratique a conduit à mettre au point un certain nombre de **mécanismes** qui viennent compléter les structures de connaissance pour en améliorer le fonctionnement.

Nous avons vu apparaître ces mécanismes dans les exemples, et ils sont souvent présentés comme un des éléments de telle ou telle structure. Toutefois, la réflexion montre, et l'expérience confirme, que ces mécanismes peuvent être associés à des structures de données très différentes (par exemple : le mécanisme de pondération de la connaissance par des coefficients de crédibilité, couramment associé à MYCIN (règles de production), se retrouve dans PROSPECTOR (réseau sémantique), et peut très bien être associé à un système de frames).

Ce qui, selon nous, caractérise ces mécanismes, c'est que *leur fonction se rapproche de celle du contrôle*. La structure de données est une sorte de modèle, à l'aide duquel on va décrire la connaissance, c'est-à-dire les objets et leurs relations. Les mécanismes associés à cette structure vont faciliter son utilisation par le contrôle, rendre ce dernier plus efficace. Par exemple, le mécanisme *d'évocation de connaissances similaires*, utilisé dans PIP pour désigner les frames candidats à une recherche en cas d'échec sur le frame courant, guide manifestement la recherche de la solution, qui est la tâche du contrôle.

Nous décrirons 5 mécanismes classiques :

1) pondération,
2) évocation,
3) calcul associé,
4) communication,
5) contrôle du contrôle.

14.1. Le mécanisme de pondération

Pourquoi ?

Nous avons vu que la logique (qui est une théorie formelle de type mathématique) ne connaît que des événements vrais ou faux, et des déductions absolues.

Mais nous savons bien que, dans la réalité, les déductions que nous pouvons effectuer à partir des faits ne sont pas toujours certaines : ainsi, en hiver, **si** la température est en hausse **et si** on observe des voiles de cyrrhus, **alors** on peut craindre des précipitations. Notre connaissance résulte de nos observations, de notre expérience, mais pas en général d'une théorie formelle, qui garantirait l'enchaînement des déductions.

De plus, les constatations, c'est-à-dire les faits eux-mêmes qui constituent le problème, ne sont pas toujours binaires. En mécanique, on peut encore à peu près caractériser une situation par oui ou non ; en biologie, en médecine ou en science du globe, et a fortiori en sciences de l'homme et des organisations c'est souvent impossible.

Exemples :

"Quelle est la porte d'entrée suspecte de l'infection chez le patient ?" Réponse : le tractus gastro-intestinal (0.6) (extrait d'un dialogue avec MYCIN).
"Quelle est la tendance d'évolution des taux d'intérêt ?"
Réponse : stationnaire (0.8) (réponse d'un système de démonstration expert en placement financier).

Comment ?

A défaut d'une théorie formelle parfaitement établie permettant de justifier un mécanisme particulier, la pratique a consisté à associer aux faits et aux règles de déduction des *coefficients de vraisemblance.*

Un tel coefficient peut être fourni avec les informations données au système comme dans les exemples ci-dessus. Il en est d'autres qui sont attachés par l'expert aux règles de déduction qu'il fournit. Dans ce dernier cas, le coefficient de la règle intervient pour calculer le coefficient attaché à la conclusion.

Dans le cas général, la prémisse de la règle est elle-même affectée d'un coefficient, soit indiqué avec la donnée lors de son entrée, soit résultant d'un calcul si la prémisse provient déjà de déductions. La conclusion de la règle se voit alors affecter une valeur de crédibilité qui combine :

- la crédibilité des prémisses,
- celle de la déduction.

Plusieurs études ont été faites sur la façon d'effectuer ce calcul, afin de prendre en compte :

- la combinaison de crédibilité des différentes prémisses, s'il y en a plusieurs,
- le renforcement éventuel de la conclusion, si elle est confirmée par plusieurs déductions différentes,
- l'opportunité de normaliser la valeur obtenue (c'est-à-dire de la rapporter à un maximum constant).

Exemples :

MYCIN avec son système de facteurs de certitude est l'exemple le plus connu et le plus communément cité de mise en oeuvre de ce mécanisme (cf. §9.1.3.1.,1).

PROSPECTOR utilise un système similaire.

Dans une certaine mesure, on peut également rattacher à ce mécanisme les coefficients d'évaluation inscrits dans les frames de PIP, et qui permettent de calculer un "score d'appariement" basé sur la concordance entre les observations effectivement faites et celles qui sont attendues pour le frame considéré.

14.2. Le mécanisme d'évocation

Pourquoi ?

Lors d'une recherche, le système est parvenu, par le biais des faits qui lui ont été fournis et des déductions qu'il a pu opérer, à sélectionner un certain modèle d'objet.

Si, pour une raison ou une autre, ce modèle devait être écarté, il n'en demeure pas moins que les éléments qui ont conduit à le sélectionner restreignent le champ des recherches possibles. Plutôt que de laisser le contrôle chercher "à l'aveuglette" un nouveau modèle, pourquoi ne pas guider sa recherche en indiquant dans le premier, ceux qui lui sont proches, et avec lesquels la recherche devrait logiquement se poursuivre.
C'est l'objet des liens de similarité introduits dans certaines représentations de connaissance, et qui constituent un mécanisme d'évocation des modèles voisins.

Comment ?

Comme il ressort de la description précédente, ce mécanisme apparaît plus facilement dans les frames (structures "modèles"). Une facette particulière du frame indiquera les noms des frames similaires, permettant de les appeler sans recherche en cas de besoin.

Dans d'autres structures, les voisinages sont évoqués par un système de bonification, qui attribue des points supplémentaires aux modèles voisins : dans le cas où la sélection des candidats pour la recherche se fait par une fonction d'évaluation (voir la description de la recherche en graphe dans le chapitre sur le contrôle), ce bonus place les modèles en meilleure position dans la liste de sélection.

***Exemples** :*
Dans PIP, les frames de maladies comportent une facette "differential diagnosis" qui indique le ou les frames à sélectionner si le frame considéré ne peut être retenu.
Par ailleurs, un mécanisme de bonification de score pour les maladies voisines est utilisé dans INTERNIST.

14.3. Le mécanisme de calcul associé à une connaissance : l'attachement procédural

Pourquoi ?
La recherche de solutions par utilisation d'une connaissance déclarative n'est pas toujours la méthode la plus intéressante. Bien plus, si un bon algorithme connu permet de fournir des résultats, il est nettement préférable à toute autre technique. Le temps n'est plus où certains extrémistes préconisaient de reconstruire toute la théorie des nombres pour faire une addition !...

Dans beaucoup de problèmes, certaines données relatives à un objet, certains résultats nécessiteront un calcul, ou tout simplement devront être recueillis auprès de l'utilisateur. Ainsi dans un système de planification de tâches pour des robots dans un atelier, la position du robot et celle du poste de travail qu'il doit alimenter permettent de calculer la distance à parcourir par le robot. Dans d'autres cas, l'obtention d'une information conduit à modifier des éléments dans la base des faits connus. Dans l'exemple cité plus haut d'une règle de gestion d'emploi du temps :

si APPEL TELEPHONIQUE de X **et** X important
alors *DEGAGER UNE PERIODE* dans les prochaines 24 heures
et INSCRIRE "téléphoner à X"

il apparaît clairement que l'action demandée suppose un traitement sur les données disponibles de l'agenda, visant à supprimer ou décaler une action déjà programmée moins "importante" que l'appel téléphonique envisagé.
Le mécanisme de calcul associé répond à ce besoin.

Comment ?
Connue sous le nom d'*attachement procédural*, ce n'est ni plus ni moins qu'un appel de procédure, inscrit dans la connaissance.
La possibilité de le réaliser suppose certains liens entre le langage utilisé et le système d'exploitation support. De plus en plus ces possibilités de connexion entre un langage d'informatique symbolique et les langages classiques (langages de programmation, SGBD,...) s'imposent (voir à ce sujet le chapitre sur les outils).

Exemples :

On trouve des exemples d'attachement procédural très divers : dans les systèmes de production, il peut se présenter dans les prémisses d'une règle ou dans sa partie conclusion-action ; dans les frames, des cas fréquemment cités sont les slots *if-added*, *if-removed*, *if-needed* : ces slots précisent ce qui doit être fait respectivement lorsque la valeur de la facette considérée vient à être connue (*if-added*) ou au contraire supprimée (*if-removed*), ou lorsque l'on en a besoin pour poursuivre le raisonnement (*if-needed*).

On désigne parfois par *démon* une procédure qui se déclenche sur l'apparition (ou la disparition) d'une valeur, et qui, en fonction de cette modification intervenue sur une connaissance, va aller effectuer des mises à jour dans d'autres éléments de la Base de Faits.

14.4. Le mécanisme de communication: les messages

Pourquoi ?

La notion de démon évoquée ci-dessus à propos des procédures attachées à une connaissance fait apparaître que parfois l'évolution d'un objet n'est pas totalement indépendante d'autres éléments de la Base de Faits.
L'existence d'interdépendances entre objets intervenant dans un problème est une réalité incontournable. Par ailleurs, dans un système en programmation déclarative, dans lequel les connaissances et les faits sont assez naturellement créés, traités et stockés "en vrac", l'existence de telles interdépendances risque de conduire à des liaisons encore plus confuses que celles qui existent dans un programme classique.

La nécessité d'établir des liens entre objets et le souhait de les isoler et de les identifier clairement ont conduit à imaginer des processus de "communication" entre objets respectant leur individualité. On notera que ces processus sont le pendant de règles et de méthodes établies en programmation classique, et qui visent également à identifier clairement des modules et des tâches, leurs entrées et leurs sorties, et à n'y faire appel que comme "prestataires de services".

Comment ?

L'exemple du mécanisme de communication entre objets est le "*message*".
Le principe est celui de la boîte aux lettres, assurée par un scheduler(*) pour l'ensemble du système : chaque objet qui désire envoyer une information à un autre objet émet à l'intention de ce dernier un message, dont l'envoi et la remise sont gérés par le système. De la même façon, un objet qui a besoin d'un résultat dépendant d'un autre objet émet à l'intention de celui-ci un message de requête : la réception de cette requête déclenche (après calcul éventuel) l'émission d'une réponse à destination du demandeur.
Comme on le voit, ce mécanisme n'a rien de propre à l'informatique symbolique et son utilisation conduit à une écriture qui rappelle très fortement les techniques classiques de programmation structurée et les méthodologies d'écriture basées sur les machines abstraites.

Exemple : la technique de communication par message est un des traits caractéristiques des nouveaux langages de programmation dits Langages Orientés Objets et Langages d'Acteurs.

14.5. Mécanismes de contrôle du contrôle

Cette désignation un peu surprenante fait référence à ce dont nous avons déjà parlé sous le nom de "métaconnaissance".
Rappelons-nous que la connaissance (par opposition aux faits) désigne ce qui sert à résoudre le problème (opérateur, règles de transformation ou de déduction,...) et que le contrôle est ce qui choisit la connaissance applicable et en assure l'application. La métaconnaissance (ou "connaissance sur la connaissance") définit le degré de validité de la connaissance et précise la façon de l'utiliser : par exemple, pour résoudre un problème d'affectation de robots à des postes de travail, déterminer **d'abord** les robots qui peuvent exécuter la tâche, **ensuite** choisir ceux qui sont disponibles, **enfin** chercher le poste auquel il peuvent être affectés en fonction de leur position initiale et de leur autonomie.

(*) Programme gestionnaire des ressources machine, et de leur emploi dans le temps (schedule).

Il est donc clair que, si le contrôle gère l'utilisation de la connaissance, la métaconnaissance guide le travail du contrôle : elle effectue donc un contrôle sur le contrôle.

Pourquoi ?

Nous avons vu dans le chapitre sur le contrôle l'importance d'une stratégie de contrôle éclairée pour éviter des recherches trop longues, voire même carrément inaccessibles.

Comment ?

Si nous évoquons dans ce chapitre sur la Représentation des Connaissances un problème qui s'apparente au contrôle, c'est que de grands spécialistes du domaine pensent que la stratégie du contrôle doit effectivement être définie sous forme de connaissances appropriées, inscrites sous une forme déclarative explicite dans la Base de connaissances, et non pas plus ou moins implicitement programmées sans le dire dans l'algorithme de contrôle (ce qui est le cas dans beaucoup de systèmes, notamment lorsqu'une fonction d'évaluation calculée par le programme guide ses choix, ou encore lorsque le rangement des connaissances dans la base détermine leur priorité d'emploi).

Par ailleurs plusieurs langages ont été développés autour de l'idée d'ajouter à la connaissance sur le domaine des éléments qui précisent au programme de contrôle la façon de l'utiliser. Parmi ces éléments, citons :

- la désignation, dans une règle, du *sens* dans lequel elle doit être utilisée (chaînage avant ou chaînage arrière) (prédicats ANTE et CONSE de PLANNER),
- la désignation, dans une règle, du but pour l'obtention duquel elle est utile (ceci servira de déclencheur pour sélectionner la règle lorsque le but correspondant sera recherché),
- le groupement des règles par paquets, et la désignation du ou des paquets à utiliser pour atteindre un résultat donné (prédicat APPLY de QLISP),
- la définition de commandes de type "recherche complète de tous les objets répondant à une caractéristique" et "examen successif de ces objets" (commandes FETCH et TRY-NEXT de CONNIVER) permet à l'utilisateur de définir la méthode de raisonnement, plutôt que de se trouver contraint par l'utilisation d'un balayage systématique par exemple de type profondeur d'abord.

Exemples : Les idées ci-dessus ont été mises en pratique dans une série de langages (PLANNER, CONNIVER, Q.LISP) et sont en général présentées dans la littérature à la rubrique "représentation des connaissances" sous le titre *"Représentations procédurales"*.

Dans PLANNER, le *théorème conséquent*
(CONSE (MORTAL ?X) (GOAL (HUMAN <--- X)))
sera utilisé pour transformer le but (à établir) "X est mortel" en un nouveau but "X est humain" dans un fonctionnement de type chaînage arrière.

La même règle en chaînage avant est exprimée par le *théorème antécédent.*
(ANTE (HUMAN ?X) (ASSERT (MORTAL <--- X)))
qui, pour toute assertion du type (HUMAN N...) (soit "N...est humain") ajoutée à la base de faits, complète cette dernière de l'assertion déduite "N... est mortel".

Dans QLISP, un opérateur APPLY doit compléter la déclaration d'un but (GOAL),en précisant les théorèmes à utiliser :
(GOAL (GO TO LOS ANGELES) APPLY Transports)

'Transports' est ici une classe de théroèmes qui définissent des moyens d'aller en un endroit.
La clause APPLY permet de restreindre le champ des théorèmes explorés.

15

Problèmes

Des travaux se poursuivent pour faire progresser les techniques disponibles de représentation des connaissances.
Parmi les problèmes abordés, certains correspondent à des besoins ressentis dans la réalisation d'applications réelles.

Deux difficultés se situent au niveau des structures de représentation de connaissances, et de la nature des objets que l'on sait traiter : celle du traitement de données dont les valeurs de vérité ne sont *pas binaires* et celle de la *représentation du temps* et de son évolution dans la connaissance.

Une autre question concerne l'ensemble de la connaissance assemblée sur un problème : comment assure-t-on sa *cohérence*?
D'autres développements visent à étendre le champ des possibilités de l'informatique symbolique : c'est le cas de la recherche sur l'apprentissage qui s'occupe de l'acquisition automatique de connaissances. Toutefois, ce dernier domaine restant pour l'instant du pur ressort de la recherche, nous n'en détaillerons pas ici les arcanes.

15.1. L'extension du champ des valeurs de vérité

Le problème a déjà été évoqué à l'occasion de la présentation du mécanisme de pondération de la connaissance : dans la plupart des cas réels, on ne peut affirmer simplement qu'un fait est "vrai" ou "faux".

Un autre problème très concret se pose : comment est interprété un fait "inconnu" (c'est-à-dire en pratique non présent dans la Base) ?

Dans un système logique classique, ce fait ne peut être que vrai ou faux. Le plus courant est de le considérer comme faux : mais cela n'est pas satisfaisant, car un fait inconnu n'est bien sûr pas nécessairement faux.

Tous ces problèmes pratiques, correspondant à des cas réels lorsqu'on cherche à résoudre un problème, ont donné lieu au développement de plusieurs lignes de réflexion sur la logique. Cette dernière, rappelons-le, est une théorie formalisée du raisonnement. Confrontés à ses limites, les spécialistes ont cherché à mettre au point des formalismes qui permettent de traiter les cas évoqués ci-dessus, en conservant la rigueur d'une théorie qui garantit la validité du résultat.

Parmi ces théories, on trouve notamment :

- **les logiques à plusieurs valeurs** : logique dite "*multi-valuée*", permettant d'attribuer à la valeur de vérité d'un prédicat un ensemble de valeurs discrètes (en nombre supérieur à 2, qui est le cas de la logique classique). En quelque sorte, cela revient à "noter" le prédicat .

  Dans le même ordre d'idée, la logique "*floue*" (ainsi nommée parce qu'elle est construite à partir de la théorie des "ensembles flous") affecte à un prédicat portant sur un ensemble de valeurs (prédicat du 1er ordre, comportant des variables) une valeur de vérité qui varie continuement entre 0 et 1 selon la valeur de la (ou des) variable(s). Cette valeur de vérité exprime la crédibilité du prédicat en fonction de la valeur de sa variable. Ce mécanisme peut correspondre à une réalité industrielle : par exemple, on pourrait dire qu'une peinture est "fraîche", avec une valeur de vérité variant de 1 (à l'instant de l'application) à 0 (à l'issue d'un temps de séchage raisonnable).

  Autre mécanisme similaire : celui des logiques dites *probabilistes*, qui indiquent la probabilité de véracité d'une assertion.

- **La logique modale**, ainsi nommée parce qu'elle représente des modalités de la certitude : un événement peut être "nécessaire" (il est inévitable qu'il soit vrai) ou "possible" (il se peut qu'il le soit), "cru" (on pense qu'il est vrai) ou "su" (il est connu comme tel),...

  Des formalisations mathématiques de ces différents états sont définies, sur lesquelles on établit des règles de calcul permettant de combiner ces états, et d'effectuer des raisonnements sur des faits ainsi caractérisés.

15.2. La représentation et le traitement du temps

Plusieurs difficultés sont associées au traitement du temps dans les systèmes à base de connaissances.

15.2.1. Le problème du temps réel

Qu'est-ce qu'un système fonctionnant en temps réel ? Il y a beaucoup de confusion dans les réponses à cette question, dans la mesure où la rapidité de réaction nécessaire pour, disons, piloter un avion de chasse supersonique est très différente de celle qui correspond au fonctionnement d'une grosse usine chimique (par exemple : colonne de distillation pétrolière, ou même centrale nucléaire).
A la limite, on admettra difficilement un temps de réponse d'une minute en face d'un terminal utilisateur (guichet automatique de banque, ou terminal de réservation de billet SNCF) alors que dans le cas de l'accident de la centrale nucléaire de Three Miles Island, l'enquête avait conclu que si les opérateurs étaients restés impassibles pendant vingt minutes face aux alarmes qui clignotaient dans tous les coins, les choses se seraient probablement beaucoup mieux passées !...

Doit-on pour autant considérer le système d'interrogation de fichiers "en ligne" comme du "temps réel" ? Nous préférons réserver cette expression aux programmes de type "contrôle de processus". Leur caractéristique est la suivante : le programme est gouverné (par ses entrées) par - et agit (par ses sorties) sur - un processus physique extérieur, dont le déroulement obéit par ailleurs à des lois physiques qui en déterminent l'évolution.
Cela signifie que, dans un système de type "temps réel", *deux systèmes* qui ont chacun leurs règles de fonctionnement *sont branchés l'un sur l'autre* : le processus physique qui est commandé par le programme, et le programme dont le déroulement dépend des mesures qu'il reçoit du processus.

Par exemple, la régulation d'une usine chimique sera assurée par un programme qui modifiera les paramètres de la réaction (température, débit des produits en entrée,...) en contrôlant des actuateurs (tension de chauffage, vannes d'alimentation,...). Les réactions du programme dépendent des mesures effectuées sur le processus, lesquelles caractérisent l'état de la réaction.

La condition pour qu'un système puisse fonctionner en temps réel est que *la durée d'exécution du programme soit inférieure à la constante de temps du processus*, c'est-à-dire que la commande qui réagit à une évolution intervienne "assez" vite .

Bien évidemment, ce qui est assez vite pour une réaction chimique (ordre de grandeur : minute ou dizaine de minutes) est beaucoup trop lent pour un avion ou un missile (ordre de grandeur : milliseconde ou microseconde). D'autres réactions chimiques, comme la combustion dans un propulseur, pourront exiger des temps de réponse encore plus sévères (nanoseconde). (Remarque : actuellement, on ne commande pas ces processus, mais on effectue sur eux des mesures).

"Assez" vite se décompose en deux contraintes :
- la vitesse d'exécution, qui dépend des performances du matériel. Au fur et à mesure que celles-ci s'accroissent, le champ des applications ouvertes au temps réel s'élargit ;
- la maîtrise du déroulement du programme, c'est-à-dire la connaissance de son fonctionnement qui permet de garantir que dans le cas le plus défavorable le temps restera inférieur au maximum admissible.

C'est cette dernière contrainte qui fait **la spécificité des systèmes temps réel** : le processus extérieur impose une contrainte impérative sur le temps d'exécution maximal alors que dans le cas d'un dialogue avec un utilisateur, on peut admettre une certaine souplesse : si la réponse se fait attendre 10 à 15 secondes de plus que prévu, cela est sans doute gênant mais pas dramatique.
Cet impératif du temps réel cause de sérieuses difficultés en programmation déclarative : dans la mesure où le contrôle est chargé d'effectuer la recherche de la solution, il est difficile d'assurer que le temps de cette recherche ne dépassera pas le délai maximum admissible.

Conclusion : la réalisation d'applications temps réel en programmation déclarative pose deux problèmes :
- obtenir le niveau de performance voulu, avec un mode de programmation coûteux en ressources, beaucoup moins efficace qu'une programmation classique optimisée ;
- garantir que, dans tous les cas, le système ne dépassera pas le délai maximum admissible, ce qui est plus ou moins contradictoire avec le mode "non figé" de recherche de la solution, qui est propre aux systèmes experts.

15.2.2. La représentation du temps

Un système qui gère une situation évoluant dans le temps prend en compte des états caractérisés par leur date.

Mais, comme on l'a vu dans le contrôle, le raisonnement basé sur des connaissances génère lui aussi des états qui sont les étapes successives du déroulement de la recherche.

La représentation du temps et celle des étapes de raisonnement doivent donc être distinguées, ce qui est relativement facile si les deux peuvent être considérées comme indépendantes (fig.15.1).

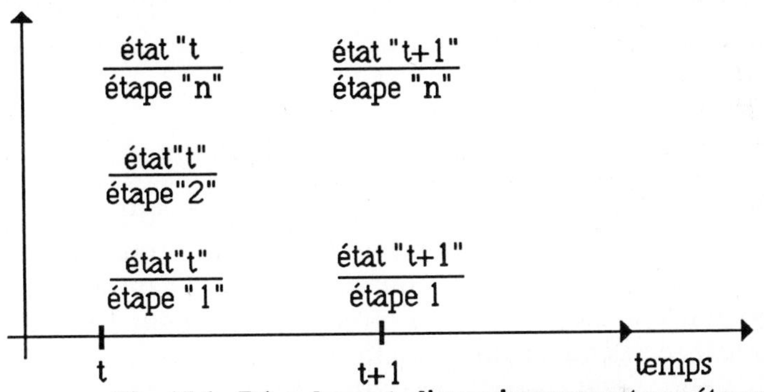

Fig. 15.1 - Déroulement d'un raisonnement par étapes à différents instants (états)

Bien entendu, le temps de déroulement du raisonnement n'est pas nul : il doit être inférieur à l'intervalle entre deux dates successives. C'est le problème développé au paragraphe précédent, illustré par la figure 15.2.

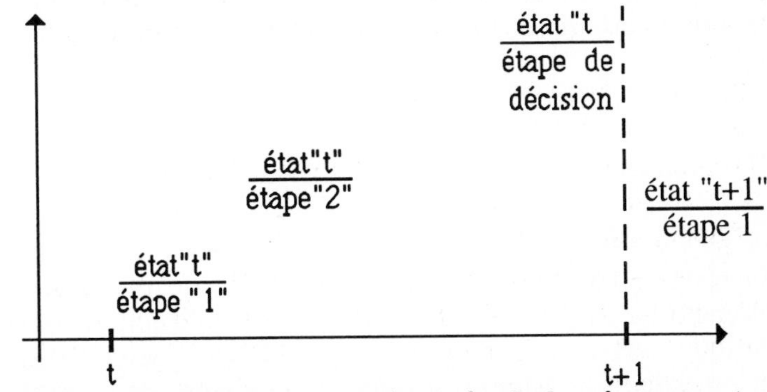

Fig. 15.2 - Contrainte sur la durée maximale du raisonnement

Jusque là, nous avons considéré le raisonnement comme "statique" : il étudie un état considéré comme un problème indépendant du temps.

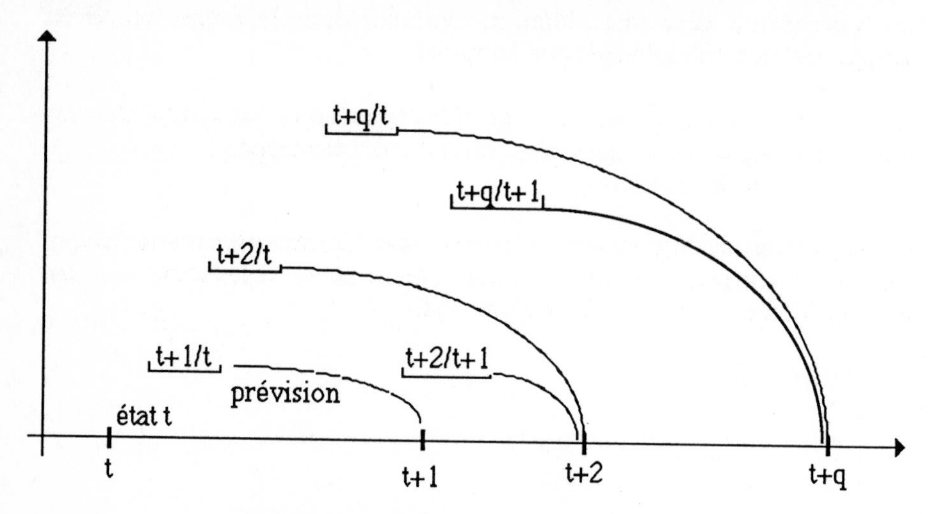

Fig. 15.3 - Raisonnement avec prévision

Une difficulté nouvelle surgit lorsque le raisonnement doit porter sur l'évolution du système : les étapes successives du raisonnement correspondent alors à des états futurs du système, et il faut distinguer l'état t+q prévu au temps t (étape q du raisonnement dans l'état t) du même état t+q réalisé effectivement (situation au temps t+q = étape 0 du raisonnement dans l'état t+q) ainsi que de tous les états t+q intermédiaires (cf. fig.15.3).

15.2.3 La "non-monotonicité"

On dit que l'évolution d'un problème est "non-monotone" lorsque des faits vrais à une certaine étape du raisonnement peuvent cesser de l'être plus tard.

Ceci peut se présenter

- lorsque la situation traitée est celle d'un univers évoluant dans le temps : c'est le cas des systèmes de contrôle de processus et plus généralement de toutes les générations de plans d'action (notamment la robotique, les jeux entendus au sens large : jeux de stratégie, simulation dans les systèmes d'aide à la décision) dans lesquelles le programme peut décider d'intervenir sur la situation extérieure (par opposition aux programmes de raisonnement sur une situation statique, type diagnostic, où l'on ne peut qu'ajouter des connaissances sur cette situation),

- dans le cas où les connaissances statiques comprennent des règles générales *avec des exceptions* : alors une déduction qui serait normalement vraie peut se révéler fausse (exemple classique : un oiseau vole - sauf si c'est une autruche).

Cette *non-monotonicité* pose des problèmes difficiles dans la mesure où il faut être capable non seulement de supprimer le fait qui disparaît (ce qui est aisé), mais encore de trouver et de corriger toutes les déductions qui ont pu s'appuyer sur celui-ci.

Ce qui nous conduit au problème plus général de la cohérence des bases de faits (et de connaissances).

15.3. La cohérence

Le problème de la cohérence de la connaissance résulte de la possibilité qu'offre la programmation déclarative de fournir la connaissance par morceaux.

En l'absence de remise "à plat" de l'ensemble, le risque est grand à partir d'un certain volume de trouver dans la Base des éléments contradictoires.

En général, ces contradictions ne sont qu'apparentes : elles résultent d'une formulation incomplète de connaissances complémentaires, qui s'appliquent normalement dans des cas différents que l'expert n'a pas suffisamment précisés.

Elles peuvent également résulter de deux opinions différentes d'experts sur la façon de traiter le problème.

On devrait éviter les inconvénients de cette incohérence en examinant l'ensemble des déductions possibles (ce que fait par exemple MYCIN); mais cette stratégie peut être impraticable si l'espace des recherches est trop vaste. Le risque est grand, alors, de parvenir à des conclusions différentes suivant le chemin parcouru vers la solution.

Pour cette raison, en l'absence d'outil parfaitement sûr pour contrôler cette cohérence, les spécialistes des systèmes-experts s'accordent aujourd'hui pour affirmer qu'un système doit être bâti par un seul expert, ou par une équipe d'experts dont on s'assurera qu'ils sont d'accord entre eux.

Troisième Partie

PRATIQUE DES SYSTEMES EXPERTS

Les techniques passées en revue dans les pages précédentes sont les bases d'une nouvelle utilisation des ordinateurs : systèmes experts, systèmes à base de connaissances, calcul symbolique, informatique de cinquième génération, ... les appellations ne sont pas encore bien stabilisées.

Mais, quel que soit le terme utilisé, il s'agit bien d'une approche très différente de l'approche classique pour la résolution des problèmes et la réalisation des systèmes. Ces produits nouveaux ont leurs caractéristiques, et le processus de leur développement commence à se dégager de l'expérience.

Cette troisième partie présente le bilan de règles de l'art et des conclusions issues des réalisations déjà effectuées - dans la mesure où il est possible d'en avoir connaissance, car bien souvent les projets effectivement réalisés ne sont pas présentés, ou le sont sous le sceau du secret.

En effet, s'agissant d'une technologie émergente, qui permet d'aborder l'automatisation de nouvelles catégories de problèmes, son utilisation constitue pour beaucoup d'entreprises un choix stratégique, un moyen d'acquérir, de préserver ou de développer une avance technologique. Par ailleurs, la publicité quelque peu inconsidérée et les campagnes d'informations - ou de désinformation - faites autour de l'"Intelligence Artificielle" ont contribué à créer une atmosphère parfois passionnelle autour de ses possibilités et de ses applications supposées.

*

Pour toutes ces raisons - parce qu'il s'agit d'une technique nouvelle à maîtriser, et parce que tout le monde ou presque se sent concerné par elle - *l'introduction de l'informatique symbolique dans l'entreprise* constitue un problème en soi, qui fera l'objet d'un premier chapitre.

Une fois effectué le processus d'analyse conduisant à la décision de recourir à cette technique, reste bien entendu à passer à l'acte, c'est-à-dire à *la réalisation* effective *d'un système expert.*

Bien que, comme on l'a dit, il soit assez difficile d'obtenir communication d'expériences concrètes, on commence néanmoins à disposer d'un nombre suffisant d'exemples de réalisations, et de publications sur le sujet, qui permettent de dégager les points communs de toutes les expériences. On voit alors s'esquisser une méthodologie de développement de système-expert qui fait l'objet du deuxième chapitre.

Enfin, un aperçu sur *le marché* a paru indispensable pour compléter cette présentation destinée au praticien : analyse des outils et panorama des grands thèmes d'application proposent une grille d'étude complémentaire de la description des techniques de base effectuée en première partie. Ici, il s'agit de dégager les critères techniques permettant de classer un outil ou un thème, et de guider les choix sur un marché foisonnant.

*

Toute cette partie, qui concerne les utilisateurs, est conçue comme une "check-list" du réalisateur. Sur chacun des sujets précédents, on a cherché à dégager les étapes, à identifier les critères et à formuler les questions qui devront être posées, guidant point par point le responsable du projet.

16

L'introduction de l'informatique symbolique dans l'entreprise

16.1. Pourquoi - et comment - décide-t-on de recourir à l'informatique symbolique ?

Et d'abord, pourquoi parler de ce problème ? Parce que l'expérience de l'auteur, confirmée par celle des spécialistes qu'il a pu rencontrer, montre que parfois cette décision a pu être prise sur la base de motivations incorrectes, conduisant par là à de fâcheuses désillusions.

Quelques exemples, volontairement caricaturaux, illustreront ce fait.

Il y a le responsable d'étude ou de projet doté d'une foi inébranlable dans les capacités de la Technique, qui énonce : "pour tel problème, aujourd'hui mal compris et pas résolu, nous ferons appel à l'Intelligence Artificielle...". Amen.

On trouve le décideur, soucieux de diversifier ou de réorienter son activité sur des secteurs porteurs, qui décide (il est là pour ça, n'est-ce pas ?) : "Notre avenir est dans le Système Expert". Bonne chance.

On rencontre également le patron moderne, fier de sa division, et soucieux qu'elle soit toujours en avance sur les autres, qui souhaite avoir quelques machines LISP et quelques systèmes experts opérationnels. Après tout, s'il a des bénéfices excédentaires à éponger...

Variante du précédent, cet ingénieur fait développer dans le plus grand mystère, un système expert expérimental pour traiter les problèmes du service voisin. Lui, tout petit, il rêvait d'être prestidigitateur : "vu, mon chapeau ? Et hop ! Un lapin...".

Dans un autre style, plus expérimental, certains ont essayé d'appliquer l'Intelligence Artificielle à ce qui faisait le coeur de leur activité, avec l'aide d'un super spécialiste. Quelque chose comme le départ pour le Tour de France d'un débutant à vélo, mais avec Hinault comme conseiller technique...
A l'autre extrême, ce chef de service ancien style n'aime pas, mais alors pas du tout, qu'on lui parle d'Intelligence Artificielle. Ses collaborateurs emploient des ruses de Sioux pour noyer le poisson, parlent de SIAD(*), de RPAO(**), de "tout ce qu'on veut AO", ...
Le boss grommelle : "jamais une machine..." et le choeur antique achève : "...ne pourra remplacer l'homme". Ni bien sûr, à plus forte raison, le chef. Quand on a du mal à croire que ses collaborateurs puissent être dotés d'intelligence, la décence exige qu'on n'en accorde pas à une machine. Ah mais !

Trêve de plaisanteries. Cette introduction fantaisiste nous a fait percevoir quelques mauvaises et aussi, en filigrane, quelques bonnes raisons de s'orienter vers l'utilisation des techniques d'informatique symbolique.

16.1.1 Mauvaises raisons

L'attrait de la nouveauté : c'est le phénomène classique du "c'est nouveau, ça vient de sortir". Même dans les domaines les plus sérieux comme les investissements et les développements technologiques, il est bien difficile de ne pas se laisser emporter par l'attrait naturel de ce qui est neuf. Comme dit le vieux dicton : "tout nouveau, tout beau". S'il y a quelque chose qui n'est pas neuf, c'est bien l'attrait du neuf.

L'effet de mode : depuis quand fait-on de l'"Intelligence Artificielle ? Depuis le début des années cinquante (aux Etats-Unis). Depuis quand a-t-on commencé d'en parler ? Depuis 1981, date à laquelle les Japonais (eh oui !) ont convié tous les pays industrialisés à une conférence de lancement d'un "programme pour un ordinateur de Cinquième Génération".
Maintenant que les Japonais s'y intéressent, c'est devenu très bien porté, et même quasiment indispensable d'être aussi dans ce business.

(*) Système Interactif d'Aide à la Décision
(**) Résolution de Problème Assistée par Ordinateur

L'impact médiatique, voisin de l'effet de mode, dont il a découlé : un déluge d'informations s'est abattu sur la presse spécialisée et même sur les médias grand public. Entre 81 et 85, le nombre d'articles publiés sur l'Intelligence Artificielle dans les revues non spécialisées dans le domaine a doublé chaque année.
Actuellement, même ceux qui ne savent pas que les Japonais s'y intéressent ont entendu parler d'Intelligence Artificielle et de Systèmes Experts.

Le goût du pari : ceux qui ont un tempérament de joueur se lanceront volontiers dans l'aventure de l'utilisation d'une technique nouvelle. Ce pari peut être pris à deux niveaux :
- ponctuellement, en prévoyant l'utilisation d'un système expert comme moyen de résoudre un problème,
- globalement, en faisant de l'informatique symbolique un axe d'investissement et de développement stratégique de l'entreprise.

La fascination. De tous les phénomènes précédents : l'attrait du neuf, la mode N.I.H.(*), la force de l'information, le goût du risque, aucun n'est spécifique de la technique qui nous occupe.

En revanche, celle-ci possède une caractéristique moins générale, qu'on pourrait désigner sous le nom d'"effet Pygmalion" : la fascination qu'exerce toute reproduction des capacités humaines, et plus particulièrement celle des facultés intellectuelles.
Cet effet est à double sens : il suscite l'enthousiasme des uns, crée un phénomène de rejet chez d'autres.

16.1.2. Bonnes raisons

Toute cette énumération pourrait laisser le sentiment que le choix de l'informatique symbolique est le plus souvent une erreur.
Il n'en est rien, fort heureusement, car on lui trouve aussi d'excellents motifs.

Accroître la compétitivité de l'entreprise, en assurant l'automatisation de tâches jusqu'alors rebelles à l'introduction de l'informatique : travaux de conception impliquant des choix avec des interactions multiples entre eux, mise en forme de solutions incomplètes supposant la manipulation de grands catalogues, données évolutives,...

(*) Not Invented Here : argument décisif en France pour justifier de la qualité d'un produit : il a été imaginé (développé, fabriqué, acheté) ailleurs...

Préserver ou développer ses marchés en améliorant ses produits, en offrant de nouvelles réponses plus efficaces ou plus complètes, aux demandes de ses clients : systèmes d'aide à la décision incorporant un savoir-faire, prenant en compte des données éventuellement incomplètes ou incertaines.

Répandre la compétence et le savoir-faire parmi les personnels, pour développer sa capacité de réponse et par là accroître la satisfaction du client. C'est l'exemple du système d'aide au diagnostic de pannes mis en place par General Motors pour ses concessionnaires : dans le coin le plus reculé de l'Arizona, le dépanneur perdu au milieu du désert peut accéder, par le biais d'un microordinateur et d'une ligne téléphonique, aux "conseils" d'un programme de dépannage qui le guide dans la recherche de panne et dans la définition de la réparation à effectuer.

Accroître son savoir-faire par la maîtrise d'une nouvelle technologie, décision stratégique de développement du capital technologique de l'entreprise
- soit à usage interne, comme outil de performances,
- soit à usage externe, comme secteur d'activité nouveau.

16.1.3. Conclusion

Nous retiendrons que :

- comme toute technique nouvelle, l'informatique symbolique présente un risque, contrepartie inévitable de la démarche d'innovation ;
- ce risque est aggravé par un certain nombre de facteurs, plus ou moins spécifiques, qui distordent le processus de choix ;
- si le risque ne peut être éliminé, un bon choix suppose néanmoins :
  - une définition claire des objectifs recherchés,
  - une analyse correcte des facteurs favorables et défavorables,
  - une orientation optimale des actions en fonction des éléments ci-dessus.

Parmi les objectifs possibles, nous distinguerons deux grandes catégories : la démarche stratégique, et la réalisation ponctuelle.

La démarche stratégique (cf. §16.2.) décidée à haut niveau, concerne l'ensemble de l'entreprise, dont elle oriente l'avenir. Elle suppose une analyse et des actions globales, inscrites dans un plan d'ensemble.

La réalisation ponctuelle est, bien entendu, le noyau inévitable de mise en oeuvre de toute action, fût-elle d'ensemble. Mais, contrairement à d'autres auteurs, nous pensons qu'il est tout à fait possible d'entreprendre des réalisations ponctuelles sans être passé nécessairement par le lourd processus d'une décision d'entreprise. Toutefois, dans tous les cas, ***le choix d'un sujet*** (cf. §16.3) nécessite un examen approfondi pour définir sa faisabilité et son opportunité.
Le reste de ce chapitre traitera de ces deux processus : l'un, éventuel, de mise en oeuvre d'une action générale, l'autre, inévitable, de choix d'un thème pour une réalisation. Pour finir, on abordera la question des moyens pour y parvenir : qui sont ***les intervenants*** (cf. §16.4) dans la réalisation d'un système expert, quelles sont leurs compétences, en quoi sont-elles spécifiques ?

16.2. La démarche stratégique

Nous considérons ici une action générale pour toute une organisation, et destinée à orienter son avenir.

16.2.1. Conditions et préliminaires

Comme toute démarche de ce type, l'impulsion doit venir de la Direction - même s'il est tout à fait concevable que celle-ci reprenne en fait à son compte des initiatives ou des propositions provenant de ses équipes. Quelle que soit l'origine du mouvement, celui-ci ne peut se généraliser de façon coordonnée sans une implication effective de l'équipe dirigeante.
Les conditions préalables sont donc :

- *une sensibilisation*, voire, une formation des dirigeants leur permettant de se faire une idée du contenu et de la portée de ces nouvelles techniques ;
- *une décision*, prise en conséquence de cette perception, d'entreprendre une action de développement dans ce domaine ;
- la mise en place d'*une instance de suivi et d'orientation*, qui sera bien sûr d'autant plus spécifique et spécialisée dans cette tâche que l'implication sera plus grande et les difficultés prévisibles plus importantes : à la limite, ce peut être une des tâches de l'équipe de direction ; à l'autre extrême, on constituera un comité ad hoc, dont la seule fonction sera d'animer le déroulement du programme.

16.2.2. Déroulement du processus

Il comprendra normalement :

• *une action de formation*, destinée à faire connaître par les personnels concernés les possibilités de la Technique.
  Cette première formation, à caractère assez général, peut avoir pour objectifs :
  - d'une part, et au moins, de mettre en place dans tous les secteurs concernés de l'entreprise (ou de l'organisation) un ensemble de correspondants susceptibles d'identifier les applications possibles de la technique,
  - d'autre part, éventuellement, de sensibiliser plus largement le personnel à l'action entreprise - et, le cas échéant, de susciter des vocations de reconversion, s'il entre dans les objectifs de l'organisation de se doter d'une compétence interne en informatique symbolique.

• Un travail d'*identification des applications*, conduit
  - sur le terrain par les responsables désignés, convenablement formés,
  - sur le plan technique par les spécialistes de l'informatique symbolique de l'entreprise,
  - en ce qui concerne l'appréciation de l'opportunité, par l'instance de pilotage du projet.

  Les étapes et les critères de la démarche à suivre pour sélectionner les applications potentielles sont présentés en détail dans le paragraphe consacré au choix d'un sujet particulier (§16.3.).
  Sommairement, elle se décomposent en :
  - condition "sine qua non",
  - justification du recours à l'informatique symbolique,
  - intérêt de l'application pour l'entreprise,
  - opportunité du projet dans le contexte existant,
  - vérification de la faisabilité technique.

• L'élaboration d'un *plan d'entreprise* pour l'introduction de l'informatique symbolique. Il est souhaitable de le faire, comme pour toute décision stratégique d'importance.
  On jugera éventuellement de l'opportunité de compléter cette réflexion stratégique par une analyse plus générale de *la situation de l'entreprise et de son environnement* :
  - situation de l'entreprise dans ses métiers et sur ses marchés,
  - analyse forces-faiblesses,
  - ...

Ce genre d'étude, pain bénit des cabinets de consultants, est bien une nécessité qu'il s'impose d'effectuer périodiquement.

En l'occurrence, il serait naturel de la compléter par une évaluation de l'état de l'art et du degré d'implication des concurrents dans la mise en oeuvre des techniques d'informatique symbolique - dans la mesure où il est possible d'avoir à ce sujet une information convenable. La fréquentation des congrès et expositions diverses consacrés à l'"Intelligence Artificielle", la lecture de la presse informatique peuvent à tout le moins permettre de s'en faire une idée.

16.2.3. Elaboration du choix final

A l'issue de ce processus, le comité directeur disposera d'une liste d'applications sélectionnées et classées en fonction des critères développés au paragraphe 16.3. ci-dessous.
Pour choisir celle(s) qu'il retiendra en définitive comme première(s) expérience(s), il devra plus particulièrement prendre en compte les éléments suivants :

- La *simplicité technique* - au regard des méthodes d'informatique symbolique : il est peu raisonnable d'attaquer une initiation par les problèmes les plus ardus (interactions complexes entre problèmes, prise en compte du temps dans le raisonnement, insertion dans un environnement temps réel,...).

- L'*acceptabilité* psychologique du sytème à mettre en place par les différents acteurs concernés dans les structures.

- Le niveau de *complexité du problème* traité (qui n'est pas nécessairement corrélé avec la complexité des méthodes à mettre en oeuvre, évoquée ci-dessus) : il faut choisir un problème dont l'automatisation puisse être assez rapide, mais suffisamment complexe pour que le système final n'évoque pas irrésistiblement le marteau-pilon écrase-mouche.

- L'*impact stratégique* du projet, c'est-à-dire sa capacité à contribuer, une fois réalisé, à l'évolution souhaitée. Ceci peut résulter :
  - de son impact direct sur l'activité;
  - de sa démonstrativité qui permettra de favoriser, voire de susciter l'implantation d'autres systèmes.

16.3. Le choix d'un sujet

De toutes les expériences disponibles, on peut aujourd'hui dégager une liste de principes et de critères reconnus comme pertinents dans le choix d'un sujet pour la réalisation d'un système expert.

Cette liste se retrouve dans les ouvrages et publications qui abordent ce problème, ordonnée suivant différentes logiques - parfois distincte des règles relatives à la réalisation proprement dite, parfois non.

Nous isolons ci-dessous des critères relatifs au **choix du sujet**, critères *antérieurs à toute réalisation* proprement dite, et que nous décomposons en cinq catégories, par ordre d'importance, et donc normalement d'intervention :

- **les questions préalables** : une réponse défavorable à ces questions est un motif de rejet absolu du projet. Elles correspondent à des conditions "sine qua non".

- **Les critères techniques**, dont la présence justifie ou suggère le recours à l'informatique symbolique.

- **Les critères d'intérêt opérationnel**, qui vont guider l'évaluation de l'apport économique du programme envisagé.

- **Les conditions d'opportunité**, permettant d'apprécier si la réalisation prévue a de bonnes chances de déboucher sur un usage opérationnel, compte tenu du contexte dans lequel elle s'inscrit.

- **Les tests de faisabilité détaillée**, examen technique plus approfondi permettant de conclure définitivement sur la possibilité de s'engager dans un processus de réalisation.

16.3.1. Conditions "sine qua non" de faisabilité d'un système expert

1°) Existence d'un problème et de sa solution
Répétons-le après bien d'autres sans doute : l'informatique symbolique n'est pas une solution miracle pour traiter, par magie, des questions nouvelles, encore non résolues, ou a fortiori non définies.
On l'a vu, les techniques travaillent à la recherche d'une solution à partir des éléments de résolution qui lui ont été fournis. De ce point de

vue, rien de nouveau sous le soleil informatique : l'ordinateur continue à rendre ce qu'on lui a préalablement donné, à dire ce qu'on lui a dit de dire.
Ce qui change, c'est la manière de fournir la méthode de résolution, par éléments séparés, non nécessairement ordonnés ; c'est aussi le mode d'acceptation des données, éventuellement désordonnées également, ou incomplètes ; c'est enfin le type de données traitées, plus riches, plus complexes, plus "symboliques" que les valeurs numériques du calcul.
S'il paraît nécessaire d'insister sur ce critère, c'est que l'on a pu constater une forte tendance à attendre de l'ordinateur devenu "intelligent" la résolution de problèmes jusqu'alors pas (ou mal) résolus, voire pas, ou mal, posés.

Le critère de sélection devrait donc être : *un problème que l'entreprise (ou plus généralement, l'organisation concernée) connaît de façon régulière, et qui est effectivement résolu lorsqu'il se présente.*
Exemple : la conception d'une boîte de vitesses pour un nouveau véhicule.

Un mot encore sur ce critère : il a été effectivement constaté que la réalisation d'un système expert constituait une expérience enrichissante *pour l'expert*, sur le plan de la formalisation de sa connaissance. De ce fait, la programmation déclarative a pu être envisagée comme un moyen d'améliorer ou de préciser cette connaissance : à la limite, le but n'est plus le système expert mais la constitution, l'enrichissement et la mise au point *de la base de connaissances.* De telles utilisations de la programmation déclarative ont été effectivement effectuées avec succès, pour simuler l'effet d'un ensemble de règles de comportement face à un problème, et mettre au point une méthode de résolutions.
On peut s'attendre à ce que, dans l'avenir, ce mode d'utilisation en **simulation** se répande très largement. Dans l'immédiat, il convient d'en garder à l'esprit une limite et un danger :

- le danger serait de s'attendre à ce que l'informatique apporte des éléments de résolution - alors qu'elle n'est là qu'un outil de simulation ;
- la limite, aujourd'hui encore importante, est celle des capacités expressives de beaucoup de langages d'écriture de systèmes experts, qui bornent les possibilités de simulation.

Compte tenu des difficultés supplémentaires que présente ce cas d'utilisation, il n'est guère recommandable de s'y lancer à titre de première expérience. Il sera plus avantageusement mis en oeuvre par un organisme disposant déjà d'une pratique solide de l'informatique symbolique, maîtrisant bien ses techniques et familier avec ses limites.

Soulignons pour terminer que, si l'on envisage d'utiliser l'informatique symbolique comme outil de simulation pour la résolution d'un problème, il convient que :

- le problème soit très clairement posé ;
- les éléments intervenant dans sa résolution soient très largement maîtrisés. Ce que l'on simule, c'est *l'agencement de ces éléments* dans l'élaboration d'un processus optimisé de résolution.

2°) Une complexité "raisonnable"

Le critère : la complexité peut être évaluée par le *délai de résolution* du problème par le spécialiste. Celle-ci devrait être de *l'ordre de grandeur de l'heure* - c'est-à-dire d'une fraction significative d'heure (1/2, 3/4) à plusieurs heures.

- Si l'ordre de grandeur est celui de la minute, le problème est trop simple : l'automatisation est très vraisemblablement trop lourde, la richesse de l'informatique symbolique sans doute inutile.
- Si l'ordre de grandeur est celui de la journée (quelques jours), le problème est sans doute trop complexe.

Exception à considérer : le temps de résolution comporte un grand nombre de tâches de nature "cléricale", non créatives, dont l'automatisation est envisageable.

Par exemple, la génération d'un plan de marche pour une grande unité militaire suppose le déplacement sur le terrain des nombreux "pions" que sont les unités élémentaires, déplacements régis par des règles mécaniques relativement simples, mais générant un gros travail pour la mise à jour de la situation sur la carte.
Autre exemple : la résolution d'un problème de physique peut nécessiter de nombreux calculs algébriques, constitués de manipulations formelles d'équations, générant un gros travail de calcul pour un processus de résolution pas nécessairement très complexe.

Le critère de durée de résolution doit donc être pondéré par ce facteur.

3°) L'existence d'experts reconnus

On a longuement insisté plus haut sur la nécessité qu'il existe une solution au problème.
La condition d'"existence d'un expert reconnu" affirme davantage. Elle

précise qu'on pourra disposer, pour réaliser le programme, d'une personne compétente, dont la compétence est acceptée par ses collègues, et à laquelle ils ont éventuellement recours.
On verra plus loin (notamment au §16.3.5. "Faisabilité détaillée") des critères plus précis sur les qualités à rechercher chez l'expert.

Au stade actuel des conditions préalables, il faut s'assurer de *l'existence **d'(au moins) un homme** capable de résoudre ce problème* et ***reconnu comme tel*** dans la structure.

4°) L'expert doit être motivé et disponible
Bien que ces deux critères soient un peu différents et parfois distingués dans certaines présentations, nous les associons tant il est vrai que la motivation est la principale - sinon la seule - source de disponibilité.

- Il est important que l'expert soit **motivé**, et affirme sa motivation, car le processus de constitution d'un système expert sur la base de sa connaissance est un exercice psychologiquement difficile :
  - d'une part, il peut lui sembler divulguer sa richesse propre, la base de sa valeur ;
  - d'autre part, même si cette réticence est surmontée, le processus d'extraction de la connaissance constitue une sorte de "traque", mettant à jour des modes de fonctionnement parfois très enfouis, pouvant faire surgir des lacunes et des insuffisances de raisonnement.

  Une motivation solide est essentielle pour surmonter ces difficultés.

- L'acquisition de la connaissance requiert, on le verra au chapitre suivant, une participation très active et intense de l'expert. La **disponibilité** de celui-ci est donc une condition impérative : l'expérience montre que c'est sur cet écueil que butent la plupart du temps les réalisations, de délais non tenus en résultats non obtenus, et de déceptions en renonciations.
  Cette condition est difficile : si le problème est vraiment important, l'expert vraiment rare et l'expertise vraiment précieuse, la sollicitation est permanente.

Considérant que sa capacité à se rendre disponible est une bonne mesure de sa motivation, nous nous contenterons d'évaluer la première.
Un **critère** astucieux a été proposé [Bonnet, Haton et Truong,1986], consistant à considérer le temps mis à obtenir un premier rendez-vous, et la durée de celui-ci.
Il faut toutefois prendre en compte l'intérêt manifesté par l'expert *après*

un premier contact - qui a pu être pour lui une découverte.
On évaluera donc disponiblité et motivation de l'expert sur la base de *sa disposition à accorder*, non pas un, mais *deux, voire trois entretiens, leur durée, le délai entre eux - et le respect par lui de ces engagements calendaires...*

16.3.2. Justification technique du recours à l'informatique symbolique

1°) Absence de solution algorithmique
Comme on l'a vu, le principe de fonctionnement de l'informatique symbolique est la recherche par le programme du chemin vers la solution - alors que l'algorithme décrit explicitement ce chemin. S'il est possible de déterminer un algorithme, il y a donc d'excellentes raisons de penser que cette solution sera plus performante.
Un bon **critère** dans ce domaine sera *l'existence et l'abandon de tentatives antérieures pour réaliser un programme de résolution du problème considéré.*

2°) Des connaissances et des données très spéciales
L'informatique symbolique est adaptée à la manipulation de données et connaissances particulières :

- des informations *plus qualitatives que quantitatives* : caractérisation d'une situation par des termes techniques (aspect d'un signal de mesure "régulièrement ascendant", "coupé de plateaux", "stationnaire", "bruité", irrégulier",... ; solubilité d'un produit "élevé", "moyenne", "faible" ; répartition de plantes malades "disséminées", "en foyers", "généralisée",...) ;

- des informations *incomplètes* : les données disponibles lors de la résolution d'un problème ne sont pas toujours toutes les mêmes. L'ensemble des éléments utilisés pour la résolution est donc fragmentaire, et l'on ne sait pas à l'avance de quelles données on pourra disposer, ni éventuellement dans quel ordre ;

- des informations *imprécises* : les descriptions qualitatives mentionnées ci-dessus peuvent paraître déjà relativement imprécises; mais dans certains cas, on devra considérer des réponses à cheval sur plusieurs possibilités; dans d'autres cas, on aura même à faire à des réponses fausses ;

- des *connaissances intuitives, "heuristiques"* : à côté des connaissances solides, décrivant les lois connues (mécaniques, chimiques,...), d'autres éléments du raisonnement s'appuient sur des règles expérimentales, non nécessairement validées avec certitude, mais construites par une longue pratique. Un exemple de ce genre de règles : les critères énumérés dans le présent chapitre...

  A cette catégorie de règles se rattachent les raccourcis du raisonnement, qui permettent à l'expert d'être plus efficace qu'un autre dans la recherche de la solution. Ces règles "heuristiques" sont essentielles : ce sont elles qui permettront d'obtenir la performance du système, en évitant le balayage systématique de l'espace du problème.

16.3.3. Evaluation de l'intérêt économique

De nombreuses raisons sont avancées pour justifier de la réalisation d'un système automatisant une tâche comportant l'intervention d'un expert.
Pour clarifier et simplifier l'analyse, nous proposons le canevas suivant.
En préalable, nous posons que, dans un sens large, un système expert assiste un "décideur" : on peut en effet considérer que caractériser la résolution d'un problème, c'est effectuer un choix entre des solutions - qu'il s'agisse de poser un diagnostic, de définir un processus d'usinage, d'identifier la nature d'un produit chimique d'après des analyses, de déceler des gisements potentiels de minerai d'après des faciès géologiques, de concevoir un dispositif mécanique tel qu'une boîte de vitesse, de déterminer le plan de marche d'une unité militaire vers un objectif en tenant compte du terrain,...
Dès lors, les motivations pour automatiser le processus de décision - ou , plus rigoureusement, pour apporter une assistance automatisée au processus de prise de décision - peuvent relever

- soit de **l'assistance** à l'expert décideur lui-même,
- soit de **la suppléance** de cet expert.

1°) L'assistance à l'expert apporte trois bénéfices :

- Elle peut *accroître la rapidité de traitement* du problème : c'est notamment le cas lorsque celui-ci suppose un grand nombre de tâches de manipulations formelles de données sur lesquelles les opérations à effectuer ne nécessitent pas de recherche particulière (calcul algébrique, évolution d'une situation sur un terrain : exemples déjà cités plus haut).

L'automatisation de ces travaux de routine, mais nécessitant une manipulation symbolique, fait gagner à l'expert un temps évidemment précieux. A titre d'illustration, évoquons l'anecdote du calcul de la trajectoire de Saturne par Le Verrier (astronome français du XIXème siècle). Ce calcul, qui permit à son auteur, par les anomalies qu'il constata entre la trajectoire calculée et la trajectoire réelle, de prédire l'existence de la planète Neptune, avant d'effectuer son observation astronomique, ce calcul donc prit à Le Verrier dix ans, plus dix ans de vérification. Actuellement, un programme de calcul symbolique effectue un tel calcul de mécanique céleste en quelques instants...

- Elle améliore la *stabilité du traitement* du problème : plusieurs exemples existent dans lesquels un système automatisé a trouvé une solution que l'expert avait laissé échapper. Une fois que la base de connaissances est bien au point, le système effectue sur chaque cas un raisonnement de la même qualité : il n'est pas sensible à la fatigue, au stress, ou à la distorsion dans le jugement que peut induire chez le décideur certaines hypothèses "a priori".
- Enfin, last but not least, un sous-produit toujours mentionné de la réalisation d'un système expert est *l'amélioration de la compétence de l'expert lui-même*. En effet, le processus de formulation de sa connaissance dans lequel celui-ci s'engage fait remonter au niveau conscient bon nombre de mécanismes et d'automatismes hérité de l'expérience, peu à peu devenu réflexes, et pas toujours soumis de ce fait à un examen rationnel. De même, les données prises en compte sont parfois perçues plus ou moins inconsciemment : leur identification permet d'en affiner l'analyse, d'en préciser le contenu et d'en améliorer l'utilisation.
  Bref, ce que pratiquement tous les experts qui ont participé à l'élaboration d'un système expert ont affirmé, c'est qu'ils avaient le sentiment d'être devenus de meilleurs experts.

2°)La suppléance de l'expert s'impose dans un certain nombre de cas

- Indisponibilité ou *disponibilité insuffisante* par rapport aux besoins. C'est ce qu'on mentionne en général en évoquant :
  - la *rareté* de l'expert (exemple : spécialiste de la maintenance et du diagnostic des incidents sur une ligne de production fonctionnant en continu),
  - le *caractère crucial des décisions* qu'il a à prendre (exemple : configurateur de systèmes informatiques à livrer à partir d'une commande spécifiant globalement le matériel acheté),

- la *multiplicité des sites* sur lesquels son intervention est souhaitée (exemple : spécialiste en interprétation de mesures géologiques sur le terrain dans le domaine de la prospection minière, ou technicien de réparation de matériels livrés en clientèle : voitures, locomotives, avions,...).

Comme on l'a vu, cette indisponibilité doit être suffisamment maîtrisée pour permettre la réalisation du système.

- *Départ prévu* à plus ou moins long terme. L'entreprise souhaitera naturellement, par le biais de la constitution de sytèmes à base de connaissances, préserver le capital technologique que constitue la présence d'experts chevronnés, rompus par des années de pratique à la maîtrise des problèmes qui sont au coeur du métier.

- *Formation* de spécialistes supplémentaires. Cet objectif va au-delà des deux précédents, dans lesquels le système et la base de connaissances constituent le réceptacle des compétences que l'on souhaite démultiplier (dans le premier cas) ou conserver (dans le second). Il s'agit ici de considérer le recueil de cette information comme une étape, en vue d'un transfert vers d'autres individus.
  Le processus de réalisation du système permet effectivement de recueillir des règles et des "tours de main" sous une forme plus appropriée à l'enseignement que lorsqu'elles sont diffuses et non formalisées dans le cerveau de l'expert.
  On prendra garde que, si tel est l'objectif, le mode d'utilisation du système comme outil de formation est assez différent de ce qu'il est comme moyen d'assistance. Cette différence porte
  - en partie sur la connaissance et son utilisation (importance relative de la justesse du *raisonnement* par rapport à la justesse du *résultat* beaucoup plus grande en formation qu'en assistance),
  - en partie sur les interfaces (capacité de trace, capacité à suivre le raisonnement de l'utilisateur plutôt qu'à dérouler celui du système, éventuellement génération de questions sur ce raisonnement).

16.3.4. Appréciation de l'opportunité du projet

Le sujet reconnu susceptible de donner lieu à une application d'informatique symbolique, et jugé intéressant pour l'entreprise, doit être examiné suivant un autre axe : l'appréciation de ses chances de succès en tant que projet dans le contexte dans lequel il est destiné à se dérouler (indépendamment de l'évaluation technique, qui fait l'objet des critères du paragraphe suivant).

Cette appréciation s'impose en raison de la jeunesse de l'informatique symbolique en tant que technique industrielle, ce qui la rend relativement fragile :

- sur le plan de la maîtrise technique, encore très imparfaite,
- sur le plan de l'acceptabilité psychologique, marquée par des excès soit de confiance, soit de défiance - tous les deux aussi nuisibles l'un que l'autre.

1°) Appréciation des risques techniques

Les critères d'opportunité sont fondés sur le fait que la durée de développement d'un projet n'est pas aujourd'hui parfaitement connue, ni maîtrisée. En conséquence, il convient de *ne pas retenir des projets sur lesquels pèse une forte contrainte de délai de réalisation.*

En particulier, on s'assurera :

- que la "durée de vie" du problème abordé est suffisante, c'est-à-dire en pratique qu'on ne prévoit pas sa disparition à échéance connue (changement de technologie, investissements nouveaux,...) ;

- que le sujet abordé ne fait pas l'objet d'un projet concurrent d'automatisation par des méthodes classiques, avec lequel s'introduirait une émulation nocive à la sérénité de la réalisation ;

- que le projet n'est pas lui-même sur le chemin critique d'un programme plus important, dont il constituerait un élément.

Bref, il est sain aujourd'hui de sélectionner pour appliquer l'informatique symbolique des thèmes autonomes, prenant en compte l'aspect, sinon expérimental, du moins d'acquisition de compétence d'un tel projet.

2°) Appréciation des risques psychologiques

Les critères d'opportunité prennent en compte à la fois les risques inhérents à l'introduction d'une technique nouvelle, et ceux qui résultent de la sensibilité particulière de toute action portant sur la maîtrise de l'information, les processus de décision et les répartitions de compétence - domaine conflictuel et passionnel s'il en fut, surtout en France.

- *Information et disposition favorable des acteurs concernés* :
  - la direction concernée (c'est-à-dire la hiérarchie de l'équipe qui fournit la compétence et celle des utilisateurs prévus si ce n'est pas la même),

- la direction informatique (qui aura son mot à dire
  - pour l'intégration du système expert dans le système d'information global,
  - vraisemblablement pour le choix des matériels, et éventuellement des fournisseurs,
  - pour la maintenance ultérieure),

- les utilisateurs concernés (sans commentaire...),

- la direction générale. Certains recommandent de s'assurer, à ce niveau, du soutien actif d'au moins un responsable influent.

Par disposition favorable, on entendra une curiosité bienveillante, exempte d'attentes trop ambitieuses. Ceci est infiniment préférable à un enthousiasme passionné, d'autant plus dangereux que, comme tout sentiment excessif, il est susceptible de se muer en déception et en rejet.

• *Conditions d'environnement favorables dans l'organisation.* On écartera notamment :

- les projets perturbants, notamment ceux qui risquent de remettre sérieusement en cause les méthodes de travail des services concernés;

- les projets à fort enjeu politique, qui par exemple déplacent un équilibre de répartition de compétences entre services, surtout s'il existe déjà une tendance à l'émulation voire à la rivalité ;

- les services déjà perturbés, en particulier ayant fait l'objet de restructurations, fusions,... ;

- l'utilisation du projet à des fins autres que la seule réalisation d'un système automatisé : la réconciliation d'experts ou de services concurrents, l'élimination de tel ou tel mode de fonctionnement, ou le transfert de responsabilité.

16.3.5. La vérification détaillée de faisabilité

Cette étape est intermédiaire entre la sélection et la réalisation. En principe, même dans le cas où l'on procède à un balayage exhaustif des thèmes d'application possibles de l'informatique symbolique, elle ne s'applique qu'à un nombre limité de projets, après classement et élimination par les critères énumérés ci-dessus (§16.3.1 à 16.3.4). A fortiori, si l'on applique la démarche à un seul projet, à partir duquel a pris corps l'intention de réaliser un système expert.

En pratique, elle fournit une appréciation de faisabilité technique qui peut être considérée elle aussi, non de manière binaire, mais comme un classement supplémentaire.

Elle comporte plusieurs critères concernant
-l'expert,
-la complexité du problème,
-celle du système, et
-la qualité de définition de l'objectif visé.

16.3.5.1. Critères concernant l'expert

1°) L'expert doit être un "véritable" expert
On a déjà mentionné, comme une condition préalable, l'existence d'un homme capable de résoudre le problème.

Ici, on précise le degré de compétence particulier de ce spécialiste. Il importe, non seulement que sa capacité à résoudre le problème considéré soit connue et reconnue, mais encore qu'elle s'impose par un niveau supérieur de compétence.

L'expert devrait notamment savoir résoudre les problèmes plus vite que les autres, en particulier dans les cas difficiles. C'est notamment de cette capacité à trouver les raccourcis du raisonnement que dépendra, on l'a vu, la performance du système final.

2°) L'expert doit être apte à communiquer son expertise et désireux de le faire
L'aptitude pédagogique à articuler le savoir élaboré par la pratique, et souvent au moins partiellement inconscient, conditionne la faisabilité du système.
L'enquêteur s'assurera, à ce stade, que l'expert sait expliquer ce qu'il fait, et pourquoi il le fait.
Une des conditions pour cela est qu'il en ait envie. Comme on l'a déjà souligné, il peut exister des freins, même inconscients, à cette perte de substance que constitue la communication d'une science personnelle, et au risque qu'elle soit analysée voire critiquée. L'ouverture d'esprit du spécialiste, son acceptation du débat, son goût de progresser, seront des facteurs essentiels de réussite.

3°) L'expert doit être unique, ou prééminent
Un des problèmes les plus difficiles à maîtriser dans la constitution des bases de connaissance est leur cohérence.
De ce fait, tous les praticiens affirment que la réalisation d'un système expert opérationnel suppose impérativement l'existence d'un point de vue unique - ou unifié.

De ce point de vue, si plusieurs experts existent, il convient qu'une procédure soit prévue pour mettre en cohérence leurs avis :
- soit qu'ils se mettent d'accord en réunion,
- soit que l'un d'entre eux décide en dernier ressort de ce qu'on aura retenu.

16.3.5.2. Critères sur la complexité du problème

4°) L'évaluation du nombre de règles à utiliser, si elle est possible, fournit un indicateur de complexité assez satisfaisant.
L'ordre de grandeur est la centaine (d'une fraction - 1/2, 3/4 - à quelques unes).

5°) La décomposabilité du problème en un certain nombre de sous-problèmes distincts est un argument favorable. Il garantit notamment qu'on pourra fournir, au cours de la réalisation, des produits d'étapes intermédiaires, qui permettront :
- de valider la démarche,
- de maintenir l'intérêt des utilisateurs et des experts et de calmer leur impatience.

6°) Un domaine technique homogène et bien délimité
Le mélange de compétences diverses est source de difficultés, notamment s'il faut raccorder entre elles des expertises plus ou moins bien en phase.

On retiendra de préférence un domaine faisant appel à une technique bien identifiée, et assez sérieusement borné : la gestion de très grands volumes de connaissances n'est pas toujours bien maîtrisé, notamment sur le plan des performances.
En particulier, on évitera les problèmes faisant appel, dans leur résolution, à un grand nombre de connaissances "de bon sens", c'est-à-dire de règles simples sur l'univers qui nous entoure. L'expérience montre, en effet, que lorsqu'on aborde ce type de connaissances, on perd complètement conscience de la quantité de choses

qui nous sont connues, tellement celles-ci sont ancrées depuis longtemps dans nos structures mentales.

16.3.5.3. Critère sur la complexité du système

7°) On préfèrera **un système ne nécessitant pas trop d'interfaces**, tant avec les utilisateurs qu'avec le système d'information général.
L'expérience montre que la proportion 80/20 (80% d'interfaces pour 20% de programme-coeur) constatée sur les systèmes classiques se retrouve sur les systèmes d'informatique symbolique.

Dans le cadre d'un développement de nouvelles compétences, il paraît judicieux de se focaliser sur la partie centrale du système.
Les interfaces constituant cependant un outil indispensable, et un des facteurs d'acceptabilité du système, on aura tout intérêt à *sélectionner au départ un projet manifestement peu exigeant de ce point de vue*. Il sera toujours temps de s'apercevoir par la suite qu'on avait sous-évalué le travail, et qu'on retombe sur une proportion 75/25.

16.3.5.4. Critère sur l'objectif visé

8°) "Il n'est pas de vent favorable à celui qui ne sait pas où il va" (Guillaume d'Orange ; attribué également à un sage chinois anonyme).
Un des facteurs important de réussite d'un projet est d'être capable de déterminer à l'avance ce qui constitue la marque de cette réussite.
On s'attachera donc, dès l'examen préalable, à *préciser des critères d'évaluation finale objectifs - c'est-à-dire mesurables*. Ceci suppose une capacité à porter, sur les solutions retenues, une appréciation reproductible, partagée par les utilisateurs, et fondée autant que possible sur un ensemble de facteurs.

Δ Δ Δ
Δ

Notre projet a obtenu à travers ces différents critères une évaluation favorable.
Eventuellement, plusieurs projets ont été classés, et l'un ou quelques-uns d'entre eux seront retenus pour une réalisation.
Avant d'aborder le déroulement de celle-ci, il nous reste à examiner qui sont les intervenants dans le processus.

16.4 Les intervenants

16.4.1 Description des différents acteurs

Nous les avons vus apparaître dans le déroulement des phases précédentes. Le scénario se déroule en fait pour l'essentiel entre deux "grands premiers rôles" : l'expert et l'ingénieur de la connaissance - avec comme il se doit un troisième rôle classique, en l'occurrence le chef de projet - et quelques personnages dont les interventions, limitées, sont essentielles : direction - direction informatique.

16.4.1.1. L'expert

Ses caractéristiques sont détaillées ci-dessus. Rappelons-les simplement :

- c'est un *véritable* expert, dont la compétence apporte un "plus" pour la résolution des problèmes de son ressort ;
- il est *reconnu* comme tel, et sa prééminence n'est contestée par personne ;
- il est *unique* - ou si tel n'est pas le cas, il existe un accord profond entre les différents experts disponibles ;
- il est disposé à - et même de préférence *désireux de - communiquer sa connaissance*, et il est *capable de le faire.*

16.4.1.2. L'ingénieur de la connaissance

Parfois désigné sous le terme de "cogniticien", c'est le véritable acteur nouveau apparu avec les techniques nouvelles de l'informatique symbolique.

L'auteur a longtemps douté de cette nouveauté, derrière laquelle il soupçonnait encore un artifice médiatique destiné à appâter le chaland, et à majorer les tarifs horaires facturés. Après mûre réflexion, force lui est de considérer qu'une véritable compétence nouvelle existe, dans laquelle on distingue en général deux composantes :

- l'aptitude "maïeutique" à faire formuler à l'expert sa connaissance ;
- la connaissance technique des outils de l'informatique symbolique.

• **L'aptitude maïeutique**(*) : faite de capacité d'écoute et de reformulation, de sens psychologique,elle suppose également une vaste

(*)Du verbe grec "maïeïn" signifiant "accoucher". Référence à l'art de Socrate, qui savait, par des questions judicieusement posées, faire découvrir à ses interlocuteurs la vérité dont il cherchait à leur faire prendre conscience (cf. Dialogues de Platon).

culture technique, permettant à son détenteur d'entrer rapidement dans le vocabulaire et les raisonnements de spécialistes nouveaux.

On remarquera que ces qualités ne constituent pas véritablement une nouveauté : tout concepteur de programmes informatiques, même classiques, devrait en disposer pour bien faire son métier. Le fait qu'elles soient mentionnées comme les vertus remarquables et exceptionnelles des ingénieurs de la connaissance n'est peut-être pas sans rapport avec les difficultés bien connues qui apparaissent dans les réalisations informatiques classiques...
Toutefois, leur possession est nécessaire à un degré particulier pour la réalisation de systèmes experts, qui sont, par nature, l'automatisation de raisonnements mal formulés, utilisant des connaissances diffuses. On conçoit que la mise à jour de ceux-ci suppose d'excellentes dispositions à l'interview : dans de nombreux cas, les réalisateurs de ce processus évoquent à son propos la psychanalyse.

Difficultés supplémentaires :
- réticence plus ou moins consciente de l'expert à "se dépouiller" de sa science,
- poids de l'expert (compétent, reconnu, d'âge mûr) face à son interrogateur. On compare souvent la position de l'ingénieur de la connaissance par rapport à l'expert, à celle d'un faciliteur, ou à celle d'un apprenti.

En conclusion nous retiendrons que, doté d'excellentes qualités psychologiques et d'une vaste culture technique, l'ingénieur de la connaissance dispose en outre d'une grande curiosité intellectuelle, qui le rend curieux de s'instruire de nouvelles techniques, et de la réserve ou de la modestie suffisante pour rester dans son rôle de disciple de l'expert.

• **La connaissance technique** des outils et méthodes de l'informatique symbolique est la deuxième caractéristique de l'ingénieur de la connaissance.
En dernière analyse, c'est elle qui justifie véritablement la distinction de ce nouveau métier, bien plus que la capacité d'écoute, qualité précieuse mais absolument pas spécifique.

C'est sur elle qu'est basée toute la qualité de la réalisation ultérieure :
- connaissance de la gamme des outils de haut niveau disponibles sur le marché, de leurs caractéristiques techniques, de leurs forces et de leurs faiblesses,

- maîtrise des langages de programmation de base de l'informatique symbolique (essentiellement LISP et PROLOG),
- immense culture dans le domaine des travaux de recherche en "Intelligence Artificielle", des origines à nos jours.

Ces compétences permettent à l'ingénieur de la connaissance
- d'effectuer l'analyse des mécanismes à représenter,
- d'imaginer la structure appropriée à cet effet,
- de choisir l'outil correspondant,
- éventuellement, de réaliser les programmes spécifiques qui se révéleraient indispensables pour représenter les connaissances et effectuer les raisonnements.

16.4.1.3. Le chef de projet

Pour mémoire : son rôle est assez classique pour n'en pas reprendre ici la description.

On gardera toutefois présent à l'esprit qu'il aura à gérer un processus assez sensiblement différent de celui d'une programmation ordinaire, et pour lequel il n'existe encore que peu d'expérience. En particulier, il est probable qu'on ne disposera pas, dans les premières années, pour jouer ce rôle d'un ancien réalisateur de systèmes experts.

En conséquence, on veillera à choisir un responsable

- suffisamment chevronné pour bien connaître les embûches de toute réalisation et établir une planification solide,
- très ouvert pour savoir adapter ses habitudes aux spécificités de ce nouveau type de projet,
- solide et calme pour faire face convenablement aux imprévus d'une technique qu'on ne maîtrise encore que modestement.

16.4.1.4. Les autres acteurs

Certains, dont on a vu que l'association était souhaitable, voire nécessaire pour le succès du projet, n'interviennent que modestement. Comme les fées des contes, on souhaite simplement leur présence bienveillante autour du berceau...
La Direction du service concerné, voire celle de l'entreprise ou de l'organisme sont dans ce cas.

La Direction Informatique aura normalement un rôle plus important :

- au minimum, elle sera informée et invitée à suivre le déroulement du projet,
- plus probablement, elle devra être associée, dans la mesure où le produit final devra s'intégrer dans l'informatique interne de l'entreprise, pour être accessible largement aux utilisateurs,
- éventuellement, enfin, elle sera directement impliquée si l'organisme est engagé dans un processus complet d'acquisition d'une compétence interne en informatique symbolique, qui se fera donc naturellement chez elle.

16.4.2. Le choix d'une équipe

Deux critères interviennent dans la sélection des intervenants pour la réalisation d'un système expert :

- la compétence technique,
- le recul.

La compétence technique a été définie précisément au paragraphe précédent. On a vu qu'elle comporte :

- une capacité classique à la gestion de projet, qu'on souhaitera particulièrement solide,
- une connaissance approfondie de l'informatique symbolique,
- une compétence particulière à l'analyse technique approfondie, supposant sens psychologique et culture technique.

Le recul par rapport au(x) projet(s) de l'entreprise est un élément important dans deux étapes.

- Pour l'évaluation du (ou des) projet(s) à réaliser, évaluation qui conditionne la décision d'opportunité d'effectuer l'investissement, on a vu que de nombreux éléments relatifs à la situation interne de l'entreprise, entrent en ligne de compte. L'appréciation de ces données suppose a priori un regard un peu neuf et indépendant.

- Au stade de la réalisation elle-même, l'extraction de l'expertise est d'autant plus complète que le questionneur est plus "innocent". C'est cette innocence en effet qui le conduira à poser les questions révélatrices de raisonnements implicites, à débusquer les "évidences" et à mettre en lumière les connaissances cachées.

C'est à la lumière de ces éléments que chaque responsable appréciera les solutions disponibles, et en particulier l'opportunité d'un recours à un intervenant extérieur.

A propos de ces derniers, on notera seulement :

- que la réalisation d'une étude d'opportunité s'apparente par certains aspects à des missions de conseil (en organisation, en stratégie, voire en communication,...) pour lesquelles le recours à l'extérieur présente l'avantage du recul, mais l'inconvénient d'une analyse parfois abstraite, et d'un engagement de responsabilité modeste dans la mise en oeuvre, et a fortiori dans les résultats ;

- que l'intervenant, qui dans ce cas après l'étude d'opportunité, se verra vraisemblablement confier un rôle dans la réalisation, risque de ce fait de perdre un peu de son impartialité. Il paraît donc opportun, après l'étude d'opportunité, de reconsulter pour la réalisation - et de le faire savoir dès le début ;

- enfin, il est clair qu'aujourd'hui le marché des spécialistes formés aux techniques d'informatique symbolique est très étroit - et que l'étendue des applications possibles est encore mal perçu.

  Ces derniers éléments plaident en faveur des sociétés spécialisées, mieux à même d'offrir une compétence, de la développer et de la rentabiliser.

16.5. Résumé

- Technique nouvelle, l'informatique symbolique attire parfois pour de mauvaises raisons (mode, attrait du neuf, fascination de la reproduction des capacités humaines), mais aussi pour d'excellentes (recherche de compétitivité, préservation d'une avance,...).

- L'introduction de l'informatique symbolique dans toute l'entreprise relève d'*une démarche stratégique*, supposant analyse de situation, plan d'entreprise et formation généralisée, avant l'identification des applications possibles.

- Face à l'une de celles-ci, un processus rigoureux de sélection doit être entrepris. Il comporte cinq étapes :
  - questions préalables - conditions nécessaires
  - critères techniques de recours à l'informatique symbolique
  - critères d'intérêt économique
  - condition d'opportunité
  - tests de faisabilité.

- Les nouvelles techniques font apparaître de nouveaux intervenants. Parmi eux, le nouveau métier de l'ingénieur de la connaissance : il se caractérise par ses capacités psychologiques d'interviewer et surtout par sa connaissance des outils et méthodes de l'informatique symbolique, supposant une formation approfondie, aujourd'hui encore peu répandue.

17

La réalisation d'un système expert

Comme il a été dit en introduction, ce chapitre présente une synthèse des démarches méthodologiques issues des expériences de concepteurs recueillies dans la littérature ou directement.

Deux étapes se dégagent de toutes les expériences :
- l'élaboration d'un présystème,
- les étapes de la réalisation proprement dite du système opérationnel.

17.1.Elaboration d'un présystème

Pourquoi parler de "présystème" ? D'autres parlent de première version, de prototype, de maquette, de démonstrateur,... Pratiquement tous sont d'accord sur deux principes :

1°) le présystème est une véritable réalisation, qui constitue une première version de l'outil définitif, mais avec un certain nombre de simplifications,

2°) c'est un produit "à jeter", et il faut poser ce principe au début pour n'être pas tenté d'aboutir à un système final bancal dans ses résultats et peu performant dans son fonctionnement.

17.1.1. Rôle du présystème

On lui assignera deux fonctions :
- permettre d'effectuer le choix des techniques,
- constituer une ultime validation de l'approche système expert.

Le choix d'une technique, en ce qui concerne le mode de raisonnement ou la représentation des connaissances, est fortement conditionné par les caractéristiques du problème à traiter : on a pu constater que leur diversité est grande, et le choix est donc relativement ouvert. Beaucoup d'idées variées ont vu le jour, au coup par coup, pour constituer des systèmes adaptés à des problèmes très différents, du diagnostic médical à la configuration de systèmes informatiques, de l'aide à l'analyse chimique à la conception de processus d'usinage.

Face à cette prolifération, l'ingénieur de la connaissance devra, une fois familiarisé avec le problème à traiter, en dégager les traits essentiels :
- connaissances et leur formulation ;
- données : leur intervention, leur forme, leur fiabilité,... ;
- raisonnements : leur découpage, leur déroulement, ... ;
- etc.

A partir de ces éléments, et grâce à sa connaissance des méthodes et outils, il va imaginer les solutions favorables.
On conçoit que cette approche est aujourd'hui très largement intuitive et expérimentale. La somme de réalisations connues et d'expériences disponibles est faible, il en résulte :
- qu'il n'y a guère de doctrine disponible en matière d'adéquation des outils à une catégorie de problème ;
- que, a fortiori, la maturation des outils et la standardisation des caractéristiques techniques ne sont pas aujourd'hui entamées.

Le choix à effectuer suppose donc, outre une excellente connaissance, une bonne intuition et quelques essais.

La validité de l'approche système expert n'est par conséquent pas entièrement acquise : il faudra réussir à trouver, dans les techniques disponibles - ou dans celles que pourra imaginer l'ingénieur de la connaissance - le moyen de traiter les informations du domaine considéré.
La réalisation d'un présystème permet de vérifier qu'on y parvient dans des conditions convenables, avec des performances satisfaisantes.

17.1.2. Caractéristiques

Cette étape est donc une étape probatoire, destinée à vérifier qu'on sait effectivement traiter le problème et ceci avec l'informatique symbolique. En conséquence :
- l'attention sera polarisée vers l'utilisation de cette technique ;
- les engagements (investissements, effectifs, temps passé,...) seront limités au minimum strictement nécessaire.

Trois caractéristiques en découlent.

1°) Le présystème ne traite qu'une partie du problème : cette limitation est souhaitable, compte tenu du caractère probatoire du travail entrepris, pour en limiter l'envergure.

A contrario, le sous-problème choisi devra répondre au besoin de sélection des techniques, et constituer une validation probante. Il devra

- être *de taille suffisante* pour faire apparaître d'éventuels problèmes de performance,
- présenter une *complexité représentative* de l'ensemble de la question à traiter,
- si possible, *mettre en jeu les différents types* de raisonnements et de connaissances considérés.

Compte tenu de ces caractéristiques, il présentera en outre l'avantage de faire, de la réalisation du présystème, une étape intéressante pour l'expert, et du résultat, un outil déjà attractif pour les futurs utilisateurs.

2°) Le présystème fait abstraction des contraintes opération-nelles. Ceci résulte de la *focalisation exclusive* sur les aspects relevant *purement de l'informatique symbolique*, les choix à effectuer et les problèmes que pose son utilisation. Au cours de cette phase, on se consacrera à *l'identification des techniques à utiliser*, et à la validation de ce choix.

On ne cherchera pas à résoudre les problèmes *d'optimisation* de performances et de minimisation des besoins en ressources. Il n'est évidemment pas exclu de se poser ces questions et d'en tenir compte dans les choix effectués : ce qui est affirmé, c'est que les travaux spécifiques d'optimisation seront reportés à une phase ultérieure.

A fortiori, *on réduira au strict minimum* le travail effectué sur les *interfaces*. Comme dans tout projet informatique, celles-ci représentent plus des trois quarts de l'effort total, et d'un effort très peu spécifique. Le moindre investissement effectué dans ce sens se chiffrera très rapidement par des coûts élevés, au détriment des ressources affectées à la résolution des vrais problèmes.

Il convient d'y insister, car la tentation sera grande, et forte la pression pour ajouter ces petits plaisirs de l'utilisateur que sont des écrans commodes à utiliser, un dialogue agréable,... Répétons-le donc : à ce stade, un tel travail constitue une dispersion nuisible à l'objectif.

3°) Le présystème ne fait pas appel à des investissements spécifiques. La raison en est claire : encore une fois, le caractère probatoire de cette réalisation impose d'en réduire le coût autant qu'il est possible, et de polariser l'utilisation de la dépense consentie sur les problèmes de fond.

Concrètement, cette règle se traduira :

- sur le plan *matériel*, par *l'utilisation des machines déjà disponibles*; l'achat de matériels spécialisés, aujourd'hui encore d'un coût élevé, et très spécifiques, constituerait en effet un regrettable gaspillage si la réalisation probatoire se révélait non probante; pire, il pourrait contribuer à biaiser les conclusions, en vertu du principe bien connu suivant lequel, lorsqu'on a dépensé un million à tort, ce serait dommage de l'avoir perdu - ou difficile de reconnaître que c'est le cas : ce qui conduit quasi-automatiquement à la poursuite de la dépense...
- sur le plan *logiciel*, par le recours *systématique* aux *outils disponibles* sur le marché. Là encore, la raison en est claire : le problème c'est l'extraction et la formulation de la connaissance. Tout l'effort doit être tendu vers ce but, à l'exclusion d'une réalisation interne d'outils spécifiques, dont l'intérêt résiderait dans la recherche d'une performance. De plus, un tel travail déboucherait inévitablement, au terme du budget temps-ressources alloué au projet, sur un prototype de système-vide très inférieur à ceux qui sont disponibles sur le marché, au moins aux meilleurs d'entre eux, eu égard à l'investissement considérable que ceux-ci intègrent déjà.

Il peut paraître paradoxal qu'un même principe conduise, pour le matériel, à recommander de ne pas acheter les matériels spécialisés, et pour le logiciel, au contraire, à prescrire l'achat sur le marché. En réalité, la logique sous-jacente est la même : limiter, voire *s'interdire, au cours de cette phase, le recours au spécifique.* Ce qui est spécifique, en matière de matériel, ce sont les machines spécialisées - et, au demeurant, il viendra à peu de gens l'idée de fabriquer eux-mêmes leur LISP-machine; en matière de logiciel, les outils généraux sont ceux du marché, le spécifique, c'est la réalisation-maison.

17.1.3. Processus de réalisation

On y distinguera trois étapes :

- identification (ou spécification du présystème),
- analyse et formalisation,
- implémentation et test.

Les présentations publiées font appel à des termes divers pour désigner les phases ci-dessus, et la décomposition varie, mais les éléments constitutifs se retrouvent d'un schéma à l'autre.
Nous avons effectué le regroupement qui nous a paru le plus logique, et nous définirons le sens que nous donnons à chacun des termes employés.

17.1.3.1. L'étape d'identification (ou spécification)

Le terme *d'identification* indique que cette étape est celle où seront déterminés les éléments fondamentaux du présystème. Logiquement, cette étape débouche sur une spécification (fonctionnelle) de ce dernier. Plusieurs points y sont précisés.

- La *définition précise du problème traité*
  Il peut s'agir d'un *sous-problème*, c'est-à-dire d'un problème qui est une composante du problème plus complexe que l'on cherche à résoudre.
  Il peut également s'agir d'une *restriction du problème complet* sur le champ des *cas possibles*.

  Dans les deux cas, on s'attachera à :
  - vérifier que le problème réduit traité reste significatif, notamment au regard des difficultés techniques prévisibles ;
  - préciser avec soin ce qui entre et ce qui n'entre pas dans le cadre de l'étude à ce stade.

- L'*identification des entrées et des sorties*
  D'où proviennent les données ? Sous quelle forme ? Comment sont-elles recueillies et exploitées par l'expert ?
  Quels sont les résultats fournis, et sous quelle forme ?

  Pour la détermination des paramètres du problème, l'ingénieur ne se contentera pas d'interviews. Un moyen essentiel d'entrer correctement dans les méthodes de l'expert consiste à lui demander de travailler sur des cas concrets. Pour cette première étape, ceux-ci seront choisis volontairement assez simples, pour permettre à l'ingénieur de se familiariser avec les éléments fondamentaux du processus de fonctionnement de l'expert, sans se perdre dans les subtilités de problèmes complexes.

- La fixation des *règles et moyens d'évaluation*
  Ce choix a priori des éléments sur lesquels seront basées les

évaluations du présystème contribuera à préciser la définition du champ d'application de ce dernier.

- La détermination des *ressources* et du *calendrier*
  Cette tâche à effectuer par le chef de projet termine le processus de spécification. Bonnet, Haton et Truong[1986], remarquent judicieusement à propos de ce calendrier qu'il convient de fixer de préférence dès cet instant l'agenda des rencontres avec l'expert, la disponibilité de celui-ci étant le problème majeur dans la réalisation.

17.1.3.2. L'étape d'analyse et formalisation

Objet de l'étape : *Analyse* correspond ici au travail d'examen des différentes composantes du problème, qui constituent la méthode de résolution, et qui devront être introduites dans la machine, sous une forme ou sous une autre.
La *formalisation* correspond justement à la détermination de la forme appropriée à cette entrée en machine, c'est-à-dire au choix des outils et méthodes de représentation.

(***Remarque*** : Ces deux tâches sont parfois distinguées dans la présentation: cette distinction n'apparaît pas justifiée dans la mesure où elles interagissent entre elles, et se font en fait dans un va-et-vient de l'une à l'autre. D'ailleurs, l'examen des critères cités dans leurs présentations lorsqu'elles sont distinctes, fait apparaître une structure commune de ces derniers et de nombreuses redites.)

Où l'on retrouve la décomposition classique d'un système à base de connaissances : les éléments à examiner lors de l'analyse et qui guideront les choix à effectuer durant la formalisation se classent suivant trois rubriques : les données (ou faits), les connaissances, le raisonnement.
Pour chacune d'elles, on trouvera ci-dessous une liste indicative de points à examiner.

Les données

- Etablir la liste des données disponibles, et de celles qui sont déduites.
- Leur nature :
  - les données sont-elles entachées d'incertitude ? d'imprécision ? d'erreur ?

- sont-elles incomplètes ? susceptibles de faire défaut ?
- y a-t-il des informations redondantes ?
- y a-t-il des risques d'incohérence ?

• Leur intervention :
- d'où proviennent-elles ?
- quel est le coût de leur obtention ?
- apparaissent-elles indépendamment du processus de résolution (sous forme d'un flot de données provenant d'un processus extérieur et non en réponse à une recherche d'information par l'expert) ?
- sont-elles susceptibles de varier dans le temps (à une échelle de temps comparable (ou inférieure) à la durée du processus de résolution) ?
- l'ordre de leur prise en compte modifie-t-il leur interprétation ?

Les connaissances

• Déterminer leur structure et leur "granularité" : sont-elles décomposables en éléments indépendants ? ou organisées en paquets fortement structurés ?

• Peut-on établir entre les concepts manipulés des relations
- hiérarchiques ?
- de causalité ?
- d'inclusion ?
- spatiales et/ou temporelles ?

Est-il nécessaire de représenter ces relations ? Compte tenu de ces relations, peut-on définir des "classes de connaissances" ?

• Faut-il associer aux connaissances une incertitude, ou tout autre élément d'appréciation (plus ou moins) subjectif ?

• Peut-on distinguer la connaissance nécessaire à la résolution de la connaissance utile pour justifier le raisonnement?

Le raisonnement

• Y a-t-il des sous-tâches identifiables ? Possèdent-elles un nom ?

• Y a-t-il des stratégies de raisonnement identifiables ?
(***Remarque*** : l'identification des noms utilisés par l'expert est souligné ici dans un cas où il viendrait moins naturellement à l'esprit qu'ailleurs de s'en enquérir ; mais le respect des dénominations familières pour tous les objets considérés dans le processus de

résolution est crucial : il permettra de faciliter le dialogue ultérieur, tant avec l'ingénieur de la connaissance qu'avec le système, et d'accélérer la mise au point. On y veillera donc tout particulièrement, et ceci pour toutes les entités dégagées lors du processus d'analyse.)

- Le raisonnement fait-il intervenir un modèle mathématique ? Plus généralement, certaines parties du raisonnement correspondent-elles à un processus possédant un modèle de résolution algorithmique ?

- Le raisonnement fait-il intervenir plusieurs niveaux d'abstraction différents ? Si oui, les identifier, et identifier les concepts (connaissances) qui se rattachent à chacun d'entre eux.

De la méthode : Au risque de paraître rabâcher, nous insistons ici sur la nécessité de rechercher les réponses aux questions énumérées ci-dessus à partir de l'analyse *d'exemples concrets.*

Cette utilisation est ce qui fait la force et la spécificité de la technique système expert.
C'est sa spécificité en raison des moyens d'expression qu'offrent les outils de l'informatique symbolique, qui permettent de constituer la solution "par morceaux".
C'est également sa force, car l'analyse de cas concrets est le plus sûr moyen de mettre en évidence les "ficelles" du raisonnement, de faire apparaître les concepts utilisés, dont l'expert est d'autant moins conscient qu'il est plus... expérimenté.
Un exemple illustrera ce que peut signifier l'utilisation de cas dans la révélation d'une expertise : je le tiens d'un professeur d'ophtalmologie à qui je parlais, il y a déjà quelques années, de ces techniques de mise en machine de la connaissance de spécialistes.
Il m'a raconté comment, arrivant un matin dans son service, il avait appris que son assistant prévoyait d'opérer un de ses patients : "Tiens" dit-il "Monsieur X ? Montrez-moi les clichés". Et, au vu de ces derniers, il se précipitait pour faire annuler l'intervention : seule l'expérience effective de cas semblables lui permettait d'identifier immédiatement une "dégénérescence maculaire pseudo-tumorale", affection bénigne mais évoquant pour un observateur moins expérimenté un sarcome de la choroïde (tumeur cancéreuse).

Essentiellement, la difficulté est d'obtenir les premiers éléments de connaissance de l'expert. Celui-ci essaie en général d'expliquer le déroulement de son raisonnement en s'inspirant des ordinogrammes, maintenant quasiment entrés dans l'inconscient collectif... Comme, par hypothèse ou plutôt par construction, cette formulation algorithmique est impraticable (c'était un des critères de sélection du sujet), ces tentatives sont plus gênantes qu'autre chose.

Il revient à l'ingénieur de la connaissance de mettre en pratique le sens psychologique d'interview-analyse dont on l'a supposé doté.
Il devra en effet :

- laisser l'expert formuler ses connaissances comme celui-ci l'entend ;
- reformuler et faire préciser ce qui lui aura été dit ;
- se garder de biaiser cette expression en lui imposant prématurément un cadre formel, mais au contraire tenter de libérer l'expert des schémas a priori qu'il pourrait s'imposer plus ou moins consciemment ;
- et néanmoins, finir par déterminer un cadre formel approprié (c'est la tâche de formalisation), et par exprimer au moyen de celui-ci les connaissances fournies.

Si le choix a été correctement effectué, cette expression devrait être relativement naturelle et aisée.

Résultat

Au terme de cette étape d'analyse et formalisation, *l'ingénieur réalisateur a choisi*, éventuellement après quelques tâtonnements, *le formalisme* qui servira à exprimer les éléments utilisés par l'expert.

Il dispose déjà, nécessairement, de quelques-uns de ces éléments, qui lui ont été fournis à l'occasion des exemples utilisés pour l'analyse.

Aussitôt le choix arrêté, il faut entreprendre immédiatement l'utilisation concrète des éléments disponibles.

17.1.3.3. L'étape de réalisation et de test

Peu de choses à dire sur cette étape : ses qualificatifs parlent d'eux-mêmes. Soulignons que, là encore, le processus consiste en un *aller-et-retour permanent* entre les deux tâches "réalisation" et "test". C'est la caractéristique essentielle du mode d'élaboration d'un système-expert : l'interaction permanente entre la constitution du programme par adjonction de nouveaux éléments - et sa validation par test sur des jeux d'essais.

Réalisation

Notons simplement que si le processus d'interaction avec l'expert a été bien conduit, ce dernier devrait s'accoutumer rapidement à exprimer lui-même directement dans le formalisme choisi ce qu'il souhaite dire.

Test

La phase de test s'effectue sur le jeu de cas pratiques qui a normalement été défini dès la phase préliminaire d'identification.

Il pourra être complété si cela se révèle nécessaire : en particulier, s'il apparaît que l'ensemble est trop homogène, et ne couvre pas certains aspects du sous-problème retenu. On prendra garde toutefois à la tentation naturelle d'étendre subjectivement le champ du problème traité : d'où l'importance d'une définition préalable rigoureuse, claire et suffisamment approfondie.

A contrario, il se peut que certains cas choisis à l'avance fassent intervenir des éléments de raisonnement qui dépassent le cadre défini : il faudrait alors les éliminer, ou les simplifier.
Quelques problèmes à examiner au cours du test :

Entrées :
- les questions sont-elles formulées correctement : expression compréhensible, vocabulaire approprié, absence d'ambiguïté ?
- est-il possible de fournir des informations supplémentaires, en dehors de demandes du système, lorsque de nouvelles données sont disponibles - et si le besoin s'en fait sentir ?

Sorties :
- Les conclusions sont-elles correctes ?
- Leur formulation est-elle appropriée (suffisamment détaillée, ni trop, ni trop peu) ?

Connaissances :
- vérifier leur validité, à partir des résultats qu'elles produisent. Ceux-ci peuvent être :
  - faux
  - incorrectement classés, en termes de plausibilité relative,
  - incohérents entre eux ;
- porter une attention particulière au problème des "effets de bords" entre connaissances différentes.

Stratégie de contrôle :

- Produit-elle un déroulement de raisonnement voisin de celui de l'expert ? Si ce n'est pas le cas, des divergences de conclusions risquent de s'en suivre sur certains problèmes.
- Si des problèmes d'efficacité se posent à ce stade, en chercher la cause, et vérifier qu'ils pourront être résolus par la suite. Eventuellement, examiner la nécessité de remettre en cause le choix du processus de contrôle.

17.1.3.4. Validation et conclusion de la réalisation du présystème

Une fois parvenu au terme de la mise au point (ou, éventuellement, à l'épuisement des ressources qu'il avait été décidé de consacrer à cette étape probatoire), le responsable de la réalisation dégagera les enseignements tirés de ce travail :

- adaptation des techniques d'informatique symbolique à la résolution du problème posé ;

- difficultés rencontrées dans la réalisation du présystème, et définition des adaptations techniques à réaliser pour répondre au besoin final : adaptations spécifiques ou changement des outils voire réalisation d'un système vide spécifique ;

- qualité du produit obtenu en terme de résultats, leur adéquation aux besoins des utilisateurs à satisfaire. Eventuellement, évolution de ces derniers ,

- évaluation fine de l'effort à entreprendre pour aboutir au système définitif.

17.2. Vers le système opérationnel

La réalisation du présystème a permis de valider l'application de l'approche système expert, de préciser les techniques appropriées et d'approfondir la définition du problème à traiter.
Pour passer de ce présystème, expérimental et probatoire, à un véritable outil opérationnel, *la première recommandation* de tous les auteurs est claire : ***jetez le présystème*** - c'est-à-dire ne cherchez pas à le faire évoluer pour le transformer par adaptations en produit définitif.

A partir des résultats obtenus, le travail à effectuer est fonction
- de la complexité du problème traité, et notamment par rapport à celle du problème abordé dans la réalisation du présystème ;
- de l'évolution des outils utilisés ;
- de la complexité des interfaces et de l'intégration au système d'informations déjà existantes.

17.2.1. Les étapes possibles

Pour les aborder, Bonnet, Haton et Truong[1986] proposent un schéma en trois étapes : prototype, démonstrateur avancé, système final. La distinction entre elles sera plus ou moins marquée suivant les réalisations, mais cette décomposition possède le grand mérite de faire bien ressortir les différents problèmes à résoudre :
- extension du système expert,
- étude des interfaces,
- intégration.

17.2.1.1. L'extension du système expert inclut deux éléments distincts :
- l'évolution éventuelle de l'outil,
- l'élargissement de la base de connaissances.

Les questions auxquelles il faut répondre sont :
- la *définition de la tâche* exacte assignée au système final, en fonction de l'expérience acquise au cours de la réalisation.
  Ainsi, tel projet, prévu initialement pour piloter un processus temps réel, se transforme après une première phase en outil de simulation.
  Dans un certain nombre de systèmes de diagnostic, basés au départ sur l'hypothèse de la panne unique, on a cherché à intégrer la possibilité de diagnostics multiples.
- Le choix et la définition détaillée des *cas tests*, sur lesquels sera basée la validation.
- Les *limitations de l'outil* utilisé pour réaliser le présystème, compte tenu de l'expérience de la réalisation de celui-ci, et des évolutions de fond prévues pour le système final.
  En fonction de ces facteurs, on pourra
  - soit effectuer des *modifications de l'outil* employé,
  - soit étudier *l'utilisation d'un autre outil*, mieux adapté,
  - soit engager *la réalisation d'un outil spécifique*, permettant d'intégrer au mieux les caractéristiques souhaitées pour le traitement des connaissances considérées.

A partir de ces spécifications, et de l'outil finalement retenu, on procédera au transfert de l'expertise acquise dans le présystème, à son extension et à sa validation suivant le processus d'aller-et-retour et d'étude d'exemples décrits plus haut pour le présystème (§17.1.3.).

A l'issue de ce processus, on dispose d'un système expert complet.

Remarque : il ne faudrait pas conclure hâtivement du fait que nous consacrons seulement cinq lignes à l'extension du système, que nous considérons que celle-ci est facile ou courte. Simplement, nous n'avons pas jugé utile de faire perdre son temps à l'utilisateur de ce manuel en répétant ce qu'il trouvera plus haut. Nous insistons ici sur *la durée à prévoir* pour cette phase d'extension : l'expérience montre que celle-ci est de l'ordre de grandeur de un an.

17.2.1.2. L'étude des interfaces se révèlera particulièrement nécessaire

- si le système doit être intégré dans un système d'information déjà existant, complexe et très utilisé (en particulier, un problème important est celui de la *connexion à des bases de données existantes*);
- si des interactions avec des acquisitions de mesures ou des commandes automatisées sont prévues ;
- plus simplement, si l'on désire approfondir à l'avance les problèmes posés par l'utilisation finale du système, en vue de faciliter son acceptation.

Elle peut s'entreprendre à partir du présystème, autour duquel seront définis, développés et testés les interfaces à mettre en place.

17.2.1.3. L'intégration ne présente pas de caractère spécifique par rapport à celle de tout programme d'application réalisé pour l'entreprise.

On notera seulement

- que celle-ci est naturellement plus facile si une étude des interfaces a été menée à partir du présystème en parallèle avec le développement du système complet ;
- que, même si le développement a été le fait d'une équipe extérieure à l'entreprise, l'association des services chargés de l'informatique interne est indispensable à la réussite de l'intégration finale.

17.2.2. La validation-évaluation du système

17.2.2.1. Principes et problèmes

Principe n° 1 : comme tout programme informatique, un système expert doit être validé.

Problème n° 1 : comme pour tout programme informatique, la validation est une étape difficile à définir, fastidieuse à réaliser, et qui, intervenant en fin de projet, après la disponibilité opérationnelle, tend facilement à être réduite au strict minimum - voire même à rien du tout.
Ce problème est encore accru pour les systèmes experts, dont le processus de construction inclut, plus encore que pour un programme classique, une interaction permanente entre réalisation et essai.

Principe n° 2 : comme les méthodologies de programmation structurée le recommandent en général pour les programmes classiques, il est souhaitable de faire effectuer la validation par une équipe différente de celle qui a réalisé. Il est vivement décommandé d'en confier la responsabilité à l'expert.

Problème n° 2 : contrairement à une réalisation classique, celle d'un système expert ne peut pas s'appuyer sur une spécification et une conception rigoureuses, auxquelles la validation compare les résultats du programme.

En effet :
- d'une part la spécification du problème évolue au cours de la réalisation (mais ceci arrive aussi à des programmes classiques...) ;
- d'autre part, et surtout, l'objet d'un tel système est d'apporter des réponses en général non rigoureuses (au sens d'un raisonnement logique ou d'un calcul mathématique) à des problèmes pas toujours précisément connus, à l'aide d'informations éventuellement incertaines, parfois incomplètes, et le cas échéant partiellement fausses (incohérentes ou contradictoires).

En conséquence,

Principe n° 3 : la validation d'un système expert s'effectue par comparaison de ses résultats avec ceux d'une population d'évaluateurs humains, eux-mêmes experts, confrontés aux mêmes problèmes.

17.2.2.2. Critères

Sur les résultats

- "*Justesse* "des résultats : la détermination de cette qualité est loin d'être évidente, s'agissant de résultats non rigoureux, de problèmes pour lesquels plusieurs (bonnes) réponses sont possibles.
  On devra tenir compte :
  - du classement des réponses,
  - de l'absence de réponse incorrecte,
  - du caractère plus ou moins grave de l'apparition d'une telle réponse.

- *Sensibilité* des résultats à une variation des informations entrées, de leur coefficient d'évaluation.

- *Robustesse* du système face à des informations plus ou moins biaisées. Bonnet et al.[1986] mentionnent que les conclusions d'un système expert en diagnostic (en l'occurrence, TOM, diagnostic des maladies de la tomate) sont "influencées" par les conclusions erronées de l'utilisateur. Ils ont constaté expérimentalement que le diagnostic formulé a priori par un technicien agricole se retrouvait dans les réponses fournies par le système, lorsqu'il était alimenté par ce technicien - alors qu'il ne se trouvait pas dans les diagnostics formulés, lorsque les données relatives au même problème étaient fournies, soit par un expert (qui formulait lui-même le bon diagnostic), soit par un utilisateur non averti (et donc dépourvu de tout a priori sur le diagnostic).

- *Conformité* du processus de raisonnement à celui des experts, particulièrement importante si le système doit justifier son raisonnement, a fortiori pour l'enseignement.

- *Données* prises en compte pour le raisonnement : leur nombre par rapport à celles qui sont nécessaires à un expert, la pertinence des questions, leur ordre... caractérisent la qualité du raisonnement, et jouent sur la commodité d'utilisation du système et son acceptation par l'utilisateur.

Sur les performances

- *Délai de réponse* du système. Il sera judicieux d'y inclure les temps d'exécution *des opérations qu'il commande* : en effet, un certain nombre de systèmes (de diagnostic) incluent une optimisation des opérations effectuées...

- Autres critères d'évaluation de la performance des systèmes informatiques classiques : consommation de ressources, facilité de maintenance,...

17.2.2.3. Protocoles

Les protocoles sont établis suivant les principes classiques (définition des mesures des critères quantitatifs, questionnaires pour les critères qualitatifs, élaboration des règles de recueil des avis,...), en prenant en compte le problème fondamental : comparer les résultats du système à ceux d'un groupe d'évaluateurs.

A cette fin, on interposera entre ces derniers (ou le système) et les cas traités un informateur neutre. L'objet de cette médiation est :
- d'une part d'assurer une uniformisation des réponses fournies ;
- d'autre part, d'éviter que les évaluateurs, dans le cas d'un travail sur un cas réel, puissent engranger inconsciemment certaines informations et s'en servir dans leur résolution sans s'en rendre compte. L'intervention de l'informateur garantit que toute information utilisée par un évaluateur lui a été explicitement fournie : ce contrôle permet, éventuellement, de mettre en lumière des lacunes dans l'expression de la connaissance, en faisant ressortir des éléments de données restés encore implicites. Il garantit, en tout cas, que lors de la validation, les conditions sont égales pour tous : le système-expert et les évaluateurs.

17.2.2.4. Recueil et analyse des conclusions

On soulignera seulement à ce propos que cette analyse, statistique, suppose *un nombre suffisant de mesures*. Si, pour chaque type de cas traité, on considère qu'un traitement statistique valide implique une ou plusieurs dizaines de cas différents, on voit que la constitution des jeux d'essais constitue un travail considérable.

Ces jeux devront par ailleurs respecter, dans les exemples choisis, *une répartition à peu près représentative* de la population des problèmes ordinairement traités par le système.

Le traitement statistique comparera entre eux *les différents évaluateurs, c'est-à-dire les experts (entre eux et avec le système expert) et les non-experts* (avec les experts et avec le système expert).

Par ailleurs, on effectuera également *une analyse* des réponses sur lesquelles *une discordance* notable aura été relevée entre le système et les experts évaluateurs.
Cette analyse visera à apprécier le caractère plus ou moins acceptable de cette discordance.

17.2.3. Délais et coûts de réalisation

Il n'est pas question ici de donner une évaluation détaillée, qui n'a de sens que sur un problème particulier.
Mais il est important de signaler que les sources disponibles, tant en-deçà qu'au-delà de l'Atlantique, fournissent des estimations convergentes : la réalisation d'un système expert opérationnel de taille significative représente ***2 à 3 ans de travail***, et un coût de ***plusieurs millions de francs*** (évalué en général entre 5 et 10).
Sur ces coûts et délais, la réalisation de la partie spécifiquement "experte", correspondant pour l'essentiel à ce que nous avons appelé le "présystème", en consommera en moyenne entre le tiers et la moitié. Comme pour tous les systèmes informatiques, la majeure partie de l'effort sera absorbée par les problèmes d'interface et d'intégration.
De ce fait, certains ont pu avancer des estimations beaucoup plus optimistes sur les efforts à fournir pour réaliser un "système expert". Le tout est de savoir si l'on parle d'un projet isolé, ayant un objectif purement démonstratif et expérimental - ou si l'on s'intéresse à la mise au point d'un véritable produit opérationnel, destiné à jouer un rôle significatif dans une activité "industrielle" (au sens large) et dont l'efficience est évaluée suivant les critères économiques et comptables en vigueur dans l'organisation. C'est bien sûr dans cette dernière hypothèse que se placent les évaluations ci-dessus.

17.3. Conclusion: synthèse sur la méthode

17.3.1. Caractéristiques

La méthode présentée ici s'appuie sur les éléments recueillis tant sur le déroulement effectif de réalisations concrètes que dans les différentes publications et conférences qui ont pu être effectués par des équipes de réalisateurs.

Les constantes de ces expériences sont résumées ci-dessous :

- L'utilisation systématique et très importante de ***cas concrets de problèmes*** pour définir les connaissances, choisir leur représentation, constituer la base et valider le fonctionnement du système. Cette construction à partir d'exemples est inévitable, puisque le champ d'application privilégié des techniques considérées ici est celui des problèmes dont la résolution est peu ou mal formalisée, voire pas formalisée du tout.

  Le traitement de cas permet de dégager les éléments du processus de résolution, et de les intégrer progressivement au système.

- Les ***difficultés de l'interaction avec l'expert***, qui nécessite de la part de l'ingénieur de la connaissance, outre la parfaite maîtrise des techniques de l'informatique symbolique, des capacités psychologiques très supérieures à la moyenne.

  Que l'on parle de psychologie pratique, de sens du contact ou de capacité d'écoute, le fait est que la formation traditionnelle, surtout dans les disciplines scientifiques, est à peu près inexistante en ce domaine. Bien plus, on peut se demander quelles sont sur ce point les importances relatives de la formation et des dispositions naturelles.

  Bref, la sélection et la formation des ingénieurs de la connaissance sont, comme son rôle, difficiles.

- La ***construction incrémentale***, par adjonctions successives de connaissances au système, au cours de multiples allers-et-retours, est un autre aspect qui découle du type de problème traité, et de la nature des outils offerts par l'informatique symbolique.

  Cette progression par allers-et-retours apparaît notamment dans la structure que l'on a adoptée pour décomposer en phases la construction: on a regroupé analyse **et** formalisation, implémentation **et** test. Dans ces phases "mixtes", chacune des composantes réagit sur l'autre, permettant de l'affiner, et réciproquement : ce qui conduit à un développement continu du système.

- Le passage par ***une maquette intermédiaire "jetable"*** est une recommandation très fréquente. Elle correspond également à la logique de construction incrémentale.

Elaborée sur un sous-ensemble du problème, la maquette (que nous avons appelée ci-dessus "présystème") permet d'affiner le choix des techniques, en interaction avec leur utilisation effective.

- Les ***problèmes classiques*** de toute réalisation informatique :
  - définition et mise au point d'interfaces performantes et d'usage aisé,
  - intégration du système dans son environnement d'utilisation,
  - validation du produit final,

  se posent avec la même acuité que pour les sytèmes réalisés en programmation traditionnelle.
  Notamment, leur part dans l'effort global de réalisation est du même ordre de grandeur, entre deux tiers, et quatre cinquièmes.

Les traits caractéristiques énoncés ci-dessus mettent en évidence les spécificités d'une réalisation informatique symbolique ; ils font également apparaître des points communs, des zones de partage avec les méthodes classiques. Ainsi, le projet en informatique symbolique apparaît d'abord comme un *projet informatique*, dont il importe de dégager les *particularités*.

17.3.2. Comparaison des "cycles de vie"

Considérons donc le projet informatique symbolique par rapport au projet informatique classique. En matière de technologie du logiciel, une notion essentielle s'est peu à peu imposée pour suivre le déroulement d'un projet, en définir les étapes et en contrôler l'avancement : c'est la notion de *cycle de vie*.

17.3.2.1. Le cycle de vie classique

Issu des travaux et réflexions menées sur le "génie logiciel", le cycle de vie constitue un cadre de référence, un modèle de déroulement d'une réalisation informatique. Il définit un certain nombre d'étapes standard à parcourir successivement au cours d'un projet. Ces étapes sont les suivantes :
- spécification,
- conception,
- implémentation,
- validation fonctionnelle par modules,
- validation opérationnelle d'ensemble.

La doctrine orthodoxe en matière de qualité du logiciel affirme que chacune de ces étapes doit être clairement identifiée, et donner lieu à un ou plusieurs produit(s) qui servent de point de départ et de référence pour entreprendre l'étape suivante.

Lors du déroulement d'une étape, il se peut que des ajustements apparaissent nécessaires sur le document de base, issu de l'étape précédente. Ces ajustements sont alors effectués, conduisant à une correction du travail de l'étape précédente qui peut nécessiter de la reprendre en partie.
Ce schéma d'interaction vaut pour les trois premières étapes, suivant le processus schématisé par la figure 17.1.

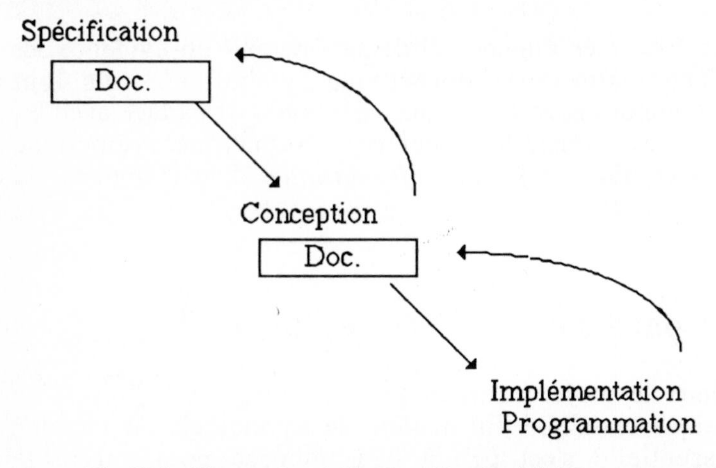

Fig.17.1 - Etapes de réalisation d'un logiciel (processus "classique")

Les choses se compliquent un peu au niveau de la validation. La pratique consiste souvent, lorsque la validation fait apparaître un problème, à y remédier par une correction du programme suivant le schéma

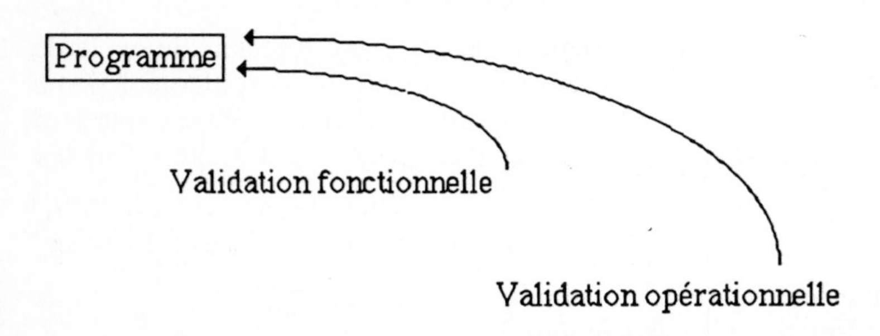

En fait, les problèmes révélés par la validation peuvent effectivement

nécessiter des corrections de programme, s'il apparaît que le programme écrit ne fait pas ce qui était prévu qu'il fasse. Dans ce cas, le schéma ci-dessus est légitime.

Mais une autre catégorie de problèmes apparaît souvent à la validation : ce qui a été prévu à la conception, voire à la spécification, n'est pas ce qu'il fallait. Dans ce cas, la tentation est grande de corriger le tir au niveau du programme, suivant le même schéma, ce qui conduit au résultat suivant (Fig. 17.2) : on voit apparaître un programme 2 modifié par rapport à la conception initiale, un programme 3 adapté par rapport à la spécification, qui n'ont plus de rapport avec ce qui avait été conçu ou spécifié initialement.
Le problème avec cette manière de procéder est que plus rien ne décrit la structure du programme 2, ni l'objet ou le résultat attendu du programme 3 : il y a rupture entre la spécification et la réalisation.

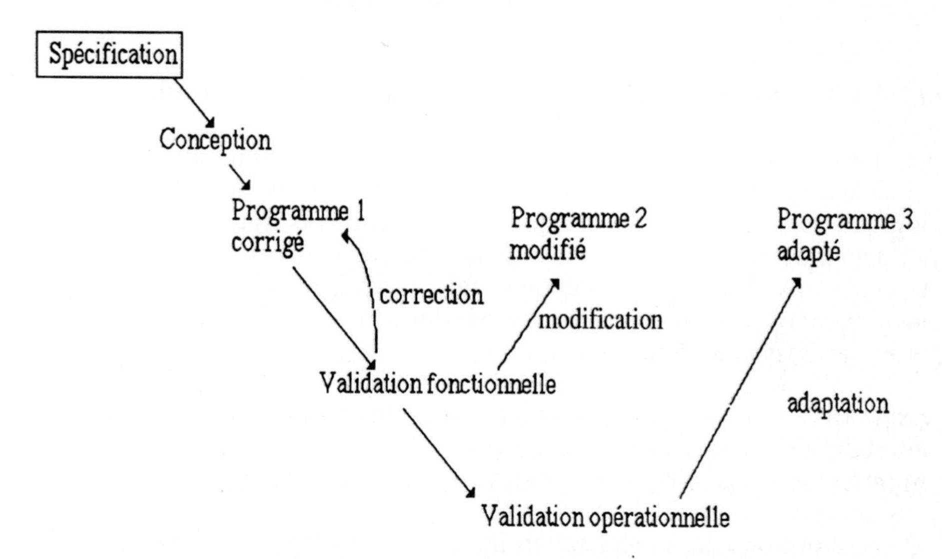

Fig.17.2 - Réalisation et correction (non maîtrisée) d'un logiciel

Le schéma correct est représenté en figure 17.3.
Il fait apparaître les correspondances qui existent entre validation fonctionnelle et conception, et entre validation opérationnelle et spécification.
C'est le "V" du "cycle de vie" classique.

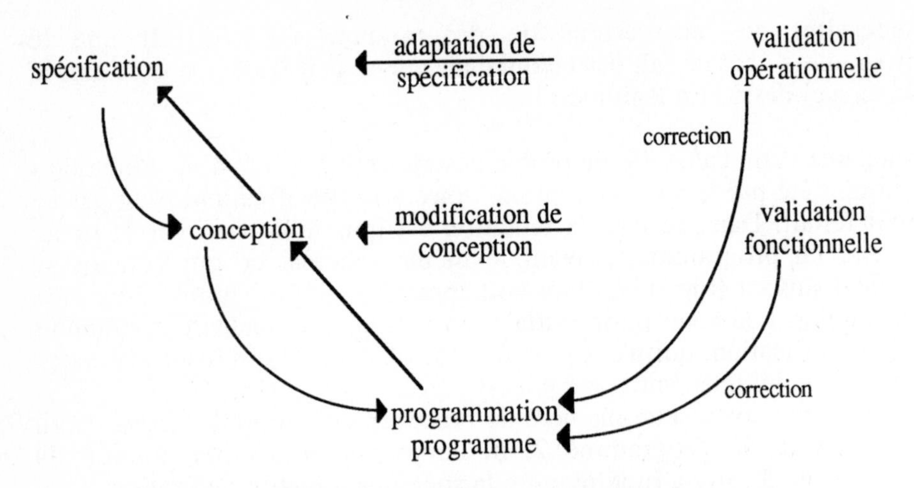

Fig.17.3 - Réalisation et correction maîtrisées d'un logiciel. Le "V" du "cycle de vie du logiciel"

17.3.2.2. Le cycle de vie de l'informatique symbolique

Si nous retraçons le processus de réalisation que nous avons défini précédemment pour la réalisation d'un système expert suivant la même logique que celle du "V" classique, nous obtenons la figure 17.4.
Ce schéma peut sembler plus compliqué que celui du cycle classique - et il l'est sans doute. Mais ce qu'il fait apparaître, c'est un couplage beaucoup plus étroit entre la description du système à réaliser et la vérification du résultat.

Or l'expérience fait ressortir que l'utilisation pratique des programmes conduit à des ajustements de besoins ou de structures, et que ce qui importe est de savoir y réagir rapidement et proprement.

De ce point de vue, la réalisation incrémentale offre indéniablement un gros avantage. Le passage par le présystème en est un des aspects importants.

17.3.2.3. Présystème jetable et "prototype rapide"

On a déjà souligné l'importance à accorder à cette étape intermédiaire, et le fait que la plupart des auteurs insistent sur la nécessité de la considérer comme un brouillon, qu'on ne cherche pas à rentabliser (sauf, bien entendu, le contenu de la base de connaissances, à retranscrire dans le formalisme retenu pour le système final).

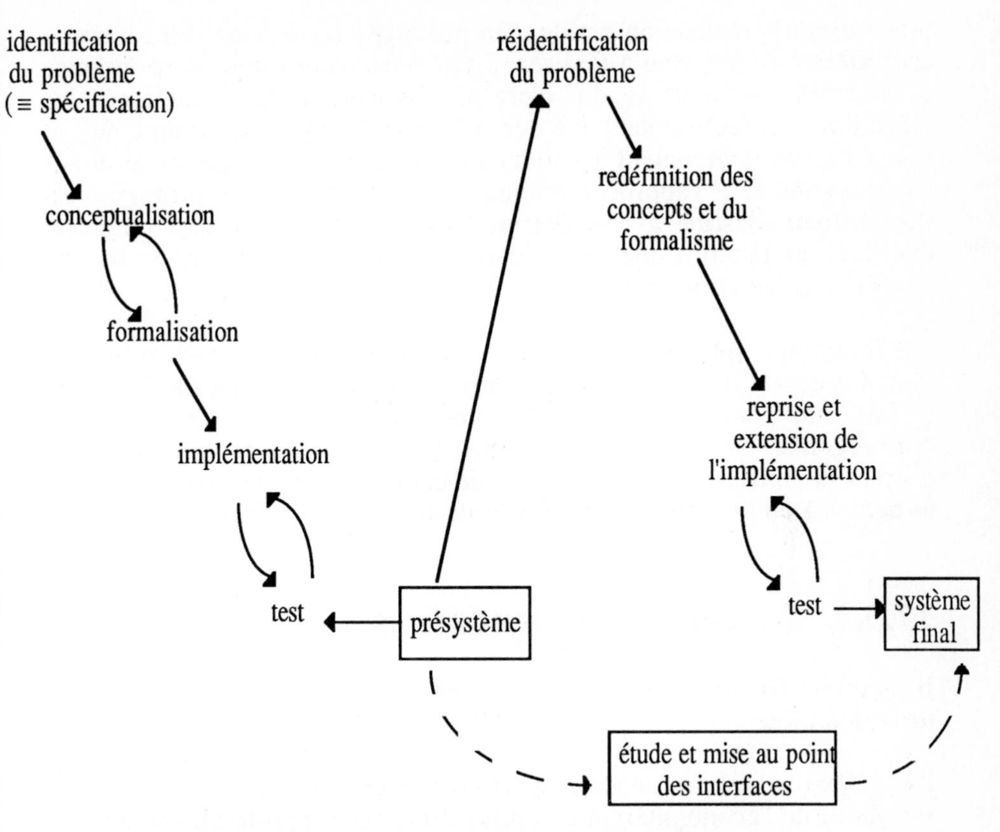

Fig.17.4 - Le cycle de vie en informatique symbolique.

L'intérêt de cette réalisation provisoire est de concentrer l'effort sur le contenu du problème à résoudre, sur la recherche des connaissances effectivement utilisées à cet effet - c'est-à-dire sur les éléments du processus de résolution, et sur le choix des outils à utiliser pour implanter cette résolution sur ordinateur. Tout ce qui sort de ces questions essentielles (problèmes d'interfaces, réalisations spécifiques d'outils, traitement de sous-problèmes annexes,...) n'est pas pris en compte.

Or, fait remarquable, la définition ainsi donnée du présystème rejoint une notion apparue dans les développements des réflexions sur le Génie Logiciel : celle de *prototypage rapide* (ou "*rapid prototyping*" en anglais).

L'idée résulte de la constatation, formulée ci-dessus, que seule la confrontation avec le produit final permet d'ajuster correctement l'expression du besoin. Pour éviter des corrections coûteuses sur un programme élaboré finement, les promoteurs du prototypage rapide préconisent la réalisation rapide d'un prototype comportant les fonctions essentielles du système à réaliser. Dans cette réalisation, on économise évidemment sur tout ce qui n'est pas indispensable (notamment les interfaces, qui représentent une des composantes essentielles du coût), et l'on s'attache uniquement à valider la définition des fonctions assurées par le système, et l'approche retenue pour les réaliser. Ce prototype est évidemment destiné à être détruit, car l'hypothèse de son réemploi éventuel alourdirait inévitablement la réalisation en imposant des contraintes (de structuration, d'ouverture, de paramétrage,...).

On constate que le présystème apparu dans la méthodologie système-expert ressemble comme un frère au prototype rapide issu, tout à fait indépendamment, des travaux du Génie Logiciel. Cette convergence donne un poids supplémentaire à la recommandation d'isoler la réalisation du présystème de celle du système expert définitif, et de poser en principe la non réutilisation de celui-là dans celui-ci.

17.3.3. Evolutions et tendances

Il semble qu'une pression se développe pour supprimer l'étape intermédiaire.

Dans l'état actuel des choses, l'esprit d'économie qui pousse en ce sens est plutôt de l'économie mal comprise. En effet l'approfondissement des techniques à mettre en oeuvre pour la réalisation finale est particulièrement nécessaire, étant donné que la standardisation des outils et la maîtrise qu'on en possède sont encore faibles.

A terme, les différents moyens offerts par l'informatique symbolique se banaliseront, leurs performances se développeront, et on en connaîtra bien mieux les possibilités, les limites et les champs d'applications privilégiés. Alors, il sera possible de passer directement à la réalisation définitive, en utilisant des outils intégrés permettant de combiner différentes formes d'expression et de traitement de la connaissance, et autorisant le changement de celles-ci en fonction des besoins constatés au cours du développement.

18

Le marché : domaines d'application et outils

Deux catégories de classification peuvent être envisagées pour recenser les domaines d'application des systèmes experts :
· par secteur d'activité
· par type de réalisation.

L'accession à la maturité industrielle des techniques d'informatique symbolique étant très récente, l'expérience disponible en matière de réalisations effectives est minime. Pourtant, l'observation de ce qui se passe, l'analyse des données connues, et un effort de synthèse permettent de dégager des orientations, des axes de regroupement. Ceux-ci, à leur tour, peuvent servir de fil directeur pour des réalisations ultérieures.
Nous examinerons successivement les deux catégories de classement. Pour terminer, nous proposerons une synthèse sur les outils, et sur les critères pour les analyser.

18.1. Analyse par secteurs industriels

18.1.1. Intérêts et limites

L'examen des applications par secteur industriel présente un double intérêt.

D'une part, c'est pour l'utilisateur une source d'inspiration pour imaginer des thèmes ou des idées d'applications potentielles. Des exemples de ce qui a été fait dans des secteurs voisins, ou dans des

secteurs différents mais sur des activités présentant des caractéristiques techniques voisines, peuvent suggérer des projets de réalisation.
D'autre part, c'est une information intéressante en termes de marché, et ceci aussi bien pour le réalisateur dont le souci est de trouver les créneaux porteurs, que pour l'utilisateur qui se soucie naturellement de connaître l'évolution technologique dans son secteur, et à ce titre le degré de pénétration qu'une technique nouvelle y présente.
En contrepartie, l'intérêt de cette analyse est triplement limité.

1°) Il l'est d'abord par **la qualité de l'information** disponible, souvent **fragmentaire, imprécise**, voire volontairement **biaisée**. Les réalisations effectives en ce domaine constituent, comme on l'a souligné, un acquis technologique. Cet acquis réside

a) dans le *savoir-faire technique* emmagasiné par l'organisation, qui est une connaissance "lourde", résultant d'un apprentissage, et non aisément divulgable ;

mais aussi

b) dans la *connaissance des difficultés*, des coûts et des délais pour aboutir. Cette connaissance est, elle, assez facilement chiffrable et communicable - mais on conçoit que ceux qui ont payé pour effectuer cet apprentissage ne soient que médiocrement désireux d'en communiquer le prix à leurs concurrents.

A cela s'ajoute un facteur supplémentaire de discrétion que j'appellerai le "camouflage technologique", lié à une troisième composante de l'acquis technologique, à savoir

c) *l'existence même de cet acquis* : il est loin d'être indifférent à tout industriel soumis à la concurrence de faire savoir dans quels domaines il développe sa compétence. En effet, cet élément d'information peut inciter ses concurrents à fournir un effort similaire, le privant d'un élément d'avance ; il peut leur indiquer dans quel sens orienter leurs investissements ; il peut enfin faciliter l'"espionnage industriel", même s'il prend la forme tout à fait légale du débauchage de spécialistes compétents, conduisant au transfert d'une connaissance dont l'acquisition a coûté cher à l'entreprise (cf *a)* ci-dessus).

Pour ces différentes raisons, les entreprises qui font des développements dans le domaine ne le crient pas toujours sur les toits, et l'on ne peut donc garantir la souhaitable objectivité des sources d'information : ce qui, nécessairement, limite la validité de l'analyse correspondante.

2°) Ensuite, ce que l'examen des réalisations des autres apporte comme inspiration ne doit pas être surestimé. Le chapitre consacré à l'introduction de l'informatique symbolique dans l'entreprise indique les éléments de la démarche à suivre :

- l'imagination, pour balayer tout le champ des tâches et voir ce que pourrait apporter l'introduction de l'ordinateur dans leur exécution sans se laisser bloquer a priori, sous prétexte que "ce n'est pas possible d'automatiser telle fonction", que "ça n'est pas intéressant", ou que "on a déjà essayé (sous-entendu : la programmation classique), ça ne marchera pas..." ;
- l'analyse, qui, au contraire de la précédente, rassemble et examine un certain nombre d'éléments et de critères objectifs, pour fonder la décision de réalisation sur une appréciation solide, et éventuellement un classement des différents projets envisagés.

Pour ces deux tâches de prospection et de sélection, l'important est la connaissance de l'entreprise ou de l'organisme, de son organisation, de ses méthodes, de ses besoins et de son orientation pour l'avenir.

Le danger de trop s'appuyer sur l'exemple des autres serait de remplacer la démarche prospection-sélection par le placage de projet(s) emprunté(s) à l'extérieur, plus ou moins bien adapté(s) aux contraintes et au savoir-faire internes, et dont les chances de succès seraient de ce fait très limitées.
Bref, si l'examen des réalisations passées peut être considéré comme un stimulant de l'imagination, il doit l'être non pas comme une source d'inspiration directe mais bien plus comme un exercice de déblocage des capacités créatives, un peu comme ces périodes d'échauffement par lesquelles débutent les (bonnes) séances de remue-méninges(*).

3°) Troisième limite enfin de l'analyse sectorielle des systèmes experts comme toute étude de marché, **sa validité est limitée dans le temps**. Photographie à un moment donné de la situation (ou du moins de ce que l'on en connaît : voir limite 1), elle ne révèle pas nécessairement les axes de développement les plus intéressants, du point du vue des possibilités techniques.

(*) Technique parfois appelée "brainstorming".

Les applications sont réalisées dans les secteurs où il existe une capacité d'investissement, où est ressenti le besoin de gains de productivité, et finalement sur des sujets plus ou moins directement inspirés des expériences antérieures. De ce fait, le panorama des réalisations est tourné vers le passé et non vers l'avenir. Il peut éventuellement présenter un intérêt pour le vendeur auquel il indique dans quelles directions prospecter ; mais il n'est pas extrêmement instructif pour l'utilisateur potentiel, dont il risque de renforcer le conservatisme plutôt que d'exciter l'imagination.
Ayant ainsi précisé ce que l'on pouvait retirer de l'examen des applications par secteur industriel, et ce qu'il était vain voire dangereux d'en attendre, il nous reste à en brosser le panorama actuel.

18.1.2. Panorama des secteurs

18.1.2.1. Agriculture

L'agriculture est un secteur naturel d'application des systèmes experts en diagnostic : beaucoup moins d'obstacles s'opposent à l'utilisation d'une machine pour déterminer la maladie et le traitement pour une plante ou un animal que pour un homme. Psychologiquement, c'est plus facile à admettre, et sociologiquement, il n'existe pas en ce domaine de corporation solidement structurée et établie, susceptible de résister à la concurrence de la machine.
Au contraire, le besoin existe pour les agriculteurs d'une assistance peu coûteuse et efficace et le potentiel disponible de techniciens de la pathologie végétale est largement insuffisant pour y faire face. Ce besoin est encore plus criant dans les pays du Tiers-Monde et l'utilisation de l'intelligence électronique à cette fin a constitué un des éléments de la description visionnaire du futur présenté par Jean-Jacques Servan-Schreiber dans son ouvrage "Le défi mondial" (et une des ambitions du Centre Mondial de l'Informatique dont il avait été l'inspirateur).
Le problème est économique : quel serait le prix d'un tel service et sa rentabilité ? Un investissement est à faire, qui n'est pas exempt de risque - à moins que cette prestation soit traitée comme un service public, ce qui transfère à d'autres acteurs et place dans une autre logique le problème de la décision d'investir.
Il faut souligner, en France, le rôle moteur de l'INRA qui a été l'un des premiers organismes français à s'engager résolument dans le développement de systèmes experts appliqués au diagnostic agricole.

Malgré ce problème économique, plusieurs systèmes ont effectivement vu le jour assez rapidement au stade opérationnel, pour l'assistance de l'agriculteur *au diagnostic et au traitement des maladies* d'une catégorie particulière de plantes (blé, tomate, pomme).
Autres applications envisageables : conseil sur le comportement à adopter face aux *évolutions météorologiques*, conseils sur l'utilisation optimale des *terrains* et des *engrais*, et - pourquoi pas ? - conseil sur la gestion d'une exploitation, compte tenu notamment des politiques agricoles et de leur évolution (s'il est possible de trouver un bon expert sur le sujet...).

18.1.2.2. Industries de base

1°) Géologie - Recherche minière et pétrolière

Ce secteur a constitué un des premiers lieux de développement de systèmes experts.

A l'origine, on trouve PROSPECTOR, développé au Stanford Research Institute pour *évaluer les ressources minières potentielles* d'une région dans un minerai donné et *indiquer les zones dans lesquelles forer.* PROSPECTOR a été l'une des vedettes de l'émergence des sytèmes experts en indiquant la présence de molybdène dans une certaine région, en désaccord avec les experts qui avaient constitué sa base de connaissances pour ce minerai. La conclusion du système s'étant révélée exacte, cette anecdote a servi à illustrer la fiabilité du raisonnement automatique, lorsque sa base de connaissances est correctement constituée.

Le succès de PROSPECTOR a contribué à l'intérêt des grandes compagnies pétrolières pour l'informatique symbolique. Par ailleurs, ce secteur est par nécessité fortement intéressé par tous les procédés qui paraissent offrir un gain d'efficacité dans le choix des zones de prospection : étant donné le coût de cette dernière, toute amélioration des méthodes de choix est extrêmement rentable, et cette rentabilité justifie le risque d'investissements importants.

Cela étant, après des espoirs peut-être excessifs, et des projets ambitieux, les activités se sont surtout centrées sur *l'aide à la conduite et à l'exploitation des forages* :

- conseil pour traiter les problèmes de coincement de tête de forage ;
- diagnostic sur la composition du liquide d'entraînement des boues ;
- analyse des mesures effectuées sur les terrains traversés.

Il faut également mentionner dans cette rubrique les programmes *d'interprétation d'images prises par satellite*, en vue de l'identification des minerais de surface.

A noter que l'interprétation de telles images pourrait également être effectuée en vue d'une exploitation agricole - mais il s'agit là d'un autre secteur, et d'une toute autre expertise.

18.1.2.3. Industrie de première transformation

1°) Chimie
Là aussi, le développement de réalisations dans le secteur s'appuie sur un des systèmes précurseurs : DENDRAL, le grand ancêtre, le programme pour la réalisation duquel a été pour la première fois explicitement effectuée l'isolation de la base de connaissances.

DENDRAL reproduit l'expertise d'un chimiste organicien, pour la *détermination des structures de molécules organiques*, à partir de l'analyse du corps par un spectrographe de masse. Il a été utilisé commercialement, au moins en partie.

Une réalisation un peu similaire porte sur la détermination des propriétés herbicides de nouveaux composants chimiques à partir de la structure de leur molécule.

Un autre type d'application concerne la *génération de processus de synthèse chimique.*

Enfin, on retrouvera *l'assistance à l'utilisation*
• de produits pour des applications spécifiques (exemple : herbicides) ;
• de matériel (exemple : réglage d'un spectromètre de masse).

2°) Energie
Le contrôle des centrales, et en particulier des centrales nucléaires sur lesquelles les incidents spectaculaires ou les accidents graves (centrale de Tchernobyl en 1986), constitue un thème actif de recherches et de développements. Le problème est de trouver la source de l'expertise, pour des procédures de réaction à un incident majeur qui, par définition, ne doivent pas servir. Dans ce cas, plutôt que d'une expertise acquise par l'expérience et la pratique, il s'agit d'un ensemble de consignes définies par l'analyse.

Mais dans la mesure justement où il n'existe pas d'expert véritable (au sens de praticien expérimenté des catastrophes), il est d'autant plus important de fournir une *assistance à l'opérateur* :

- *Analyseur de signaux*, capable de regrouper les alarmes différentes provenant d'une même cause, et de les synthétiser sous une forme plus explicite. L'importance d'un tel dispositif de synthèse "intelligent" est bien mise en lumière par les conclusions de l'enquête sur l'incident de la centrale de Three Miles Island : le rapport montre que le problème initial, relativement minime, a été *aggravé* par l'intervention de l'équipe de contrôle, plus ou moins affolée par l'apparition d'une multitude de signaux d'alarme. Il aurait été plus opportun, relevait l'analyse faite a posteriori, de ne rien faire, et de laisser jouer les sécurités automatiques ! Mais il est évidemment psychologiquement difficile à une équipe de responsables de rester les bras croisés devant un tableau de bord où se multiplient les voyants rouges et les signaux sonores de danger...

- *Guides automatisés de procédures* : face à des consignes de sécurité qui représentent plusieurs centaines de pages, on conçoit tout l'intérêt d'en faciliter l'accès, en fournissant très rapidement les informations pertinentes, en fonction des paramètres décrivant la situation.

- *Assistance à la conduite de processus* : ce type d'application va du simple conseil sur l'étape suivante à réaliser, compte tenu de l'état actuel du système (par exemple pour la manoeuvre des barres de combustible et de refroidissement), à la génération complète d'un plan de conduite.

- Enfin, on parle de *simulateur d'entraînement*, capable d'adapter son évolution aux réactions de l'opérateur, et aussi de faire percevoir à celui-ci ses erreurs et leurs conséquences ; ce type de réalisation paraît assez ambitieux.

3°) Sidérurgie (et autres productions de biens intermédiaires)

On retrouve dans ces secteurs le contrôle de processus :

- *aide au diagnostic* face à un dysfonctionnement (exemple : British Steel Corp.) mais aussi,
- *conduite du processus* basée sur l'interprétation de mesures (exemple: Kawasaki Steel).

On trouve également une possibilité d'assistance à la gestion de l'espace, par *génération de plans de stockage* en magasin (exemple cité à Kawasaki Steel).

18.1.2.4. Industries de production de produits finis

1°) Communication et informatique

Comme on pouvait s'y attendre, c'est le secteur le plus prolifique en utilisations opérationnelles. Un quart des réalisations effectivement utilisées ou en test utilisateur recensées dans les cinq premières années du décollage de l'Intelligence Artificielle s'y rattachent. Le contraire serait d'ailleurs inquiétant, si les professionnels du domaine croyaient si peu aux techniques développées chez eux qu'ils ne les appliquaient même pas ! Heureusement, il n'en est rien.

Les applications les plus connues sont la série des X, de chez Digital Equipment :
- X-CON pour les *établissements des configurations* VAX répondant à une commande,
- X-SEL ("selling assistant") qui *vérifie* la correction des commandes établies par les vendeurs,
- X-SITE qui *établit le plan d'implantation sur site* de la configuration.

D'autres réalisations sont répertoriées sur les mêmes thèmes de configuration (ICL, Nixdorf), de vérification des commandes (Nixdorf) et d'implantation (IBM), mais aussi :
- le *diagnostic*, notamment des dérouleurs de bande (DEC, Nixdorf),
- *l'assistance à l'opérateur du système d'exploitation.* A noter en ce domaine un programme de "monitoring" du système MVS chez IBM : on retrouve ici l'idée, évoquée à propos du contrôle de processus en général, et de centrales nucléaires en particulier, d'alléger la tâche d'un opérateur en lui présentant des données préalablement regroupées et synthétisées, sous une forme plus facile à exploiter,
- *la conception d'un processus* de fabrication (exemple : assemblage de cartes de micro-ordinateur).

Une autre réalisation assez originale, également chez IBM, porte sur l'assitance à *l'écriture de rapports* sur des problèmes de logiciels.

Enfin, plusieurs programmes portent sur *le diagnostic d'équipements de communication* : réseaux, commutateurs, ou lignes téléphoniques.

Signalons pour terminer un programme dénommé INFOMART-ADVISOR (qui serait peut-être mieux à sa place dans le secteur de la distribution et des services) qui a pour vocation de conseiller l'acheteur de (micro) ordinateur.

2°) *Electronique*

Par contagion, ce domaine bénéficie de l'importance des développements dans le secteur "communication et informatique" : les activités de l'un et de l'autre sont voisines, et souvent intégrées verticalement.
On retrouve deux grandes catégories d'applications :

- le *diagnostic* et les actions apparentées, soit sur les lignes de production de circuits (Fairchild, Hewlett-Packard), soit sur les produits eux-mêmes (exemple : cartes de circuits imprimés, générateurs de tension numériques) ;

- la *conception* de produits : en ce domaine, les besoins sont énormes, étant donné l'importance et la complexité de la tâche du concepteur. Mais la difficulté même de celle-ci impose de débuter par des approches partielles : on peut en imaginer plusieurs, pour le routage des connexions, la conception des masques ou l'utilisation de cellules prédéfinies. Un premier exemple opérationnel connu est signalé chez DEC par Buchanan[1986] qui s'appuie sur un témoignage de J. Mc Dermott, de Carnegie Group, comme source de référence : il s'agit de DAS-LOGIC pour l'assistance à la conception logique des circuits.

3°) *Mécanique, biens d'équipement et produits élaborés*

Les applications dans ce type de production sont variées :

- création et analyse de *nouveaux produits* (exemple : balais et collecteurs de moteurs électriques, photocopieurs) ;

- *mise au point* des configurations à proposer en réponse à une commande client ;

- *planification de production*, au niveau de la prise en compte des commandes, comme à celui de l'organisation de l'atelier. C'est dans ce cadre que se situent les études sur les ateliers flexibles, avec répartition des travaux à effectuer entre les postes de travail, éventuellement robotisés ;

- et bien entendu, *diagnostic et aide à la réparation*, tant des chaînes de production en usine, que des matériels eux-mêmes en après-vente. Quelques exemples de réalisations :
  - le fameux programme CATS, de General Electrics : il effectue le

diagnostic des locomotives diesel, et guide le technicien en affichant des vues du matériel à réparer stockées sur vidéodisque. Ce programme est un des premiers systèmes opérationnels officiellement connu ;

- dans le même domaine, RUFUS assiste le diagnostic des motrices du RER ;
- également similaire, le système d'aide au diagnostic des véhicules FORD réalisé par General Motors. A noter : le programme est mis à disposition des concessionnaires via un réseau ;
- plus original serait un programme de contrôle du freinage des trains pour en assurer la précision et le confort réalisé par Hitachi : ce programme est mentionné par Buchanan[1986], qui cite E. Feigenbaum comme garant de son existence et de son caractère opérationnel.

18.1.2.5. Tertiaire

1°) Bureautique

La part du marché de l'Intelligence Artificielle de ce secteur a été évaluée par une enquête IRD à 42% en 1983, et prévue à 45% en 1993 - ce qui en fait de loin le plus important.
Mais il faut préciser que pour l'essentiel, le chiffre d'affaires serait réalisé par les interfaces "intelligentes" au SGBD, c'est-à-dire les systèmes d'interrogation en langage naturel ou plus rigoureusement quasi-naturel, qui ne relèvent pas vraiment de la technique "systèmes-experts".

Des applications des bases de connaissances sont cependant envisageables, notamment :

- aide à *l'orientation des appels téléphoniques*, particulièrement nécessaire dans les grandes entreprises et organisations (sujet étudié par BULL),
- aide au dépouillement et au *routage des messages*,
- aide à la *gestion du temps* (organisation de réunions, gestion des priorités,...).

2°) Défense

La Défense, au moins aux Etats-Unis, a été l'une des sources essentielles de soutien aux travaux de recherche en "Intelligence Artificielle".
Avec le démarrage des systèmes experts, l'intérêt des organismes militaires s'est traduit notamment par le lancement d'un programme de recherche orienté vers trois objectifs :

- un véhicule terrestre autonome,
- un assistant intelligent de pilote d'avion,
- un système expert pour la gestion de l'espace d'un porte-avions.

Ces "thèmes opérationnels" ont été définis pour fournir des orientations concrètes et chiffrées de réalisation aux travaux de développement universitaires et industriels.

Quoi qu'il en soit des applications effectivement développées, les thèmes possibles sont variés.

• Autour de **l'assistance au décideur militaire**, soumis (comme l'opérateur de contrôle d'une centrale nucléaire) à un flux intense d'informations et au stress psychologique, on trouve :

- les systèmes de traitement des informations de "renseignement" sur la situation ennemie ;
- l'évaluation d'une situation stratégique, les prévisions sur son évolution possible, et sur les actions envisageables ;
- la préparation de plans d'action pour la mise en oeuvre des décisions ;
- et bien sûr les fonctions de type "bureautique" pour assister le travail papier des bureaux d'Etat-Majors.

Tout ceci dans un contexte où les informations sont incomplètes, incertaines, éventuellement fausses.

• **Le traitement du signal** est au coeur de multiples dispositifs militaires modernes. L'application des systèmes experts au traitement du signal doit permettre d'en multiplier les performances par un facteur important : l'idée consiste à superposer aux algorithmes classiques de traitement un niveau de "compréhension" symbolique, qui guide l'utilisation des algorithmes à partir des éléments déjà recueillis et identifiés, en vue de focaliser la recherche de nouvelles informations sur les zones intéressantes, pour confirmer des hypothèses sur l'interprétation.

• Enfin, **le diagnostic** de pannes de matériel se retrouve ici, comme dans pratiquement tous les secteurs, avec de surcroît un besoin d'assistance peut-être plus net, pour assurer la réparation de matériels sophistiqués, dans des conditions éventuellement difficiles, et sans pouvoir toujours compter sur la présence du technicien spécialiste.

3°) Finances et assurances

Apparemment, les organismes financiers ont été dans les premiers à s'intéresser à l'intégration de l'informatique symbolique dans leurs activités. En réalité, ceci a été constaté essentiellement par le fait que de nombreuses sociétés créées pour développer des systèmes experts ont fait état de cette clientèle, voire se sont spécialisées sur ce créneau. Mais peu de réalisations ont été officiellement mentionnées, et encore moins présentées ou publiées.

Parmi les thèmes connus ou évoqués, indiquons :
- l'évaluation du risque dans le domaine des prêts, des assurances, des prises de participation,...
- l'assistance au choix de produits financiers, à la gestion de portefeuille,...

Toutefois, selon Peter Hart de Syntelligence, cité par une étude de la mission scientifique de l'ambassade de France à Washington, "les applications dans les secteurs financiers et des services se développeront plus lentement que dans l'industrie".

4°) Formation

Ce thème est régulièrement mentionné comme l'un des plus prometteurs de l'informatique symbolique.
Toutefois, les réalisations ont démarré très lentement, soit que leur financement soit difficile à obtenir, soit que les problèmes techniques soient plus ardus qu'estimé initialement.

5°) Médecine

Paradoxalement, alors que le plus développé des systèmes experts et sans doute le plus connu est un système de diagnostic médical, les réalisations en usage effectif sont restées très peu nombreuses dans les premières années du décollage : l'article de référence de Buchanan en mentionne quatre, sur plus de soixante répertoriées dans tous les domaines.
Les applications sont surtout orientées vers l'interprétation de tests, permettant éventuellement de générer un "signal d'alarme" à l'intention du personnel médical sur des problèmes hors de leur spécialité (exemple : Computerized Infections Disease Monitor, à LDS Hospital, Utah University, détecte la présence d'une infection à partir des données fournies par le laboratoire de microbiologie, et le signale dans le dossier des patients).
On notera une application originale mise en place en France par l'Université de Marseille : l'assistance diététique aux diabétiques, implantée sur un ordinateur consultable directement par les patients par Minitel.

18.2. Analyse par type d'applications

Le regroupement des applications par grandes catégories consiste, indépendamment du secteur industriel dans lequel les projets ont vu le jour, à caractériser le type de problème traité, autrement dit à définir la tâche réalisée par le système : fait-il du diagnostic, de la simulation, du contrôle de processus, du traitement de signal, de la planification, de l'aide à la prise de décision, de la conception,... ?

18.2.1. La définition de la typologie

En l'absence d'une référence solidement établie et communément acceptée, la première tâche à effectuer consiste à définir la typologie.

Dans leur ouvrage (Chap.1), Hayes-Roth, Waterman et Lenat [1983] proposent la suivante :

Interprétation : déduire la situation d'un système de l'observation de ses paramètres (exemple : surveillance, analyse de signaux, détermination de la structure de molécules chimiques).
Prédiction : déduire les conséquences prévisibles d'une situation (exemple : prévision météo, démographique,..., élaboration de scénarios d'évolution de situation militaire).
Diagnostic : déduire les pannes (respectivement : maladies) d'un système (resp. : organisme) de l'observation des défauts de fonctionnement (resp.: symptômes).
Conception : d'un objet, en respectant des contraintes, et éventuellement en optimisant une certaine fonction-objectif (ce type de conception se rapproche de la génération de plan pour atteindre le but).
Planification : conception d'actions (exemple : génération automatique de programmes, planification de robots, de projets, de processus industriels, d'actions militaires,...).
Instruction d'étudiants : diagnostic et correction de la production scolaire d'étudiants.
Suivi de processus (ou "monitoring"): *observation* des états d'un système contradictoires avec son plan de fonctionnement, *dépannage*

(proposition de remèdes aux dysfonctionnements), *réparation* (définition et exécution du plan de dépannage) et *contrôle* de processus (interprétation, prédiction, réparation et suivi de processus) sont également mentionnés comme domaines d'application possibles des systèmes experts. Mais il est souligné qu'aucune réalisation opérationnelle n'existe dans ces catégories.

Sur cette décomposition, on peut observer l'existence de deux grandes catégories de systèmes :

1) Les systèmes **déducteurs** : interprétation, prédiction, diagnostic, dont la définition commence par le terme "déduire". Ces fonctions sont basées sur l'analyse de données existantes, dont il est tiré une interprétation synthétique. On notera au passage la similitude considérable qui existe entre l'*interprétation* de données et le *diagnostic*, lequel n'est en fin de compte qu'une interprétation d'un type particulier (recherche d'un défaut, d'une panne, d'une maladie) à partir de données baptisées "symptômes". Par ailleurs ce qui est décrit sous le terme de *prédiction* ne couvre guère de réalisations concrètes effectives : il y a à cela une bonne raison, c'est qu'il n'existe pas non plus dans les domaines cités de véritable expertise, au sens où on l'a entendu ici, c'est-à-dire une connaissance non formalisée, mais efficace dans la résolution de problèmes(*).

2) Les systèmes **concepteurs** : l'analyse conduit à décomposer en deux classes les problèmes qu'ils traitent :

a) ceux sur lesquels le travail à effectuer consiste à placer dans un ordre approprié des éléments connus au départ - un peu comme la reconstitution d'un puzzle - et que nous qualifierons de problèmes **d'ordonnancement** ;

b) ceux dont le système doit **élaborer la solution**, non seulement en définissant le déroulement de ses étapes (comme dans l'ordonnancement) mais en en déterminant le contenu.

A partir d'une analyse logique des classifications théoriques, nous avons dégagé un regroupement formel. Nous allons maintenant le confronter aux réalisations, pour en confirmer la validité et en préciser la définition.

(*) Bonnet, Haton et Truong(1986) citent cependant l'interview d'un "prévisionniste", dont l'expertise a effectivement servi de base à la réalisation d'un système. Mais l'expertise en question porte sur les méthodes statistiques disponibles pour effectuer des prévisions, et le choix de la méthode appropriée pour résoudre un problème particulier de prévision statistique. On est bien ici en face d'un système expert de type "diagnostic" : quelle méthode (traitement) appliquer à un cas donné ?

18.2.2. Les systèmes déducteurs

Ce sont ceux qui font du diagnostic, de l'interprétation ou du traitement de données. C'est à cette catégorie qu'appartiennent les premiers systèmes experts "historiques" :

- DENDRAL, consacré à la détermination de la structure d'une molécule organique à partir de sa formule brute et des résultats de son analyse par spectrographie de masse. DENDRAL est l'exemple du programme consacré à **l'interprétation des données**,
- MYCIN, expert en **diagnostic** des infections bactériennes du sang.

Ce qui caractérise la tâche effectuée, c'est *le choix, parmi une liste* de solutions (interprétations, diagnostics) possibles, de celle(s) qui correspond(ent) le mieux aux *données disponibles* dont le programme effectue en quelque sorte *la synthèse.*
Le modèle simpliste de ce travail est l'arbre de décision ; mais le moteur d'inférences et les techniques d'informatique symbolique font (en principe) davantage et mieux :

- prise en compte des données dans un ordre qui peut varier, et éventuellement d'un ensemble variable (c'est-à-dire "incomplet") de données ;
- traitement d'informations conduisant à des conclusions différentes, voire contradictoires ;
- proposition de solutions dotées de coefficients de crédibilité.

18.2.2.1. Diagnostic et interprétation

Si une distinction doit être effectuée entre le diagnostic et l'interprétation, peut-être peut-on la situer dans l'interaction entre le programme et le problème :

- un problème **d'interprétation de données** est globalement et entièrement posé au départ, tous les éléments à analyser sont contenus dans les données à interpréter ;
- dans les programmes de **diagnostic**, une part beaucoup plus grande est réservée à l'interaction, le système pouvant requérir des informations complémentaires non disponibles au départ : cette recherche doit être guidée par une première hypothèse de diagnostic, dont la justesse conditionne la pertinence des questions posées et des examens demandés. Dans plusieurs cas, la critique a été formulée à l'encontre de tels systèmes de suivre un cheminement erratique, ou du moins mal compris de l'utilisateur ; des exemples existent au

contraire où une partie de l'effort a précisément porté sur la limitation des questions posées (cas de MYCIN), ou sur une recherche de l'optimisation des examens complémentaires demandés
- soit en terme de coût (système de diagnostic de pannes développé aux laboratoires de Marcoussis de la CGE),
- soit en terme de temps (minimisation des déplacements le long d'une rame de métro en dépannage - système RUFUS développé pour la RATP par la société COGNITECH).

En conclusion, on soulignera donc l'importance à accorder à la qualité de la démarche de recherche, tout particulièrement dans le cas où celle-ci s'effectue en interaction avec l'utilisation du système.

18.2.2.2. Des exemples

• Outre DENDRAL, déjà cité, on retiendra comme tâche de type **interprétation de données** la détermination des propriétés herbicides de nouvelles molécules chimiques, à partir de relations entre les structures et leur activité (système développé pour Shell Institute, en Grande Bretagne).
Le programme YES/MVS qui assiste l'opérateur d'un système d'exploitation MVS (IBM) en indiquant son état rentre également dans cette catégorie.

Mentionnons également :

- GEOX, développé par Lockheed pour la NASA, qui identifie les minéraux à la surface de la terre à partir d'images multispectrales ;
- DIPMETER ADVISOR, le programme d'analyse des "logs" (mesures de résistivité électrique des terrains traversés, recueillis au cours des forages de puits pétroliers) développé et exploité par la société Schlumberger.

Enfin, on rangera dans cette classe les différents programmes écrits pour l'interprétation de la parole continue, en particulier les travaux visant à classer les sonogrammes pour les mettre en relation avec les phonèmes (voir notamment le système APHODEX développé au Centre de Recherche Informatique de l'Université de Nancy [Fohr, 1985]) et plus généralement le système HEARSAY-II de CMU ([Erman et al.,1980]; Erman et Lesser in [Lea,1980]).

• En matière de **diagnostic** on trouve de multiples domaines d'application:

- conseils pour le traitement des végétaux (POMME, WHEAT COUNSELLOR, TOM pour les tomates),
- diagnostic de pannes d'appareillage divers (dérouleurs de bandes : AI.SPEAR ; générateurs de tension numériques : DIG VOLTAGE TESTER ; appareils de cuisson de soupe chez Campbell Soups; ...),
- et aussi diagnostic médical, dont l'application opérationnelle se répand toutefois très modérément (quatre exemples seulement cités parmi les quelques soixante recensés).

Dans le même ordre d'application se situent :
- les programmes qui participent au suivi et/ou au contrôle d'une installation ou d'un processus : lignes de téléphones (ACE de S.W. Bell), réseau de transmission de données informatiques (NTC de DEC), commutateurs téléphoniques (COMPASS de GTE), analyse des dumps d'un système d'exploitation - en l'occurence VMS - après un crash (CDx de DEC), contrôle du freinage des trains (système développé pour HITACHI), coincement d'un dispositif de forage (SECOFOR d'Elf-Aquitaine),...
- les programmes de conseil en évaluation des risques ou en gestion de portefeuille pour les assurances et les institutions financières.

18.2.3. Les systèmes concepteurs

Ils héritent des travaux sur la génération de plan et la résolution de problèmes, qui ont constitué un des thèmes importants de la recherche en "Intelligence Artificielle" depuis ses débuts.

Par opposition aux programmes déducteurs (interprétation de données, diagnostic), dont la tâche, on l'a vu, consiste à *sélectionner* ***une*** *conclusion* parmi une liste de résultats possibles en fonction d'un ensemble éventuellement complexe de *données*, ceux-ci partent d'un *problème* (résultat à atteindre, objet à fabriquer,...) et combinent des "actions" élémentaires pour *construire un "plan"* complexe dont l'exécution doit conduire à la solution du problème posé.

Ainsi défini, le fonctionnement de ce type de programme apparaît intuitivement plus complexe que le processus de "diagnostic", même si la sélection de celui-ci doit prendre en compte des incertitudes et des incohérences dans les données. Un élément de complexité résulte de ce que, dans l'élaboration d'un plan, l'ordre dans lequel les choix sont faits a en général beaucoup d'importance (cf. §2.2.), ce qui est rarement le cas dans l'interprétation de données.

La plus grande complexité de réalisation d'un système de génération est confirmée en quelque sorte expérimentalement par l'observation des réalisations effectives des années 81-85 : environ un quart seulement de celles-ci entrent dans cette catégorie.

Pour préciser la description, nous distinguerons deux catégories :
- les systèmes d'ordonnancement
- les systèmes de génération de solution.

18.2.3.1. Les systèmes d'ordonnancement

Ces systèmes travaillent sur une liste connue au départ d'éléments qu'il s'agit d'arranger dans le temps (ou dans l'espace) pour construire la solution recherchée.

• **GARI** : L'exemple type de cette catégorie de programmes est GARI, le générateur de gammes d'usinage(*) développé par Y. Descottes et J.C. Latombe à l'Institut de Mathématiques Appliquées de Grenoble.

Les *données initiales* sont constituées par la description de la pièce à usiner, en terme d'éléments caractéristiques : trous, rainures, bossages,... En fait, cette description définit complètement la liste des opérations d'usinage à effectuer, chaque caractéristique de la pièce devant être réalisée par deux usinages (un usinage lent, et une passe de finition).

Le système s'appuie sur la *programmation déclarative*, en ce sens que toutes les règles de métier qui définissent l'ordre relatif dans lequel doivent être exécutées deux opérations sont fournies au système sous forme d'une base de règles. Certaines règles permettent également d'éliminer l'un des deux usinages (pas de finition, si la précision demandée ne l'exige pas, ou au contraire pas d'usinage brut si les conditions permettent de faire du premier coup la finition) ; d'autres précisent les machines-outils à utiliser.

Les règles sont écrites avec *des variables*, qui sont typées (on distingue les variables de type "caractéristique de la pièce" et celle de type "passe d'usinage") et peuvent également porter sur des ensembles de variables (trois types : "caractéristique de la pièce", "passe d'usinage" et "machine-outil").

(*)C'est-à-dire la liste ordonnée des opérations d'usinage à effectuer pour réaliser une pièce

A partir de l'ensemble des opérations ("passes d'usinage") à effectuer, GARI va chercher à *définir l'ordre* dans lequel elles doivent être enchaînées, en appliquant les règles qui introduisent des contraintes sur cet enchaînement. Une *pondération* attribuée aux règles définit leur importance : elle permet de sélectionner l'ordre dans lequel elles sont appliquées, et de déterminer les points de retour en arrière dans le processus de construction lorsque celui-ci aboutit à une contradiction.

La tâche effectuée par GARI est donc bien celle de mettre en ordre un ensemble d'opérations connues au départ (même si, de temps à autre, l'ordonnancement comprend la suppression pure et simple d'une des opérations de la liste).

• Le fameux **programme R1** développé par John Mc Dermott [1982] à Carnegie Mellon University pour le compte de Digital Equipment Corp s'attaque à la même catégorie de problème. R1 (depuis décomposé en trois parties renommées : X-SEL, X-CON et X-SITE) effectue la "configuration" des systèmes VAX commandés à la compagnie.

Réalisé à l'aide du langage OPS, développé à Carnegie Mellon, le système est conçu à base de règles de production et la résolution du problème s'effectue de telle sorte que le retour arrière n'est pas nécessaire. A noter que R1, opérationnel dès 1982 chez DEC, a très vraisemblablement été le tout premier système-expert réellement utilisé en contexte industriel.

Le problème de la "configuration" consiste à partir d'une commande client, qui a été préparée par les services compétents pour répondre au besoin exprimé par celui-ci, et à définir l'implantation physique de tous les éléments prévus dans les armoires.

Ce travail comporte deux parties indépendantes :
- vérifier que la commande comporte tous les éléments nécessaires (notamment par exemple le bon nombre d'interfaces, les connexions, alimentations,...), et qu'il n'existe pas d'incompatibilité entre certains composants prévus (exemple : plus de périphériques que le système n'est dimensionné pour en admettre, erreur dans les interfaces,...) ;
- effectuer l'implantation physique des modules dans les tiroirs et armoires, puis de l'ensemble des meubles dans l'espace prévu pour l'installation.

Comme le montre cette brève description, la tâche effectuée par R1 (ou ses descendants) consiste bien à effectuer un travail de type "puzzle"

-avec une petite sophistication consistant à rajouter, de temps à autre et si nécessaire, une pièce non initialement prévue et qui fait défaut.

• D'autres exemples de travail du même type portent sur le montage des éléments sur une carte d'ordinateur (Hughes Electro-Optical and Data Systems), le rangement d'éléments dans un magasin (Kawasaki Steel), ou la détermination de l'ordre dans lequel réaliser et livrer des commandes (DEC).

Ce travail d'ordonnancement pose un des problèmes difficiles de la construction d'une solution, dans la mesure où la mise au point d'une séquence peut conduire à des contradictions dont l'origine se trouve dans une décision prise loin en amont et qu'il faut savoir retrouver.

Toutefois, une partie de la résolution du problème est simplifiée par la connaissance "a priori" de tous les éléments à utiliser dans la solution finale.

18.2.3.2. Les systèmes de génération de solution

Nous classerons dans cette catégorie tous les systèmes qui doivent *choisir*, pour résoudre un problème, *les opérations* à effectuer *parmi un ensemble d'opérateurs* ***possibles*** *mais* ***pas nécessairement utiles.***

Si le travail d'ordonnancement présenté ci-dessus s'apparente à la réalisation d'un puzzle, pour continuer la comparaison, ce type de réalisation pourrait être rapproché du Meccano : l'opérateur dispose d'un catalogue de pièces possibles, et il doit effectuer non seulement l'assemblage des pièces, mais encore la sélection de celles qui conviendront. La combinaison s'enrichit de toutes les possibilités de choix de pièces inappropriées, et les impasses auxquelles ces choix conduiront pourront ne se révéler qu'après un long chemin de construction dans cette direction inopportune.

• Un exemple de programme effectuant ce travail est **SYNCHEM 2**, développé sous la conduite de Gelertner à la State University of New-York, Stony Book [Gelertner et al.,1984].

SYNCHEM 2 est conçu pour découvrir une séquence de réactions de chimie organique, conduisant à la synthèse d'un composé chimique, qui constitue la donnée initiale du problème.

Pour effectuer cette recherche, le programme s'appuie sur deux ***bases de données*** :

- l'une, la *bibliothèque des réactions* contient les transformations possibles de corps chimiques, ainsi que les conditions et les résultats de ces réactions (paramètres physiques, degré de facilité de réalisation, rendement, degré de confiance,...); certains de ces paramètres sont des "heuristiques" qui guident les choix effectués par le programme au cours de sa recherche ;
- l'autre, la *bibliothèque des corps disponibles*, est la liste des éléments chimiques répertoriés, qui peuvent être utilisés comme "précurseurs" d'une transformation (réaction).

Les auteurs soulignent que la bibliothèque des réactions est une structure de données, et non pas un ensemble de programmes. L'importance de cette formule (typique de la programmation déclarative) est qu'elle permet l'introduction de la connaissance sous une forme familière aux utilisateurs, et sa mise au point progressive. L'expérience de la mise au point de SYNCHEM 2 a montré qu'il était plus efficace d'entrer une description de base d'une réaction, et de l'affiner au fur et à mesure que les résultats de son utilisation en font apparaître la nécessité, que de devoir fournir dès le départ un schéma parfaitement élaboré.

De ce point de vue, il a été noté également l'apport que constitue la disponibilité d'une interface utilisateur de haut niveau, permettant notamment de préciser les raisons des choix effectués, d'afficher les connaissances disponibles sur les réactions utilisées, de modifier et de compléter celles-ci. En permettant une amélioration en temps réel de la librairie des réactions, l'ensemble de programmes développé à cet effet pour SYNCHEM 2 a considérablement accéléré sa mise au point et l'extension de son domaine de compétence.

En ce qui concerne ***le contrôle***, SYNCHEM 2 est basé sur un algorithme de *recherche en graphe* (c'est-à-dire qu'à chaque instant, le programme remet en cause le chemin de recherche en fonction des résultats de son évaluation des différents noeuds candidats au développement - cf. §4.5.2.). Les auteurs qualifient cet algorithme de recherche de "orienté par la tactique" - c'est-à-dire que c'est l'évaluation *locale* des débouchés d'un noeud qui guide la recherche.
Cela étant, la fonction d'évaluation est basée notamment sur une *estimation du coût du chemin à parcourir* vers la solution : cette valeur de "*complexité du composant*" (chimique) est une évaluation de l'avenir, c'est-à-dire une "heuristique" au sens où nous l'avons définie au §5.1.

Deux caractéristiques à noter :

1) dans le cas d'un noeud ET (c'est-à-dire dont tous les successeurs doivent être résolus pour aboutir à une solution), c'est le successeur (composant) dont la complexité estimée est *la plus élevée* qui est sélectionnée en premier. Ceci permet normalement d'arriver au plus vite à un échec si celui-ci est inévitable.

2) Un objectif majeur du développement était de *diversifier au maximum les différentes solutions proposées*. A cela, ceux raisons :
- éviter que le programme ne consacre son temps, une fois trouvée une première solution, à "broder" autour en effectuant des modifications mineures ;
- maximiser les chances de trouver une "bonne" solution, les critères de choix entre différentes solutions possibles pouvant varier considérablement suivant que le produit désiré doit être produit en faible quantité ou au contraire en très grosses masses, dans un contexte de laboratoire ou sur chaîne industrielle, à un degré de pureté élevé ou faible...; plus le programme propose de solutions réellement différentes, plus il y a de chances d'y trouver un processus adapté au cas considéré.

Pour atteindre cet objectif, deux astuces, qualifiées par les auteurs de "stratégiques" ont été introduites dans l'algorithme :

a) une limitation arbitraire du nombre de fois qu'un sous-but particulier peut être évoqué, ou une réaction particulière utilisée. Cette limitation est fixée en pourcentage du nombre total d'évocation de sous-buts ou d'utilisation de réactions ;

b) un blocage de l'utilisation des noeuds appartenant au dernier chemin de solution trouvé, pendant un nombre prédéfini de cycles.

Apparemment, ce dispositif "ad hoc" n'a pas donné satisfaction aux réalisateurs.

En conclusion, SYNCHEM 2 apparaît comme un véritable programme de construction de solutions, basé sur la connaissance d'opérateurs locaux de transformation (réactions chimiques) auxquels sont associées des heuristiques d'évaluation de difficulté, qui guident une recherche en graphe en balayant en permanence l'espace des chemins de solution possibles et en sélectionnant à chaque instant le plus prometteur.
Testé et mis au point sur des centaines de problèmes de synthèse, certains classiques destinés à la formation, d'autres ayant déjà fait l'objet de publication scientifique, d'autres encore non résolus, SYNCHEM 2 a

parfois proposé des solutions originales, dont certaines se sont révélées opérationnelles.
Cependant la tâche de mettre au point un générateur de plan capable d'égaler les meilleurs spécialistes s'est révélée ardue. On peut noter que l'algorithme très général de planification, basé sur des heuristiques locales, semble manquer de la "vue d'ensemble" de sa recherche qui constitue l'heuristique "stratégique" du concepteur humain.
On rapprochera cette conclusion de celle de Pitrat [1977] sur le jeu d'échecs : ce qui permettrait à un programme d'atteindre au plus haut niveau en ce domaine serait l'utilisation d'une représentation "structurée" de l'échiquier, telle que la construisent automatiquement les meilleurs joueurs - par opposition à une description purement "énumérative" de l'ensemble des pièces, de leurs positions et des coups possibles.

• Pour compléter cette présentation à base d'exemples, force est de constater que fort peu de systèmes opérationnels sont recensés dans ce domaine. On mentionnera GUMMEX, programme de l'Institut Battelle à Francfort, qui génère des plans de production de produits en caoutchouc [Iudica,1985] et quelques maquettes : pour le contrôle du retrait des barres de contrôle d'un réacteur nucléaire (à Mitre Corp.), ou pour la conception de carters (Université de Paris VI, Laboratoire de Mécanique et Technologie) [Reynier et al., 1984].

18.3. Les outils de réalisation

18.3.1. Panorama

On classe dans la catégorie des outils les machines et les logiciels.

18.3.1.1. Les machines

Côté **machines**, une étude détaillée d'architecture sortirait du cadre de cette présentation. On retiendra que, peu après leur apparition, les machines dites "pour l'Intelligence Artificielle" (Symbolics, Xerox II, LMI Lambda, TI Explorer,...) ont tendu à *se rapprocher des machines numériques classiques*, en supportant les langages correspondants. Parallèlement, les postes de travail classiques de haut de gamme (Apollo, Sun, HP,...) ont intégré les fonctionnalités introduites par les machines LISP (souris, gestion d'écran à multifenêtres,...) et le langage lui-même.

Cette banalisation est logique pour plusieurs raisons :

- le marché "intelligence artificielle" à ses débuts était assez prometteur pour attirer les fournisseurs de matériel classique ;

- à quelques rares exceptions près, des applications opérationnelles doivent offrir une intégration suffisante avec un environnement classique ; par ailleurs, une capacité de calcul numérique et de procédure algorithmique est souvent nécessaire au sein même de l'application ;

- enfin, les fameuses "machines LISP" des débuts n'avaient pas une architecture particulièrement révolutionnaire. Leur efficacité tenait en général au câblage ou à la microprogrammation de quelques mécanismes très utiles à LISP (indicateur de type ou "tag", ramasse-miettes,...) mais éventuellement intéressants aussi pour d'autres langages (PASCAL, C, ADA,...) ou fonctions (mémoire virtuelle, par exemple) classiques. Quant aux concepts sophistiqués de super-parallélisme, de mémoire associative ou de câblage des structures de connaissance, ils nécessitent pour être opérationnels quelques progrès dans la maîtrise de leur fonctionnement et surtout une stabilisation suffisante des structures de représentation et de traitement des données.

En résumé donc, une certaine banalisation des matériels, dont on comparera :
- les logiciels supportés, et leur degré d'intégration,
- les mécanismes câblés accélérateurs d'exécution,
- les performances théoriques des différentes composantes (cpu, mémoires, bus de communication,...), et surtout
- les résultats obtenus sur l'exécution de programmes test.

Rien que d'assez habituel, somme toute...

18.3.1.2. Les logiciels

En ce qui concerne les **logiciels**, la situation est plus confuse.
Le développement des travaux en "Intelligence Artificielle" s'est effectué pour l'essentiel à partir du langage de programmation un peu particulier développé par J. Mc Carthy dans les années 50 : **LISP** (pour LISt Processing). Longtemps resté enfermé dans les cercles spécialisés de la recherche, LISP a été pénalisé par l'existence de multiples versions plus ou moins incompatibles, tournant autour des deux grandes familles

Interlisp (Côte Ouest), Maclisp (Côte Est). Avec le développement du succès médiatique de l'Intelligence Artificielle au début des années 80, l'admission de LISP au catalogue des grands constructeurs et l'émergence du standard COMMONLISP élargissent son champ d'application potentiel.

Par ailleurs, les travaux sur la déduction et la logique ont conduit au développement par A. Colmerauer et à la formalisation par R. Kowalski d'un autre langage : **PROLOG** (pour PROgrammation en LOGique). Ce dernier, en général classé, en parallèle avec LISP, comme "langage pour l'Intelligence Artificielle", se rapproche déjà des noyaux de systèmes experts : les expressions logiques que le langage permet de formuler sont des "connaissances", et l'interpréteur qui les utilise pour effectuer des déductions constitue un "moteur d'inférences", très rudimentaire du point de vue de la stratégie de contrôle (chaînage arrière, en profondeur d'abord, sans détection de bouclage) mais puissant pour l'identification des connaissances applicables (utilisation de véritables variables-unification).

Après l'apparition des premiers systèmes experts, au début des années 70, on a très vite entrepris de supprimer les connaissances spécifiques du domaine traité initialement pour isoler le mécanisme de raisonnement (ou moteur d'inférences). Ces **systèmes vides** sont rapidement nombreux (EMYCIN issu de MYCIN, KAS de PROSPECTOR, EXPERT de CASNET,...).
Parmi ceux-ci, les systèmes "inductifs" sont à la frontière de l'informatique symbolique. Ils offrent la possibilité de constituer, à partir d'exemples, une base de règles qui sert ensuite à guider un processus de décision (classement) algorithmique simple. Ces outils (EXPERT-EASE, KDS, TIMM, Rule Master,...) développés sur microordinateur, sont d'une puissance modeste.

Enfin, l'expérience acquise dans les réalisations et l'accent mis sur la nécessité de faciliter la représentation des connaissances conduisent à la création de **langages évolués pour la représentation des connaissances**. Ces langages intègrent en général différents formalismes (règles, frames, objets, logiques,...), offrent au programmeur des possibilités d'agir sur la stratégie de contrôle (choix du mode de chaînage avant ou arrière, utilisation de contextes,...), et comportent des environnements évolués (graphiques) pour l'édition et la mise au point des connaissances. Parmi eux : ART (Inference Corp.), KEE (Intellicorp), Knowledge Craft (Carnegie Group Inc).

Entre ces différentes catégories, on trouve tous les degrés de sophistication, dont notamment des versions simplifiées pour microordinateurs personnels.

Reste à mentionner l'utilisation, pour les réalisations d'informatique symbolique, des **langages classiques** (notamment C) : leur structuration et leur ancienneté industrielle en font des outils solides, appréciés pour les projets opérationnels en environnement d'entreprise.

*

Ainsi, le domaine des outils logiciels de l'informatique symbolique comporte :

- d'une part, les langages de programmation classique, utilisés pour la réalisation d'applications spécifiques de type symbolique,
- d'autre part, les logiciels plus particulièrement développés pour l'informatique symbolique.
  Parmi ces derniers, on a distingué :
  - les *langages de programmation* de l'informatique symbolique essentiellement LISP et PROLOG ;
  - les *systèmes vides*, dérivés en général de la réalisation d'un système expert particulier, en isolant les mécanismes de représentation et manipulation de la connaissance ;
  - les *langages généraux de représentation de connaissances*, conçus (parfois à partir d'un système vide) en intégrant diverses techniques de représentation des connaissances et de contrôle.

Cette classification, commode, est un peu illusoire, car le passage d'une catégorie à l'autre est insensible. Parfois même, l'affectation à un groupe paraît arbitraire : PROLOG offre des mécanismes (unification notamment) plus sophistiqués que bien des systèmes vides ; a contrario, on trouve souvent rattachés à ces derniers les systèmes dits "inductifs", dont le caractère symbolique se limite souvent à l'expression sous forme de "règles" des éléments d'un arbre de décision.

Pour faciliter l'analyse des multiples produits proposés sur le marché nous présentons ci-dessous des éléments de fiche technique, pour l'examen des spécifications et l'évaluation globale d'un outil.
Par ailleurs, on trouvera en annexe une description succincte du "grand ancêtre" : LISP , auquel beaucoup de langages, surtout parmi les plus évolués, se réfèrent ;en ce qui concerne PROLOG, une brève présentation en a été effectuée (§9.2.) à l'occasion de l'exposé sur la logique dans le chapitre sur la Représentation des Connaissances.

18.3.2. Analyse d'un produit : éléments de fiche technique

Notre fiche technique comprend deux parties :
- une partie descriptive, consacrée aux composants techniques de base, dont elle propose un classement ;
- une partie évaluative, destinée à guider le choix par l'énumération de quelques critères.

18.3.2.1. Composants techniques de base

La difficulté, dans l'établissement d'une liste des composants techniques, réside dans la diversité des noms utilisés par les réalisateurs pour désigner les mécanismes de leur produit.
L'important, dans l'analyse des spécifications, sera donc de ne pas s'attacher à la désignation, mais aux propriétés réellement offertes par les mécanismes considérés.
Quant au classement, il est surtout destiné à clarifier la présentation.

1°) Représentation des connaissances

a) Description des objets ou des faits
Les objets et les faits sont les "composants élémentaires" qui constituent les éléments des problèmes traités, ou de leurs solutions. Ils correspondent aux *données* de l'informatique classique. En général, ils sont spécifiques de chaque problème, mais il peut exister des données générales au domaine considéré.

On peut trouver, pour les représenter :

- booléens,
- triplets "objet-attribut-valeur",
- variables,
- matrices,
- prédicats,
- frames,
- actions externes.

Quelques questions à se poser :
- quel degré de souplesse d'expression offrent-ils (richesse des structures offertes, croissante de "booléen" à "frame") ?
- quel lien entre ces variables et celles d'un langage extérieur(cf.***c***) ?
- quel est leur degré de "substantialité (cf. **3°)*a***) ?

b) Représentation des connaissances opératoires de traitement

Par opposition aux faits ci-dessus, les connaissances opératoires décrivent le "savoir" par lequel les problèmes sont résolus. En général, ce savoir porte sur des faits, qu'il permet de transformer ou de compléter.

Exemples de représentation :

- règles
- logique
- frames
- procédures.

Quelques questions à se poser :

- quelle est leur lisibilité ?
- quelle est leur puissance d'expression (complexité des situations qu'elles permettent de décrire) ?

c) "Ouverture" de la représentation

- La représentation permet-elle d'accéder à d'autres langages de programmation ? Lesquels ? (cf. ***a***)
- Permet-elle également de communiquer avec d'autres types de logiciels (système de gestion de Base de Données, logiciel graphique,...) et lesquels ?

2°) Entre la représentation des connaissances et le contrôle

Nous isolons dans cette catégorie hybride des éléments qui, tout en étant intégrés à la représentation des connaissances, jouent un rôle particulier de guide de la stratégie de contrôle. Il s'agit d'éléments de représentation des "heuristiques", ces connaissances sur le parcours de recherche dont on a vu le caractère essentiel dans l'efficacité des applications.

a) Coefficients de vraisemblance

Introduits et popularisés par MYCIN, les coefficients de vraisemblance permettent d'évaluer le degré de confiance accordé à une conclusion.
Ils sont associés aux connaissances opératoires (degré de validité de la transition associée) et aux faits (degré de confiance attribué au fait), et ils peuvent servir à guider le choix des connaissances appliquées, et à éliminer les faits insuffisamment confirmés.
Certains systèmes (notamment PROSPECTOR, et le moteur dérivé KAS) introduisent deux coefficients.
L'interprétation à donner à ces coefficients et le mécanisme de leur propagation ont fait l'objet de travaux théoriques. Mais leur lien avec

une interprétation réelle est difficile, et la fixation de leur valeur résulte davantage de l'intuition, et de réglages expérimentaux, que d'une véritable signification qui leur serait attribuée.

Certains systèmes offrent la possibilité de *modifier le mode de calcul* de la propagation des valeurs (compte tenu des problèmes d'interprétation ci-dessus, il n'est pas évident que ce degré de liberté supplémentaire offre plus d'avantages que d'inconvénients).

b) Coefficients d'importance ou degré de priorité des opérateurs

Ces coefficients diffèrent des précédents en ce qu'ils n'attribuent aucune valeur de *crédibilité* aux conclusions d'une règle.

Ils servent simplement à déterminer leur *ordre d'application.* Ce sont donc des éléments numérisés d'une stratégie de résolution de conflit.

Question à se poser : dans le cas d'affectation de coefficients aux opérateurs, distinguer s'il s'agit de coefficient de vraisemblance (qui portent normalement également sur les faits) ou de coefficient de priorité (pour classer les règles).

c) Métarègles

Les métarègles permettent de définir la stratégie de contrôle. Elles sont utilisées pour déterminer ceux des opérateurs à appliquer en premier lorsque plusieurs sont applicables.
Par rapport aux règles ordinaires, qui portent sur des faits et objets, les métarègles portent sur des opérateurs (connaissances opératoires) de la base de connaissances.

La différence avec les priorités (***b*** ci-dessus) réside dans le fait que les métarègles permettent de définir des priorités variables suivant le stade du raisonnement auquel on est parvenu.

3°) Contrôle

a) Identification par le moteur des connaissances applicables
(Notion d' "*ordre* du moteur")
Cette caractéristique se réfère à la tâche qui consiste, pour le moteur, à déterminer les connaissances (opérateurs) applicables à partir des données (faits) connus.

- On appelle "*moteur zéro*" un moteur qui sélectionne des opérateurs dont les conditions sont *identiques* aux faits contenus dans la base : autrement dit, ce moteur ne traite pas les variables. En logique, on parle de logique des propositions.

  Exemple :Le ciel est bleu à Athènes ---> il fait beau à Athènes
  Si je veux exprimer le fait qu'il fait beau à Paris, il se déduira d'une autre règle :

  Le ciel est bleu à Paris ---> il fait beau à Paris.

  Comme on le voit, la puissance d'expression des opérateurs sans variables est limitée, puisque *tous les cas particuliers doivent être énumérés.*

- On appelle "*moteur un*" (par référence à la logique correspondante, appelée logique des prédicats du 1er ordre) un moteur qui sélectionne des opérateurs dont les conditions sont *identifiables* aux faits de la base, *moyennant une valeur appropriée des variables.*

  Exemple : Avec un moteur d'ordre 1, je peux utiliser un opérateur avec variable :

  Le ciel est bleu en X ---> il fait beau en X

  et les faits :

  Le ciel est bleu en France
  Le ciel est bleu en Bourgogne
  Le ciel est bleu en Avignon

  permettent tous l'application de l'opérateur considéré.

  Si le moteur effectue *l'unification*, il peut identifier entre eux deux éléments qui contiennent *chacun* des variables (dites "unifiables") : il peut donc y avoir des variables :
  - dans les conditions de déclenchement des opérateurs (prémisse d'une règle),
  - dans les faits.

- On désigne sous le nom de "*moteur zéro plus*" des moteurs un peu plus sophistiqués que le moteur 0, mais qui ne sont pas vraiment des moteurs 1.

  Cette appellation correspond à l'origine aux moteurs de type EMYCIN: les faits constitués de triplets "objet-attribut-valeur" ne comportent pas des variables, mais dans les conditions des règles, l'objet auquel il est fait référence peut être l'objet en cours d'examen, ou même un des objets liés à ce dernier par une hiérarchie simple ("arbre des contextes").

Exemple : Un organisme est lié à une culture, elle-même liée à un patient. A une culture est associé un site, qui par transitivité est associé également aux organismes de la culture. Considérant un organisme donné, en cours d'examen, la prémisse suivante :

	Prédicat	Objet	Attribut	Valeur
IF	(MEMBP	CNTXT	SITE	STERILE SITES)

signifiant : "si le site de l'objet courant (contexte) appartient à l'ensemble des sites-stériles" pourra se déclencher si l'objet en cours de traitement est soit une culture qui vérifie la propriété indiquée (le site de la culture est un site-stérile), soit un organisme provenant d'une telle culture.
Ce mécanisme simplifié de généralisation des conditions de déclenchement des opérateurs (règles), basé sur une pseudo-variable (contexte : objet courant) et un mécanisme d'héritage rudimentaire, assouplit considérablement l'expression des connaissances par rapport à l'identification pure et simple des conditions et des faits dans le moteur 0.,
Questions à se poser :

- Peut-on utiliser des variables ?
- Quel est leur degré d'indépendance ? Désignent-elles :
  - obligatoirement l'objet courant ?
  - une certaine classe d'objets (catégories de variables différentes pour différentes catégories d'objets) ?
  - une certaine structure de donnée (slot d'un frame,...) ?
  - ce qu'on veut ?
- Peut-on utiliser des variables aussi bien dans les faits que dans les opérateurs ?

b) Choix des connaissances à appliquer (stratégie de résolution du conflit)
La façon dont les "conflits" (existence de plusieurs connaissances applicables à un instant donné) sont résolus est un des éléments caractéristiques du fonctionnement du moteur.
Pour certains types de problèmes (notamment lorsque l'application d'un opérateur ne remet pas en cause l'applicabilité des autres), et pour certains modes de fonctionnement (en particulier, dans celui d'EMYCIN, où tout l'espace des chemins de recherche possibles est

exploré systématiquement), cette stratégie n'est pas essentielle. Tout au plus peut-elle permettre d'arriver plus ou moins vite à une solution.

Dans d'autres cas, ce choix est crucial : de sa validité dépendra la possibilité d'aboutir ou non à une solution dans un délai acceptable.

Exemples de stratégie : la sélection des opérateurs est faite en donnant priorité :
- à celui qui utilise les faits les plus récemment apparus,
- à celui dont le coefficient de vraisemblance (C.V.) est le plus élevé (quand celui-ci existe),
- ou (variante) à celui dont la conclusion a le C.V. le plus élevé,
- à celui qui fournit le plus grand nombre de conclusions,
- à celui dont les conditions sont les plus détaillées (c'est celui qui est le plus contraint : on suppose que ses conclusions sont plus précises),
- à ceux qui sont indiqués par des métarègles, ...

Questions à se poser :
- Quelle est la stratégie de résolution de conflits appliquée par le moteur?
- Cette stratégie peut-elle être redéfinie par l'utilisateur ?
- Par quels moyens (coefficients d'importance ou priorité, métarègles,...) ? (cf 2°)

c) Parcours du graphe de recherche (1) : mode de chaînage
On distingue classiquement :
- *chaînage avant* : déclenchement des opérateurs dont les conditions sont satisfaites, inscription des conclusions correspondantes ;
- *chaînage arrière* : sélection des opérateurs dont le résultat prouve le but recherché, adoption comme nouveau but à rechercher des antécédents non connus comme vrais de ces opérateurs.

Beaucoup d'outils offrent les deux modes de fonctionnement. A supposer que cette caractéristique soit importante pour le type de raisonnement à effectuer, on se pose les questions suivantes :
- peut-on choisir le mode de chaînage ?
- si oui, comment ?
- ce choix est-il réversible en cours d'exécution ?

d) Parcours du graphe de recherche (2) : type d'exploration
L'exploration peut être systématique, ou bien elle peut être plus ou moins définie par l'utilisateur.

L'exploration systématique s'effectue en balayant les branches du graphe de recherche en fonction de l'ordre de leur apparition.

Les deux stratégies de base (cf. §4.5.2.1.) sont :

- *en profondeur d'abord*, qui poursuit jusqu'à son terme la branche de recherche en cours : cette exploration présente le risque de se perdre dans des recherches sans intérêt, mais offre l'avantage de la cohérence ;
- *en largeur d'abord*, qui explore successivement toutes les branches au niveau de recherche, avant de passer au niveau n-1. Cette recherche est optimale au sens de la longueur du chemin trouvé.

Dans des outils sophistiqués, le choix de la stratégie sera à la disposition de l'utilisateur.

Un des moyens les plus évolués est l'existence de *contextes* : ceux-ci constituent différentes hypothèses, ou versions différentes de l'univers de la recherche. Suivant les cas, on les appellera "points de vue",...
On peut passer de l'un à l'autre en fonction de l'intérêt des voies de recherche qu'ils offrent.

4°) Utilitaires

a) Editeur de la Base de connaissances

L'existence d'un éditeur évolué est une aide puissante pour la construction et la mise au point de la base, et donc du système.

On vérifiera l'existence des fonctions suivantes :

- éditeur de règles sous une forme aisément lisible,
- sélection des règles éditées suivant différents critères,
- possibilité de modification à partir de l'édition,
- représentation graphique de la base, avec les relations entre les règles.

b) Compilation de la base

C'est un outil de mise au point, permettant la vérification statique de la base.
Ce peut être également un facteur de performance.

c) Contrôle de la Base de connaissances

De nombreux problèmes peuvent se poser quant au contenu de la base

de connaissances : incohérence, redondances, bouclages,...
Les fonctions suivantes sont souhaitables :

- vérification de la *validité* des éléments *individuels* :
  - vérification orthographique,
  - vérification syntaxique,
  - dictionnaire des composants individuels de la base ;

- contrôle de *validité globale* :
  - contrôle de cohérence,
  - détection des redondances,
  - détection des bouclages.

D'autres fonctions, plus évoluées, apportent une aide supplémentaire :
- détection des *similitudes*,
- recherche de *généralisations*.

d) Utilitaires de développement divers

La mise au point sera facilitée par :
- la possibilité de trace d'exécution,
- l'existence d'un mode d'exécution pas à pas,
- la faculté de définir des points d'arrêt (examiner leur mode de définition, pour préciser sur quels critères ils peuvent être établis),
- la capacité de modifier les faits *en cours d'exécution*.

Par ailleurs, on s'attachera à l'existence d'une *bibliothèque de mémorisation des exploitations*, permettant de constituer des jeux d'essais importants et de les rejouer facilement. Cet outil, dont l'utilité a été mise en évidence par le développement du génie logiciel pour les programmes classiques, est encore plus important pour les systèmes experts, compte tenu de leur mode de développement.

e) Utilitaires pour l'utilisateur

Parmi les fonctions intéressantes, on retiendra :
- l'explication des déductions,
- la justification des questions posées par le système,

et aussi
- la visualisation du raisonnement (trace des déductions),
- la possibilité de modifier les faits en cours d'exécution (déjà mentionnée précédemment : cf. **d)** ci-dessus).

18.3.2.2. Critères d'évaluation

Les questions suivantes complèteront l'analyse purement technique de l'outil.

1°) Contraintes liées à l'exploitation

- Lien avec le type de réalisation envisagée : le choix de l'outil sera différent suivant que l'objectif est d'effectuer un travail de recherche, d'expérimenter un prototype, ou d'aboutir à l'utilisation opérationnelle d'un programme en contexte industriel.

- Lien avec le type de problème : on se reportera à la décomposition proposée en 18.2.1 ci-dessus. L'importance relative attachée aux différentes caractéristiques techniques variera en fonction du problème à résoudre.

- Limitations et contraintes de puissance de l'outil :

  - Quels matériels supportent l'outil ? Quelles ressources sont nécessaires ?

  - Y a-t-il des limites imposées à la taille de l'application (notamment : volume de la Base de connaissances) ?

  - Quelles sont les performances annoncées à l'exécution ? Dans quel contexte ? Avec quelles unités (faire préciser leur signification exacte) ?

2°) Politique commerciale : support et coût ?

- Avenir du produit : examiner la solidité de l'entreprise : son capital, son actionnariat, sa durée d'existence, son chiffre d'affaires dans le domaine. Evaluer la continuité passée de sa politique produit, et son effort de recherche.

- Soutien offert aux utilisateurs : les différentes modalités de ce soutien peuvent être :
  - formation à l'utilisation,
  - fourniture des évolutions,

- assistance par courrier,
- assistance par téléphone,
- assistance par intervention directe,
- ingénierie pour la résolution du problème considéré.

Bien évidemment, toutes ces prestations ont un coût...

- Coût du produit : outre le coût direct d'achat, on devra tenir compte de tous les facteurs de coût liés à la possession.

  Le prix de vente est en général (plus ou moins fortement) dégressif avec le nombre d'exemplaires commandés. Dans certains cas, une version d'exécution seulement, ne permettant pas la mise au point, est disponible pour un prix beaucoup plus faible.

  Les à-côtés inclueront :
  - les besoins en matériel, soit indispensable, soit nécessaire à l'obtention de performances acceptables ;
  - le coût de formation (qui devra intégrer, avec la complexité de l'apprentissage, l'immobilisation correspondante des ressources humaines) ;
  - le coût de l'assistance technique.

Conclusion : perspectives

Pour clore ce panorama des nouvelles techniques d'informatique dites "Intelligence Artificielle", esquissons un bilan sur leur situation et un pronostic sur leur avenir.

1. Les limites

Bien entendu, les solutions offertes sont encore partielles, ce sont les limites internes de la nouvelle technologie ; par ailleurs, leur développement comme leur mise en oeuvre sont bridés par des contraintes externes.

Limites techniques internes tout d'abord : nous les avons relevées au cours de la présentation. Rappelons les écueils les plus importants :

- le choix d'une *bonne description de l'espace de recherche* est conditionné par la façon de poser le problème à résoudre. La difficulté pour effectuer correctement ce travail préalable est considérable, et aucun résultat théorique n'est disponible sur ce sujet.
- L'*efficacité du processus de résolution* dépend de l'existence d'heuristiques efficaces. Celles-ci sont la quintessence de l'art du spécialiste, et elles sont d'autant meilleures que ce dernier est expert.
- L'*expression des* ***méta-connaissances*** (c'est-à-dire des connaissances sur la connaissance) que sont les heuristiques n'est pas très stabilisée : leur formulation est souvent implicite (dans la stratégie de contrôle, le rangement des connaissances, la valeur de certains coefficients,...), même si par ailleurs certains outils sont disponibles.

- La *formalisation du raisonnement* et de ses mécanismes est très succincte. Il en résulte une maîtrise imparfaite du processus, qui pèse sur la validité des résultats.

- En particulier, *le contrôle de la cohérence* des connaissances utilisées est difficile à effectuer.

- Autre problème de méta-connaissance : la connaissance des *limites de validité* d'un ensemble de connaissances ; peu de moyens existent pour les formuler.

- Les problèmes de la *représentation du temps* et *celle de l'incertitude* sont imparfaitement résolus.

Tous ces sujets de recherche et ces besoins d'améliorations font l'objet de travaux. Mais l'avancement de ces derniers est limité par les effectifs disponibles.

La contrainte sur les ressources humaines

Parfois, certains s'étonnent que les problèmes techniques fondamentaux aient peu évolué dans les cinq années qui on suivi l'émergence de tous les concepts nouveaux de "systèmes experts", "Intelligence Artificielle", etc.

C'est que l'apparition de ces idées, au début de la décennie 80, a mis au jour en quelques mois les résultats de vingt-cinq ans de recherches. Il est donc naturel que *l'avancée technique* dans les années qui ont suivi *semble plus lente*, alors qu'elle a paru foudroyante de façon purement fictive à l'observateur non averti. Ce ralentissement apparent s'observerait *même à vitesse égale* de progression de recherche.

Un facteur supplémentaire vient sans doute ralentir effectivement la progression de la recherche : *le transfert de compétences vers l'industrie*. Il n'est bien sûr pas question de regretter cette industrialisation des résultats d'une discipline nouvelle. Mais il faut être conscient que l'appel vers le secteur industriel de nombreux chercheurs, anciens chevronnés ou jeunes diplômés a dégarni d'autant les effectifs consacrés aux recherches les plus prospectives. Quant à l'attrait qui en résulte à l'entrée du cursus universitaire, il faudra quelques années avant qu'il produise ses effets sur les équipes.

Beaucoup de spécialistes pensent donc qu'*un ralentissement réel* (et pas seulement apparent) de l'avancée de la recherche s'est produit à partir de 1981-1982.

La contrainte technologique

Très ambitieuse dans ses objectifs, l'informatique symbolique :

- aborde la résolution de problèmes plus complexes (problèmes formels, symboliques, traitant d'objets techniques évolués, comportant une part d'incertitude,...) ;
- et de plus, transfère à la machine le soin de trouver le parcours vers la solution, que l'algorithme classique décrivait complètement.

Il en résulte naturellement un *besoin en ressources (mémoire et capacité de "calcul")* supérieur de plusieurs ordres de grandeur à celui qu'exigeaient les traitements classiques. Cette contrainte technologique apparaît encore dimensionnante pour un certains nombre de problèmes concrets.

Néanmoins, son ambition constitue à n'en pas douter l'atout-maître du nouveau domaine.

2. Les atouts

L'informatique symbolique : un besoin ? ...

Plusieurs esprits éminents ont émis l'idée que le développement d'outils nouveaux était indispensable - et donc qu'ils "devaient" se développer.

Suivant cette logique, l'existence de problèmes complexes, actuellement non automatisables, justifierait les efforts qui sont faits pour accroître le champ d'utilisation possible des ordinateurs.

Une formulation intéressante consiste à remarquer que la complexité croissante des calculateurs est de plus en plus difficile à maîtriser, et qu'il apparaît donc impérieusement nécessaire de fournir des moyens plus accessibles de s'en servir.

...ou une nécessité : le seuil technologique

Il semble toutefois plus convaincant d'effectuer le raisonnement en sens inverse. Plutôt que de partir des raisons qui justifient le développement de l'informatique symbolique, examinons les causes qui ont suscité son émergence.

Nous constatons alors qu'en 1980, deux facteurs paraissent se conjuguer :

- d'une part, l'existence d'un certain nombre de résultats techniques issus de vingt-cinq années de recherche ;

- d'autre part (et peut-être surtout), la disponibilité de ressources (puissance de calcul et capacité mémoire) de plus en plus considérables à un coût très faible.
  (Rappelons qu'en 1969, General Problem Solver tentait d'offrir une démarche générale de résolution de problèmes sur une machine dotée de 65 K mots de mémoire - soit environ 10 à 100 fois moins qu'un micro-ordinateur modeste en 1987).

A partir de cette constatation, l'analyse est la suivante : en 1980, les techniques développées dans les laboratoires d'Intelligence Artificielle atteignent *le seuil de rentabilité industrielle* - compte tenu du coût du bit de mémoire et de l'unité de traitement d'instruction.

Ces coûts continuant à évoluer à la baisse pour encore plusieurs années, le niveau de rentabilité de ces techniques est appelé à croître, donc leur utilisation à s'élargir.

Il se peut bien entendu, que certains phénomènes (notamment le pompage des ressources humaines évoqué plus haut) viennent ralentir ou contrarier temporairement cette évolution. Elle nous paraît à terme inévitable.

ANNEXE :

LISP

1. Unités de base

En LISP, les unités de base sur lesquelles on travaille sont les atomes et les listes.

Un *atome* est soit un nombre, soit un symbole défini par une suite de caractères. Par exemple 3,2.58, CHIEN, ANIMAL sont des atomes.

Une *liste* est une suite d'éléments qui sont eux-mêmes des atomes ou d'autres listes. Une liste est écrite entre parenthèses.

Ainsi, (3 4), (ANIMAL 2) sont des listes.
Mais aussi

(UN CHIEN EST UN ANIMAL)
et (UN (JEUNE CHIEN) (EST AUSSI) (UN ANIMAL)))).

La liste vide, celle qui ne contient aucun élément, se note de deux façons. La première est () et est cohérente avec ce qui précède, la seconde est NIL.

Remarquons que (()) et (NIL NIL) sont des listes ayant respectivement un et deux éléments.

A propos de NIL, disons un mot des *valeurs booléennes* en LISP. NIL, qui représente on l'a vu la liste vide, représente également la valeur booléenne "faux".

Toute liste autre que la liste vide a la valeur booléenne "vrai". Un atome spécial désigne explicitement la valeur "vrai" : l'atome T (comme "true"...).

Les éléments qu'on vient de décrire constituent ce qu'on appelle des S-*expressions* (symbolic expressions), c'est-à-dire des expressions faites pour manipuler des symboles.

2. Fonctions - Evaluation

Pour travailler sur les unités de base que l'on vient de définir, on utilise des fonctions.

Les *fonctions* en LISP peuvent être désignées par des symboles :
+ désigne la fonction qui additionne des nombres.

Pour effectuer un appel de fonction, on place celle-ci en tête d'une liste (notation *préfixée*) dont les autres éléments sont ses arguments. Par exemple, la valeur rendue par l'appel (+2 3) est 5.

L'exemple précédent montre l'exemple d'une liste (+2 3) à laquelle on a associé la valeur 5. En LISP, au lieu de parler de l'appel de la fonction + avec les arguments 2 3, on parle de l'*évaluation* (ou encore de l'*interprétation*) de la S-expression (+2 3)

• Etendons-nous un peu sur cette notion d'évaluation d'une S-expression et commençons avec **l'évaluation d'un atome.**
Evaluer un atome, cela consiste à récupérer sa valeur lorsqu'elle existe.

Par convention, un nombre possède une valeur égale au nombre lui-même.

Un symbole, par contre, peut avoir une valeur qui est une S-expression quelconque (il se comporte comme une variable -----).

Ainsi, pour exprimer le fait qu'un chien est un animal domestique, on peut s'y prendre comme suit :
on considère les symboles CHIEN EST-UN ANIMAL TYPE DOMESTIQUE et on donne pour valeur au symbole CHIEN la liste suivante :

((EST-UN ANIMAL)(TYPE DOMESTIQUE)).

• **Une liste peut s'évaluer** lorsque son premier élément désigne une fonction (la seule que nous connaissons actuellement est la fonction +) ou une "*forme spéciale*". Nous verrons plus bas ce que l'on appelle une forme spéciale, passons donc aux fonctions.

Pour évaluer une liste, on commence d'abord par évaluer individuellement tous les éléments (autres que le premier) de la liste ; puis on appelle la fonction avec les valeurs trouvées comme argument.

Commençons avec l'exemple (+2 3). Les atomes 2 et 3 ont pour valeur respectives 2 et 3. L'appel de la fonction + sur ces valeurs fournit pour résultat 5.

Supposons maintenant que je dispose d'un symbole ADDITION dont la valeur est 108 et d'un symbole POURBOIRE dont la valeur est 21, et que je demande à évaluer (+ADDITION POURBOIRE).
Pour calculer cette valeur, LISP commence par évaluer les éléments ADDITION et POURBOIRE, soit 108 et 21, puis LISP calcule la somme de 108 et 21 pour rendre la valeur 129.

Passons maintenant à une S-expression plus complexe (+ADDITION (+ 20 POURBOIRE)). Pour évaluer cette expression, LISP commence par évaluer ADDITION, ce qui donne 108. Puis LISP évalue (+ 20 POURBOIRE). Cette dernière expression est une liste dont le premier élément désigne une fonction. Elle s'évalue par l'addition de 20 à la valeur de POURBOIRE, soit 21, pour donner 41. La valeur de notre S-expression première est donc (108+ (20+21)) = 149.

Pour comprendre ce qui précède, examinons comment travaille LISP.

LISP est une langage interprété. L'interpréteur LISP demande à l'utilisateur de taper une S-expression au clavier (suivie en général avec touche retour-chariot...), il *évalue* cette S-expression et inscrit la valeur à la ligne du dessous.

Voilà un exemple d'écran après qu'un utilisateur a tapé quelques expressions simples (le ---> indique que le système attend quelque chose de l'utilisateur) :

---> (+ 5 9)
14
---> (- 18 4)
14
---> (* 6 3)
18
---> (* (+2 3) 3)
15
--->
...

Le meilleur moyen d'apprendre LISP rapidement est de se mettre devant un interpréteur, d'y taper des S-expressions et de voir ce qui se passe...

Nous imaginerons désormais que nous sommes dans cette situation, et, dans la suite de ce paragraphe, lorsque nous aurons à reproduire une portion d'écran, un petite flèche désignera le "prompt" de l'interpréteur.

Il existe une notation permettant *d'annuler le principe de l'évaluation* de LISP, c'est l'apostrophe (en anglais "quote") notée '. Ainsi par exemple :

```
---> 'A            } 'S, où S est une S-expression,
A                  } est aussi une S-expression,
--->' (+ 2  3)     } car en fait 'S est une abréviation de (QUOTE  S),
( + 2    3)        } QUOTE étant un teme spécial.
--->
```

En fait, ***QUOTE*** est notre *premier exemple de "forme spéciale"* : il n'évalue pas ses arguments avant de faire son traitement.

La fonction SET permet de *donner une valeur* à un symbole
---> (SET 'A 'B)
B
---> 'A
A
---> A
B
--->

Une petite explication s'impose... Interpréter (évaluer) (SET 'A 'B), cela consiste à donner au symbole **valeur** (*) du premier argument 'A, la valeur du second 'B, en d'autres termes, cela consiste à donner au symbole A la valeur B. Comme de plus SET est une fonction, en plus de l'opération d'affectation (qui évoque le A :=B en Pascal) SET retourne, comme valeur de fonction, la valeur qui a été affectée, ici B.

Pour reprendre un exemple cité plus haut :
---> (SET 'CHIEN '((EST-UN ANIMAL)
(TYPE DOMESTIQUE)))
((EST-UN ANIMAL) (TYPE DOMESTIQUE)).

Comme vous le voyez, LISP est un langage avec beaucoup de parenthèses et beaucoup de quotes (apostrophes).

(*) *Car les arguments de SET sont, comme il est de règle, évalués.*

On peut faire l'économie de certains quotes grâce à la ***forme spéciale SETQ*** (abréviation de SETQUOTE).

Ainsi :
---> (SETQ A 'B)
B
est synonyme de
---> (SET 'A 'B)
B

L'exemple mentionné plus haut s'écrira :

---> (SETQ CHIEN '((EST-UN ANIMAL)
(TYPE DOMESTIQUE)))
((EST-UN ANIMAL) (TYPE DOMESTIQUE))
--->

Remarquez encore une fois qu'une forme spéciale retourne une valeur comme une fonction.

3. Manipulation de listes

LISP, comme on l'a dit, offre tous les utilitaires de base pour manipuler les S-expressions. Les plus intéressants sont ceux qui manipulent les listes.

Nous avons présenté jusqu'à maintenant une liste comme une suite d'objets entre parenthèses. Pour LISP, une liste possède une tête et une queue. La tête d'une liste est son premier élément, et la queue d'une liste la liste des éléments restants.

Pour des raisons historiques, ***la fonction qui donne la tête d'une liste s'appelle CAR.***

---> (SETQ L '(A B C D))
(A B C D)
---> (CAR L)
A

(remarquons au passage que le premier élément d'une liste peut être une liste)

--->(CAR '((A B) C))
(A B)

La fonction qui rend la queue d'une liste s'appelle CDR.

---> (CDR L)
(B C D)

Pour construire une liste on dispose de deux fonctions, LIST et CONS.

La fonction LIST admet plusieurs arguments et rend la liste de ces arguments :

---> (LIST 'A 'B 'C)
(A B C)

La fonction CONS prend deux arguments et construit la liste dont la tête est le premier argument et la queue le second :

---> (CONS 'A '(B C))
(A B C)
---> (CONS '(A B) '(C D))
((A B) C D).
Notons que le deuxième argument de CONS doit être une liste.

Mentionnons enfin ***la fonction particulière NULL.***
NULL est un prédicat qui évalue si son argument vaut NIL ou non :
NULL rend T (c'est-à-dire "vrai") si son argument vaut NIL, NIL sinon.

Nous nous arrêtons là pour les utilitaires sur les listes. Un environnement de programmation en LISP en contient beaucoup.
Il n'est pas important de les connaître tous. En revanche il faut savoir qu'ils existent, et, éventuellement, être capable de les réécrire soi-même à partir de fonctions élémentaires.

4. Construction de fonctions

Pour illustrer ce point, nous allons montrer sur trois exemples comment on définit une fonction en LISP. Ces exemples sont justement des fonctions de manipulation de listes.

Les fonctions que nous allons définir s'appellent LISTE-1, SOUDER et INVERSER.

La fonction LISTE-1 aura un argument et rendra la liste ayant cet argument comme élément.

La fonction SOUDER prend deux arguments, qui sont des listes et rend une liste "réunion" des deux arguments.

La fonction INVERSER prend un argument qui est une liste L et rend la liste dont les éléments sont ceux de L pris à l'envers.

• Commençons par la fonction LISTE-1.

Si ELEMENT est l'atome dont la valeur est l'argument de LISTE-1, on voit que la valeur rendue par la fonction est :

(CONS ELEMENT NIL).

Pour définir la fonction LISTE-1, il faut donc :
"Définir une fonction de nom LISTE-1, prenant (ELEMENT) comme liste d'arguments et rendant le résultat de l'évaluation suivante

(CONS ELEMENT NIL)".

La fonction qui permet de définir une fonction s'appelle DEFUN et n'évalue par ses arguments (c'est une forme spéciale).

Pour définir LISTE-1 on écrit alors :

```
(DEFUN LISTE-1 (ELEMENT)
               (CONS ELEMENT NIL)).
```

Le *premier argument* de DEFUN - ici : LISTE-1 - est un symbole donnant le *nom* de la fonction définie.
Le *second argument* - ici : (ELEMENT) - est la *liste* des arguments de la fonction définie.

Les *autres arguments* de DEFUN sont des expressions à évaluer les unes à la suite des autres, la dernière expression évaluée exprimant la valeur de la fonction définie. Dans notre exemple, le troisième et dernier argument de DEFUN est la liste (CONS ELEMENT NIL). Par conséquent, un appel tel que (LISTE-1 X) provoque l'évaluation de la forme (CONS X NIL) et sa valeur (X) est, par définition, la valeur de l'expression (LISTE-1 X).

Maintenant qu'on a pu définir une nouvelle fonction, il faut avoir présent à l'esprit que l'appel de cette fonction provoque l'évaluation de ses arguments (comme toujours en LISP).

Nous illustrons ceci par les exemples qui suivent :

```
---> (DEFUN LISTE-1 (ELEMENT)
(CONS ELEMENT NIL))
LISTE-1
---> (LISTE-1 'A)
(A)
---> (SETQ A 235)
235
---> (LISTE-1 A)
(235)
---> (LISTE-1 (+A 5))
(240)
---> (LISTE-1 (LISTE-1 A))
((235))
```

• Occupons-nous maintenant de la fonction SOUDER. La définition de cette fonction ressemble à (DEFUN SOUDER (L1 L2)), où L1 et L2 sont des listes.

Une façon très simple de procéder est de dire que :
- si L1 est vide, la réponse est L2 ;
- si au contraire L1 n'est pas vide, la réponse est la liste dont le premier élément est le premier élément de L1, et la queue est la "soudure" des derniers éléments de L1, d'une part, et de L2 d'autre part.

Pour cela, introduisons ***la fonction COND.*** Cette fonction possède un nombre quelconque d'arguments, chacun d'entre eux étant obligatoirement une liste composée de deux éléments : une condition et une action.
Soit

```
    (COND
          (condition 1   action 1)
          (condition 2   action 2)
          ...
          (condition n   action n)
```

L'évaluation de COND consiste à

- évaluer **successivement** le premier élément (condition) de ses arguments ;
- **dès que** l'un d'entre eux (par exemple condition i) n'est pas faux,

COND évalue le deuxième élément de l'argument correspondant (soit action i) et rend sa valeur (sans aller plus loin dans l'exploration de ses arguments).

Remarque : si aucun des arguments de COND n'a de première partie "vraie" (c'est-à-dire différente de NIL), COND rend NIL.

Avec cette convention, une façon d'écrire la définition de SOUDER est la suivante :

```
(DEFUN SOUDER (L1  L2)
  (COND
      ((NULL #L1)
       L2)
      (T
         (CONS (CAR L1)
                 (SOUDER (CDR  L1)  L2))))).
```

On remarque que cette définition est *récursive.*

• Pour terminer, nous proposons sans commentaire une définition de la fonction que nous avons nommée INVERSER.

```
(DEFUN  INVERSER  (LISTE)
  (COND
      ((NULL #LISTE)  LISTE)
      (T
         (SOUDER  (INVERSER  (CDR  LISTE))
                   (L1 (CAR #LISTE ))))))).
```

Bibliographie

BARR A., FEIGENBAUM E.A. (Eds), 1981
The hanbook of Artificial Intelligence - Vol. I
Heuristech Press-William Kaufman, Inc (Stanford, Los Altos)

BARR A., FEIGENBAUM E.A. (Eds) 1982
The handbook of Artificial Intelligence - Vol. II
Heuristech Press-William Kaufman, Inc (Stanford, Los Altos)

BONNET A., HATON J.P., TRUONG NGOC J.M., 1986
Systèmes experts - vers la maîtrise technique
Interéditions (Paris)

BROOKS R.A., 1981
Model based three dimensional interpretation of two dimensional images
IJCAI, 7 : pp. 619-624

BUCHANAN B.G., 1986
Expert systems : working systems and the research literature
Expert Systems, 3, 1 : pp. 32-51

CHOMSKY N., 1957
Syntactic structures
Mouton (La Haye)

COLMERAUER A., KANOUI H., VAN CANEGHEN M.N 1983
Prolog, bases théoriques et développements actuels
Techniques et Sciences Informatiques

COHEN P.R., FEIGENBAUM E.A., 1982
The handbook of Artificial Intelligence - Vol. III
Heuristech Press-William Kaufman, Inc (Stanford, Los Altos)

DAVIS R., 1976
Application of meta level knowledge to the construction, maintenance and use of large knowledge bases
Rep. n° STAN-CS-76-552 Com. Sc. Dept. - Stanford Univ.
repris dans DAVIS R., LENAT D. (Ed)
Knowledge based systems in artificial intelligence
McGraw Hill, N.Y., 1982 : pp. 229-490)

DESCOTTE Y., LATOMBE J.C., 1981
GARI : a problem solver that plans how to machine mechanical parts
IJCAI : pp. 766-772

DREYFUS H.L., 1984
Intelligence Artificielle : mythes et limites
Flammarion

DUDA R., GASCHNIG J., HART P.E., 1979
Model design in the PROSPECTOR consultant system for mineral exploration
in : *Expert system in the microelectronic age*, D. MICHIE,(Ed),
Edinburgh University Press (Edinburgh, G.B.) : pp. 153-167

EASTMAN C.M., 1973
Automated space planning
Artificial Intelligence, 4 : pp. 41-64

ERMAN L.D. et al., 1980
The HEARSAY-II speech understanding system : integrating knowledge to resolve uncertainty
ACM Computing Surveys, 12

ERMAN L.D. et al., 1981
The design and an example use of HEARSAY III
Proceedings of 7th IJCAI Conference

ERNST G. et NEWELL A., 1969
A case study in generality and problem solving
Academic Press (N.Y.)

FEIGENNBAUM E.A., FELDMMAN J. (Eds), 1963
Computers and thougtht
McGraw - Hill (N.Y.)

FIKES R.E., NILSSON N.J., 1971
STRIPS : a new approach to the application of theorem proving to problem solving
Artificial Intelligence, 2 : pp. 189-208

FUNT B.V., 1976
WHISPER : a computer implementation using analogs in reasoning
Rep. n° 76-09, Computer Sc. Dept. (University of British Columbia)

GALLAIRE H., COUSINEAU G. et al., 1983
Rapport sur l'intelligence artificielle préparé
par le club SICO de l'INRIA et le groupe de travail du CNRS (non publié)

GELERTNER H., MILLER G.A., LARSEN E.I. et BERNDT, 1984
Realization of a large expert problem-solving system - SYNCHEM 2
Proceedings of the 1st International Conf. on A.I. Applications (Denver)
IEEE (Ed) : pp. 92-106

HARRIS L.R., 1973
The bandwidth heuristic search
IJCAI3 : pp 23-29

HAYES-ROTH F., WATERMAN D.A., LENAT D.B. (Eds), 1983
Building Expert Systems
Addison-Wesley (Reading, Mass., USA)
HEWITT C., 1972

Description and theoretical analysis (using schematas) of PLANNER, a language for proving theorems and manipulating models in a robot
Rep. n° TR 258, AI Lab., MIT

IUDICA N.R., 1985
GUMMEX : un système expert pour générer des processus de fabrication
Nachrichte Dokumentation, 36,1 (Fév. 85) : pp. 22-27

KAY A., GOLDBERG A., 1976
SMALLTALK-72 : instruction manual
SSL 76-6, XEROX Palo Alto Research Center (Palo Alto, Ca., USA)

KAYSER D., 1984
Examen de diverses méthodes utilisées en représentation des connaissances
4ème Congrès d'Intelligence Artificielle et Reconnaissance des Formes, Paris

KNUTH D.E., MOORE R.W., 1975
An analysis of alpha-beta pruning
Artificial Intelligence, 6 : pp. 293-326

KOBSA A., 1984
Knowledge Representation : a survey of its mechanisms, a sketch of its semantics
Cybernetics et Systems, 15 : pp. 41-89

KOWALSKI R., 1979
Logic for problem solving
Artificial Intelligence Series, Computer Science Library,
NILSSON (Ed), North Holland (N.J.)

LEA W. (Ed), 1980
Trends in speech recognition
Prentice Hall (Englewood Cliffs, N.J., USA)

LINDSAY R., BUCHANAN B.G., FEIGENBAUM E.A. et LEDERBERG J., 1980
DENDRAL
McGraw-Hill (N.Y.)

McCARTHY J., 1978
Theory of LISP
SIG-PLAN Notices, 13 : pp. 217-223

McDERMOTT J., 1980
R1 : an expert in the computer systems domain
Proceedings of AAAI-80 : pp. 269-271

McDERMOTT J. 1982
R1 : a rule-based configurer of computer systems
Artificial Intelligence, 19,1 : pp. 39-88

MICHIE D., MELTZER B. (Eds), 1969
Machine Intelligence 4
Edinburg University Press (Edinburgh, G.B.)

NEWELL A., SIMON H.A, 1972
Human Problem Solving
Prentice Hall (Enghwood Cliff, N.J., USA)

NILSSON N., 1982
Principles of Artificial Intelligence
Springer Verlag

PITRAT J., 1977
A chess combination program which uses plans
Artificial Intelligence, 8,3 : pp. 275-320

POPLE H., 1977
The formation of composite hypotheses in diagnostic problem solving-an exercise in synthetic reasoning
IJCAI, 5 : pp. 1030-1037

POST E., 1943
Formal reductions of the general combinatorial problem
American Journal of Mathematics, 65 : pp. 197-268

QUEINNEC C., 1984
LISP Mode d'emploi
EYROLLES

QUILLIAN M.R., 1968
Semantic Memory
in : *Semantic Information Processing*, M. MINSKY (Ed)
MIT Press : pp. 216-270

REBOH R. et al., 1976
QLISP : a language for the interactive development of computers systems
Rep. n° TN-120 - AI Center, SRI Internat. Inc. (Menlo Park, Ca., USA)

REBOH R., 1981
Knowledge engineering technics of tools in the PROSPECTOR environment
Report n° 243 - AI Center, SRI International Inc, (Menlo Park, Ca, USA)

REIERSON J.D., LAY R.K., 1984
An application of expert-systems technology to nuclear power plant operations
Proceeding of COMPCON, Fall 84, IEEE (Ed) : pp. 11-15

REYNIER M., FOUET J.M., WEXLER J., 1984
Automated design of crankcases : the CARTER system
CAD (Conference on Automated Design) 84 - Proceedings of the 6th internat. conf. and exhibition on computers in design engineering
Butterworths (Guilford, Surrey, G.B.) (Ed) : pp 444-454

SACERDOTI E.D., 1975
A structure for plans and behavior
Technical note 109 - AI Center, SRI International Inc.

SCHANK R.C. et ABELSON R.P., 1977
Scripts, plans, goals and understanding
Lawrence Erlbaum Ass. (Hillsdale, N.J., USA)

SHORTLIFFE E.H., 1976
Computer-based medical consultations : MYCIN
American Elsevier (N.Y.)

SLOMAN A., 1971
Interactions between philosophy and A.I. : the role of intuition and non logical reasoning in intelligence
Artificial Intelligence, 2 : pp. 209-225

SLOMAN A., 1975
Afterthoughts on analogical representations
TINLAP, 1 : pp. 178-182

SUSSMAN GJ., 1973
A computational model of skill acquisitions
AI Technical Report 297 - AI Lab., MIT

SUSSMAN G.J., McDERMOTT D.V., 1972
CONNIVER reference manual
Memo 259 - AI Lab., MIT

SZOLOVITS P., PAUKER S., 1978
Categorical and probabilistic reasoning in medical diagnosis
AI Journal 11 (1,2) : pp. 115-154

VAN MELLE W., 1980
A domain independant system that aids in constructing krnowledge-based consulting programs
Rep. n° 820 - Computer Sc. Dept., Stanford University

VAN MELLE W. et al., 1981
The EMYCIN manual
Stanford 1981

WARREN D.H.D., PEREIRA L.M., PEREIRA F., 1977
PROLOG : the language and its implementation compared with LISP
Proceedings of the Symposium on A.I. and Programing Language (ACM)
SIG-PLAN Notices, 12,8
et SIGART Newsletter 64 : pp. 109-115

WATZLAWICK P., 1978
La réalité de la réalité : confusion, désinformation, communication
SEUIL

WATZLAWICK P., HAMICK-BEAVIN J., JACKSON DON D., 1979
Une logique de la communication
SEUIL (Coll. "Points")

WINSTON P.H., 1977
Artificial Intelligence
Addison Wesley (Reading, Mass., USA)

Index

Les chiffres renvoient aux pages dans lesquelles le sujet est abordé. (Deux numéros de page séparés par un tiret signifie l'ensemble des pages comprises entre les deux numéros indiqués). Les chiffres en gras indiquent la localisation de la définition, ou de la présentation la plus détaillée.

Imprimerie GAUTHIER-VILLARS, France
7609 - Dépôt légal, Imprimeur, n° 3327

Dépôt légal : juillet 1988

Imprimé en France

X0083224 5